« J'ai mis devant toi la vie et la mort, la bénédiction et la malédiction. Choisis la vie, afin que tu vives, toi et ta postérité. »

DEUTÉRONOME 30, 19
(traduction Louis Segond)

CHOISIR, MAINTENANT

AL GORE

Éditions
de La Martinière

Rares sont ceux qui ont vu cette première image historique
de la Terre à l'horizon de la Lune. Prise par Lunar Orbiter 1
deux ans avant la fameuse photo « Lever de Terre »
— œuvre de Bill Anders, de la mission Apollo 8 —, cette image,
du fait de sa faible résolution, a eu peu d'impact.
Oubliée pendant quarante-deux ans, elle a été améliorée
numériquement en 2008.
De même, la crise du climat est visible depuis bien des années,
mais cela n'a longtemps guère eu d'impact sur notre mode
de pensée.

Édition originale publiée en 2009 aux États-Unis par Rodale Inc.
33 East Minor Street, Emmaus, PA 18098, www.rodale.com,
sous le titre *Our Choice.*

Pour l'édition américaine :
Copyright © 2009, Al Gore
All rights reserved.

Réalisation : Melcher Media, New York

Pour l'édition française :
© 2010 Éditions de La Martinière, une marque de La Martinière Groupe,
Paris (France).

Traduction : Christophe Jaquet
Mise en page et relecture : Julie Houis
Connectez-vous sur www.editionsdelamartiniere.fr

À Karenna, Kristin, Sarah et Albert.

SOMMAIRE

INTRODUCTION

L'ESSOR RAPIDE DES MÉGAPOLES FAVORISE LA
CRÉATION DE LOTISSEMENTS ÉTENDUS, COMME
ICI, À IXTAPALUCA, AUX ABORDS DE MEXICO.

Il y a presque vingt ans, le romancier américain Kurt Vonnegut écrivait :
« N'y a-t-il rien des États-Unis de ma jeunesse, mis à part celle-ci, qui me manque douloureusement ? Ce qui me manque si fort que je puis à peine le supporter, c'est l'ignorance que nous avions du fait que les humains auront bientôt rendu cette belle planète bleu-vert inhabitable. » Avec ce mélange si particulier de surréalisme, d'humour noir et de cynisme, il poursuivait : « Si des anges ou des créatures en soucoupe volante devaient arriver ici dans une centaine d'années et que nous ayons disparu comme les dinosaures, quel serait le message que l'humanité aurait pu laisser, gravé en majuscules sur une paroi du Grand Canyon ? »

Selon lui, voici ce qu'aurait dû être ce message :

« NOUS AURIONS PU PROBABLEMENT NOUS SAUVER NOUS-MÊMES, MAIS NOUS ÉTIONS BIEN TROP PARESSEUX POUR ESSAYER... ET BIEN TROP RADINS. »

Savoir que l'environnement de la planète et l'équilibre climatique sur lequel repose notre civilisation ont déjà été gravement endommagés peut devenir une source paralysante de désespoir. Le risque est que ce désespoir nous rende incapables de reprendre le contrôle de notre destinée afin d'empêcher la catastrophe inimaginable qui se produirait sur la Terre si nous ne commençons pas rapidement à changer les choses.

Mais le désespoir ne sert à rien quand la réalité offre encore de l'espoir ; il n'est qu'une autre forme de déni et invite à l'inaction. Nous n'avons pas le temps de désespérer. Les solutions existent ! C'est maintenant qu'il faut faire nos choix.

Selon un vieux proverbe africain, « si tu veux aller vite, pars seul ; si tu veux aller longtemps, partez ensemble ». Nous devons tous aller loin... et très vite.

Depuis la parution d'*Une vérité qui dérange*, il y a plus de trois ans, j'ai organisé et animé plus de trente « sommets » réunissant des experts venus du monde entier pour discuter et partager leurs connaissances en vue d'élaborer un plan permettant de résoudre la crise du climat. Outre ces réunions, j'ai participé à un grand nombre de dialogues sur ce sujet avec d'autres experts.

Des neurosciences à l'économie, de la technologie à l'agriculture, les principaux spécialistes mondiaux ont patiemment et généreusement apporté leurs lumières sur des thèmes très divers, qui tous participent de cette recherche d'une solution à l'échelle globale. Ils ont permis d'élaborer

« Si tu veux aller vite, pars seul ; si tu veux aller longtemps, partez ensemble. »

PROVERBE AFRICAIN

DES ÉCOLIERS INDIENS PARTICIPENT
À UNE ACTION DE PLANTATION D'ARBRES
À HYDERABAD, EN 2008. LES PROGRAMMES
DE CE TYPE ONT PERMIS DE COMPENSER
LA DÉFORESTATION, L'UN DES GRANDS
RESPONSABLES DU RÉCHAUFFEMENT DU CLIMAT.

une approche nouvelle et cet ouvrage témoigne de ces avancées spectaculaires.

Ce livre vise à rassembler en un lieu unique toutes les solutions aujourd'hui existantes, afin que, tous ensemble, nous résolvions cette crise. Je souhaite décider les lecteurs à l'action, pas seulement sur une base individuelle, mais comme acteurs des processus politiques par lesquels chaque pays, et le monde dans sa globalité, doit faire les choix qui importent.

J'ai, quant à moi, effectué un voyage éclairant et passionnant. À présent, nous avons en main tous les outils nécessaires pour résoudre trois ou quatre crises climatiques – or, il ne nous faut en

époque où l'avenir de la civilisation dépend de ce que nous allons faire maintenant. En relevant ce défi, nous comprendrons que le destin de notre civilisation repose sur des mesures efficaces, collectives et mondiales pour garder la terre habitable et bâtir un monde plus juste, plus humain, plus prospère.

Bien comprise, la crise du climat est une opportunité sans précédent de s'attaquer à plusieurs causes persistantes de souffrance et de pauvreté longtemps négligées, et d'offrir aux futures générations une vie meilleure – du moins davantage de réussite dans la recherche du bonheur.

Nous pouvons résoudre la crise climatique. Ce sera difficile, bien sûr, mais si nous décidons de le faire, nul doute que nous réussirons.

résoudre qu'une. La seule chose qui fasse défaut, c'est la volonté collective. Approchant d'un tournant politique, nous sommes nombreux à reconnaître la réalité de cette urgence planétaire et à vouloir œuvrer ensemble pour préserver notre civilisation.

Nous pouvons résoudre la crise climatique. Ce sera difficile, bien sûr, mais si nous décidons de le faire, nul doute que nous réussirons.

Peu de générations dans l'histoire ont connu le privilège qui est le nôtre, celui de remplir une mission historique digne de tous nos efforts. Ce devrait être un honneur que de vivre à une

La décision de résoudre la crise climatique produira, du fait d'une transformation systémique nécessaire, des bénéfices collatéraux, à savoir des solutions réelles à des problèmes anciens et récurrents. La misère, les épidémies, la famine et la malnutrition font partie des fléaux qu'ont dû subir, au cours de l'histoire, de nombreux peuples. En transformant l'économie mondiale de façon à diminuer les émissions de carbone, nous résoudrons des problèmes que nous avons laissés perdurer trop longtemps.

Le premier pas consiste à ce que nous fassions un choix. « Nous », c'est-à-dire notre civilisation mondiale. Comme disait Shakespeare, « là est le hic », car nous ne paraissons pas capables de prendre consciemment une décision collective. Pourtant, il nous faut relever ce défi : mettre la sauvegarde de la civilisation au cœur de notre action politique, économique et sociale. Le moment que nous vivons n'a pas d'antécédent dans l'histoire humaine. Notre maison est en péril. Ce n'est certes pas la Terre elle-même qui risque d'être détruite, mais les conditions de son habitabilité.

Si le choix à faire est limpide, prendre ce nouveau cap sera difficile, précisément parce que l'échelle des changements nécessaires et la rapidité à laquelle ils doivent être mis en œuvre sont sans précédent dans l'histoire de l'humanité.

Il est erroné de croire que l'on peut maintenir les séparations traditionnelles entre les différents champs dont relève la solution. L'enjeu traverse les disciplines, les frontières nationales, les idéologies et les politiques. Il est aussi naïf de faire peser la charge sur les seuls individus. Résoudre la crise climatique passe par la nécessité d'une action concertée à l'échelle mondiale. Chacun d'entre nous a bien sûr un rôle à jouer, et ce que nous faisons dans notre vie, professionnelle ou intime, est fondamental. En s'ajoutant les unes aux autres, nos actions renforcent l'espoir et la volonté inhérents au succès. Mais il nous faut faire davantage que changer nos ampoules et nos fenêtres : il faut changer nos lois et nos politiques.

Les individus désireux de participer à résoudre la crise climatique doivent lutter activement pour que soient adoptés, sur le plan international, des lois et des traités nouveaux. C'est pourquoi ce livre insiste moins sur les choix individuels qu'il ne cherche à donner une carte de route pour les

LA MAISON OÙ MINA WEYLIOUANNA A GRANDI, À SHISHMAREF (ALASKA), S'EST EFFONDRÉE EN RAISON DE LA FONTE DU PERMAFROST – QUI LIBÈRE AUSSI DU MÉTHANE ET DU CO_2 DANS L'ATMOSPHÈRE.

solutions à grande échelle que requiert notre engagement commun.

J'ai souvent entendu des gens dire qu'il était difficile d'envisager un tel engagement aux États-Unis, encore moins au niveau mondial. Or, nous avons commencé à prendre cette direction. Qu'il s'agisse d'entreprises répondant à de nouvelles opportunités du marché ou d'étudiants voulant aider à « mettre fin au réchauffement », les signes de changement dont nous avons besoin apparaissent autour de nous.

Ainsi, la croissance de la population mondiale a ralenti et commence à se stabiliser, même si cette population est cinq fois et demie plus importante qu'au début du XXe siècle. Ces trois dernières années, la prise de conscience de la crise climatique, et de ses liens avec d'autres grands enjeux, a enregistré des progrès encourageants.

La crise économique mondiale qui s'est déclarée à l'automne 2008 a montré l'intérêt d'une coordination internationale des moyens en vue de créer des emplois et de mettre fin aux effets d'une récession globale exceptionnellement aiguë.

Simultanément, l'aggravation du conflit en Afghanistan et les combats pour stabiliser l'Irak rappellent que la région du golfe Persique demeurera une source de menaces pour notre sécurité aussi longtemps que les États-Unis et le système économique dans son ensemble resteront dépendants du pétrole – les plus grandes réserves étant sous le contrôle d'États du Moyen-Orient.

Si géologues et économistes débattent encore du moment précis du « pic du pétrole », tout montre aujourd'hui que nous avons ou aurons bientôt atteint ce pic de production mondiale, du moins s'agissant des gisements accessibles à un prix que nous sommes prêts à payer.

L'an passé, l'Agence internationale de l'énergie, dans une analyse approfondie des huit cents plus grands champs pétrolifères du monde, estimait que la majorité d'entre eux avaient déjà atteint ce pic et que leur production allait décliner deux fois plus vite que ce qui avait été estimé en 2007.

Boone Pickens, le grand magnat américain du gaz et du pétrole, déclarait en août 2009 que la production avait atteint son sommet en 2006. Que ceux qui partagent ses vues aient ou non raison, le monde devra avant peu s'adapter à la réalité d'un écart croissant entre le nombre de nouveaux gisements et la demande exponentielle en pétrole des pays économiquement émergents comme l'Inde et la Chine.

Tant que les États-Unis consacreront près de 500 milliards de dollars par an à l'importation de pétrole, leur déficit courant sera impossible à combler et le dollar se fragilisera davantage. Et tant que l'économie mondiale restera l'otage de réserves d'énergie situées dans l'une des régions les plus instables du monde, nous connaîtrons d'autres hausses brutales des prix du pétrole comme celle de l'été 2008, où le baril atteignit 145 dollars.

La Chine, pour sa part, investit ses énormes excédents économiques dans des sociétés énergétiques et des champs pétrolifères un peu partout dans le monde. Ayant engagé un plan ambitieux afin d'être leader dans la production de panneaux solaires, le pays compte les fabriquer à la fois pour ses propres besoins et pour assurer la transition de la planète vers une énergie moins émettrice de carbone. La Chine va aussi devenir le premier producteur mondial d'énergie éolienne, et construit actuellement un super-réseau de 800 kilovolts qui reliera toutes ses régions au réseau de transmission et de distribution d'électricité le plus performant au monde.

L'OURAGAN KATRINA A DÉPORTÉ CETTE
PLATE-FORME OFFSHORE DE PLUS DE 90 KM,
TRÈS LOIN DE LA CÔTE DE L'ALABAMA.
LE NOMBRE RECORD D'OURAGANS A RENDU
TANGIBLE LA CRISE DU CLIMAT.

DES DUNES EN BORDURE DU DÉSERT DE GOBI,
EN CHINE, MENACENT DES TERRES ARABLES
PRÈS DU FLEUVE JAUNE. SELON L'ONU,
LE RÉCHAUFFEMENT JOUE UN RÔLE ESSENTIEL
DANS L'EXTENSION DES DÉSERTS.

Le déficit courant des États-Unis, en revanche, nous conduit à ce que le Peterson Institute (créé par l'ancien secrétaire au commerce Pete Peterson) nomme une véritable catastrophe économique. Au premier trimestre 2009, ce déficit s'est élevé à 101,5 milliards de dollars (moins que prévu, en raison de la crise), dont 46 milliards liés au pétrole et aux produits pétroliers importés.

Ces trois crises – la crise sécuritaire, la crise économique et la crise climatique – semblent, isolément, insolubles. Pourtant, un lien les traverse, presque ironique dans sa simplicité : notre dépendance excessive vis-à-vis des combustibles à base de carbone. Suivre ce lien jusqu'au bout conduit à dénouer tous les problèmes et à comprendre que la réponse est à portée de main : il nous faut réaliser un effort historique pour bâtir les infrastructures et les technologies qui permettront de passer massivement du charbon, du pétrole et du gaz à des formes d'énergie renouvelables.

Le premier « paquet environnement » du président Obama constitue un progrès notable vers l'édification d'une infrastructure d'énergie renouvelable aux États-Unis. Mais les firmes des secteurs du charbon, du gaz et du pétrole – en liaison avec les compagnies d'électricité et les négateurs de la menace climatique – ont fait pression sur le Congrès pour bloquer au Sénat la législation sur l'énergie. Les États-Unis continuent à emprunter de l'argent à la Chine pour acheter du pétrole du golfe Persique et à le consommer en détruisant la planète. Cela doit changer.

Selon les études scientifiques les plus récentes, l'impact de la crise climatique s'inscrit dans un schéma dont l'évidence est patente depuis au moins vingt ans. Chaque nouvelle projection montre que la gravité de la crise a été sous-évaluée et qu'elle ne cesse de devenir plus menaçante.

L'autorité mondiale en la matière, le Groupe intergouvernemental sur l'évolution du climat (GIEC), après vingt ans d'analyse et quatre rapports unanimes, affirme que les preuves sont « sans équivoque ».

La culture politique qui nous gouverne désormais est devenue en partie folle du fait de la transformation du « forum public », apparu après l'invention de l'imprimerie, et qui nous a donné la presse, les livres, l'alphabétisme de masse, le « règne de la raison », l'égalitarisme et la démocratie représentative. Ce que les philosophes des Lumières qualifiaient de « République des lettres » a sombré sous le flux des images électroniques, qui mélangent à l'envi information et divertissement, intérêt général et intérêt privé.

Dans un tout autre contexte, il y a cinquante-huit ans, le philosophe allemand Theodor Adorno décrivait en ces termes cette transformation : « La conversion de toutes les questions de vérité en questions de pouvoir [...] s'en prend au cœur même de la distinction entre le vrai et le faux. »

Voici une illustration banale mais représentative de ce phénomène : l'été dernier, aux États-Unis, des opposants politiques à Obama affirmaient qu'il n'était pas né aux États-Unis et n'était donc pas éligible à la présidence. Le gouverneur républicain d'Hawaï, où Obama est né il y a quarante-huit ans, a personnellement examiné son certificat de naissance. Des millions de personnes continuent pourtant de débattre de ces faits établis ; certains suggèrent qu'il s'agit d'un sombre complot, planifié depuis longtemps ; d'autres sont allés jusqu'à produire un faux certificat de naissance kenyan.

Cette controverse ne mériterait pas d'être mentionnée si ce n'est pour sa ressemblance avec le refus des soi-disant « sceptiques » d'accepter

CAMIONS ET VOITURES À L'HEURE DE POINTE
SUR L'I-75, À ATLANTA (GÉORGIE). LE TRANSPORT
REPRÉSENTE AU MOINS 10 % DE LA POLLUTION
RESPONSABLE DU RÉCHAUFFEMENT.

Les États-Unis empruntent de l'argent à la Chine pour acheter du pétrole du golfe Persique, qu'ils consomment en détruisant la planète. Cela doit changer.

la vérité sur la crise climatique, pourtant démontrée par le GIEC. Les conclusions de cet organisme ont été unanimement reconnues par les académies scientifiques des plus grands pays du monde – États-Unis, Chine, Royaume-Uni, Inde, Russie, Brésil, France, Italie, Canada, Allemagne et Japon.

Feu le sénateur Patrick Moynihan a dit un jour : « Chacun a droit à ses propres opinions, mais pas à ses propres faits. »

Si l'on veut parvenir à un consensus mondial autour des solutions radicales à mettre en œuvre pour notre survie, il nous faut analyser les meilleures preuves existantes par le biais d'un débat ouvert et approfondi ; mais, lorsque des gens

Dans un tel contexte, certains opposants à une évolution progressiste se sont lassé des appels catastrophistes à un changement de politique, et n'ont par conséquent de cesse de mettre en doute les preuves scientifiques. C'est l'une des raisons pour lesquelles il est si difficile de convaincre les dirigeants politiques et les chefs d'entreprises, qui devraient pourtant savoir que la crise climatique n'a rien d'exagéré.

L'intégrité du processus délibératif sur lequel repose la démocratie est ainsi mise en péril par la promotion permanente et volontaire de fausses controverses sur des faits depuis longtemps établis, et qui tous montrent l'ampleur et la gravité de

« Chacun a droit à ses propres opinions, mais pas à ses propres faits. »

LE SÉNATEUR PAT MOYNIHAN

raisonnables et de bonne foi s'accordent à dire que les faits ainsi établis sont plus probants que d'autres explications, nous devons les accepter et agir afin de répondre à ce qu'ils impliquent.

Parler de l'affaire du « faux » certificat permet en outre de tracer un parallèle avec le traitement de la science climatique. Certains organes d'information établis – peut-être parce qu'ils ont perdu le sens de la distinction entre information et divertissement, et cherchent à *booster* leur audience en jetant de l'huile sur le feu – prétendent que ces faits sont toujours contestés, nourrissant une malsaine surinvestigation.

la crise du climat. Le faux témoignage peut être criminel et le mensonge suicidaire.

Dans le premier livre des Proverbes, Salomon prévient tous ceux qui choisissent la violence comme mode de vie : « Ils se tendent à eux-mêmes un piège. »

Au VIe siècle avant notre ère, Ésope racontait la fable du jeune berger dont les agneaux se faisaient dévorer parce qu'il avait trop souvent crié faussement « Au loup ! » pour le plaisir de voir les paysans accourir au son de sa voix.

Deux cents ans plus tôt, un fabuliste chinois anonyme évoqua un empereur qui, afin d'amuser sa favorite par le spectacle des préparatifs d'une

EN NOVEMBRE 2007, LA PIRE INONDATION
EN CINQUANTE ANS A FRAPPÉ LA VILLE DE
VILLAHERMOSA, DANS LE SUD DU MEXIQUE.

DES FEMMES PUISENT DE L'EAU À GOUROUKOUN
(TCHAD). CE VILLAGE ABRITE DES RÉFUGIÉS
DU CONFLIT DU DARFOUR – OÙ SE DÉROULE
UN CONFLIT LIÉ AU CLIMAT.

bataille imminente, ne cessait de faire sonner l'alarme signalant l'invasion de la ville. Quand vint la véritable invasion, l'alarme ne fut pas entendue, la ville fut prise et l'empereur tué.

Aujourd'hui, la décision de convertir des « questions de vérité en questions de pouvoir », prise par quelques idéologues et lobbies d'affaires, a produit une lassitude similaire vis-à-vis des sincères cris d'alarme poussés en prévision d'une tragédie sans précédent dans l'histoire.

Ceux qui rejettent le consensus scientifique et minimisent la crise affirment que nous devons admettre notre incapacité à stopper les changements en cours, et qu'il suffira de s'y adapter. D'autres considèrent la démarche d'adaptation comme une diversion dangereuse et jugent plus nécessaire de prévenir la destruction des conditions ayant permis le développement de l'humanité sur la planète.

En réalité, il s'agit là d'un choix illusoire. Nous devons relever les deux défis simultanément : sauver ce qui peut l'être des évolutions en cours et préserver l'avenir de la civilisation. Toute autre stratégie est vouée à l'échec. De plus, la compassion et l'aide envers les êtres humains qui souffrent déjà de l'impact de la crise climatique sont une nécessité si nous voulons parvenir à l'indispensable consensus mondial pour résoudre la crise et éviter ses pires effets. Ce que négligent ceux qui insistent sur l'adaptation, c'est qu'à moins de prendre des mesures d'envergure pour arrêter la destruction de l'environnement, l'adaptation s'avérera impossible.

À ce stade, la génération qui réalisera que l'humanité est condamnée à une dégradation sans fin de ses perspectives et de celles de ses enfants et petits-enfants aurait raison de regarder la génération qui la précède comme criminelle et de la maudire pour avoir été l'architecte de sa destruction. En termes pragmatiques, la sauvegarde des générations futures doit commencer aujourd'hui. Car, alors même que nous tendons la main à ceux qui souffrent à présent, il nous faut rejeter l'idée que cette entraide serait autre chose que le point de départ de ce que nous devons faire.

Par un maigre septembre
Un continent flottant disparaît
Au soleil de minuit

Des vapeurs montent
Comme une fièvre sur une mer acide
Les eaux de Neptune fondent

La neige brille sur la montagne
Les glaces enfantent des inondations
La pluie drue tombe, rapide

La poussière est assoiffée
Les flammes s'emparent des forêts
Pour une célébration du feu

Des créatures inconnues
S'en vont sans être pleurées
Les cavaliers préparent leurs étriers

La passion cherche ses héros, ses amis
La cloche de la ville
Sur la colline sonne

Le berger pleure
L'heure du choix est venue
Voici nos outils

Al Gore, Nashville, 2009.

LA CRISE

CHAPITRE UN

CE QUI S'ÉLÈVE DOIT RETOMBER

LA CENTRALE AU CHARBON DE NIEDERAUSSEM, EN ALLEMAGNE, EST LE TROISIÈME ÉMETTEUR EUROPÉEN DE CO_2 PAR KWH PRODUIT.

La civilisation humaine et le système écologique de la Terre sont entrés en conflit, et la crise climatique en est la manifestation la plus visible, la plus destructrice et la plus menaçante. Elle est souvent confondue avec les crises écologiques comme la disparition des réserves de pêche et des récifs coralliens, les pénuries d'eau de plus en plus nombreuses, la dégradation des sols des zones agricoles, la déforestation (y compris des forêts tropicales et subtropicales, cruciales pour la diversité biologique), la disparition d'un nombre croissant d'espèces, l'introduction durable de polluants dans la biosphère, l'accumulation de déchets toxiques issus des activités chimiques et minières, entre autres, et la pollution de l'air et de l'eau.

Ces manifestations de l'impact violent de notre civilisation sur l'écosystème terrestre s'ajoutent à une crise écologique mondiale qui menace l'habitabilité de la Terre. Mais la détérioration de l'atmosphère est sans doute la manifestation la plus sérieuse de cette crise. Mondiale par essence, elle affecte toute la planète; elle est un facteur contributif et causal de la plupart des autres crises; et, si on n'y répond pas rapidement, elle est à même de mettre fin à notre civilisation.

En dépit de sa complexité, ses causes sont étonnamment simples à comprendre. Partout dans le monde, les êtres humains rejettent dans l'atmosphère six types différents de polluants, qui emprisonnent la chaleur et élèvent la température de l'air, des océans et de la surface terrestre. Ces six polluants, une fois émis, voyagent rapidement dans le ciel. Mais ils finissent tous, à plus ou moins long terme, par retomber sur Terre. De ce fait, le fameux aphorisme «ce qui s'élève doit retomber» jouera en notre faveur quand nous serons décidés à résoudre la crise climatique. En effet, la simplicité des causes du réchauffement conduit à une solution tout aussi simple, bien que difficile à mettre en œuvre : il s'agit de réduire drastiquement ce qui s'élève et d'augmenter sensiblement ce qui retombe.

La première cause du réchauffement climatique – le dioxyde de carbone – provient de la combustion de charbon, d'hydrocarbures (essence, gazole, fioul), de pétrole et de gaz naturel pour produire de la chaleur et de l'électricité et pour alimenter le transport et l'industrie. Le dioxyde de carbone issu de ces combustibles fossiles est la principale cause de la pollution de l'air, elle-même responsable de la crise climatique. C'est pourquoi la plupart des débats sur le sujet concluent qu'il faut produire de l'énergie sans que cela génère des émissions de CO_2.

Outre qu'elle est la principale source de CO_2, la combustion du charbon, du pétrole et du gaz constitue la source de réchauffement climatique qui se développe le plus rapidement.

Après les combustibles fossiles, la pollution au CO_2 – près de 25 % du total – vient d'une modification des usages des ressources naturelles : la

déforestation et la destruction par le feu de la
végétation. Le brûlage forestier s'effectuant en
majorité dans des pays en développement, et
l'activité industrielle se situant principalement
dans des pays relativement plus riches, les négociateurs des accords mondiaux visant à résoudre
la crise climatique essaient en général d'atteindre
un équilibre entre les mesures réduisant l'usage
de combustibles fossiles et celles réduisant la
déforestation.

Il y a une bonne et une mauvaise nouvelle
s'agissant du CO_2. La bonne, c'est que si, demain,
nous produisons moins de CO_2, la moitié du CO_2
d'origine humaine retombera de l'atmosphère
pour être absorbée, en trente ans, par les océans,
les plantes et les arbres. La mauvaise, c'est que le
reste retombera beaucoup plus lentement et que
20 % de ce qui sera émis cette année dans l'atmosphère y demeurera 1 000 ans. Or, nos émissions
quotidiennes sont de 90 millions de tonnes de
CO_2 !

La bonne nouvelle devrait nous inciter à agir
tout de suite, pour que nos enfants et petits-
enfants aient des raisons de nous remercier. Car, si
certains effets désastreux de la crise du climat ont
déjà cours, les plus terribles peuvent encore être
évités. La mauvaise nouvelle doit ancrer en nous
un sentiment d'urgence puisque, pour paraphra-
ser un proverbe chinois, un voyage de 1 000 ans
commence par un premier pas.

Le méthane est la deuxième cause la plus
importante de la crise climatique. Même si le
volume que nous relâchons est bien inférieur à
celui du CO_2, le méthane a, sur une période de cent
ans, une capacité à capturer la chaleur dans l'atmosphère de 20 % plus élevée que celle du CO_2 – et de
75 % sur vingt ans.

Le méthane diffère encore du CO_2 en ce qu'il
reste chimiquement actif dans l'atmosphère, alors

PRODUCTION DE PÉTROLE

BRÛLAGE DES CULTURES

BRÛLAGE DES FORÊTS

ENGRAIS

TRANSPORT TERRESTRE

DÉCHARGES

CE QUI MONTE : LES GAZ À EFFET DE SERRE

Les polluants influant sur le réchauffement mondial sont issus de diverses activités : la production d'électricité, l'industrie, la déforestation et le transport. Le dioxyde de carbone, le premier d'entre eux, pénètre dans l'atmosphère notamment à partir de la combustion du charbon et d'autres carburants fossiles, du brûlage des forêts et des résidus agricoles, des divers modes de transport, et du carbone gelé libéré par le permafrost. Les scientifiques estiment qu'il nous faut réduire le CO_2 dans l'atmosphère à 350 parts par million. Le méthane, moins abondant mais ayant un effet de serre plus prononcé, provient du bétail, de la culture du riz, des décharges et des «émissions fugitives» du charbon, du pétrole et du gaz. Le carbone, dont on sait aujourd'hui qu'il joue un rôle important dans le réchauffement de la planète, est produit par le brûlage des forêts et des pâtures, et par celui du bois pour la cuisine, entre autres. Diverses industries et activités émettent des gaz à effet de serre très puissants, appelés halocarbones, dont certains, molécule par molécule, sont plus puissants que le CO_2. L'agriculture industrielle est une autre source importante de protoxyde d'azote, de monoxyde de carbone et de composés organiques volatils (COV).

FONTE DU PERMAFROST

MINES DE CHARBON

USINES DE CHARBON

PROCESSUS INDUSTRIELS

AGRICULTURE INDUSTRIELLE

UN EXCÉDENT DE GAZ NATUREL S'EMBRASE SUR
UNE PLATE-FORME OFFSHORE EN THAÏLANDE.
CETTE COMBUSTION PRODUIT DU CO_2 MAIS
MINIMISE LA LIBÉRATION DE MÉTHANE.
IL EST TRÈS COÛTEUX DE NE PAS CAPTURER
CE PUISSANT GAZ À EFFET DE SERRE.

L'USINE DE TRANSFORMATION DE SCHISTES BITUMINEUX SYNCRUDE À ALBERTA (CANADA). DURANT SON CYCLE DE VIE, LE CARBURANT ISSU DES SCHISTES BITUMINEUX ÉMET PLUS DE CO_2 QUE LE CHARBON OU LE PÉTROLE. UNE TOYOTA PRIUS ROULANT AVEC DU GAZOLE ISSU DE CES SCHISTES A L'EMPREINTE ÉCOLOGIQUE D'UN 4X4.

MANGEOIRES À PROXIMITÉ DE BAKERSFIELD
(CALIFORNIE). PRÈS DE LA MOITIÉ DES GAZ
À EFFET DE SERRE LIÉS À NOTRE ALIMENTATION
VIENNENT DE LA PRODUCTION DE VIANDE.

que l'essentiel du CO_2 n'y interagit pas avec d'autres molécules. Ces interactions avec l'ozone, les particules et d'autres éléments de l'atmosphère jouent un rôle non négligeable dans la pollution de l'air : certains composés chimiques de celle-ci transforment le méthane, en dix à douze ans, en CO_2 et en vapeur d'eau, lesquels emprisonnent la chaleur, de façon moins puissante il est vrai qu'avant sa décomposition en plusieurs éléments. Par ces interactions, le méthane a un « effet réchauffement » bien plus important que ne le pensaient les scientifiques. Au total, on considère qu'il a contribué au réchauffement à hauteur des deux tiers de la contribution du CO_2.

Plus de la moitié des émissions de méthane d'origine humaine viennent de l'agriculture, en particulier du bétail, des fumiers animaux et de la culture du riz. Le reste est issu de la production de gaz et de pétrole, des mines de charbon, des décharges, du traitement des déchets et de la combustion des carburants fossiles.

Il y a également une bonne et une mauvaise nouvelle à propos du méthane : sa valeur économique intrinsèque incite à le capturer et à empêcher qu'il soit libéré dans l'atmosphère. Ainsi, le « gaz naturel » qui chauffe nos maisons est d'abord du méthane ; donc une fois capturé il peut être utile. En outre, presque un quart des émissions de méthane viennent de l'usage qui en est fait, ainsi que de fuites et de l'évaporation au cours du transport et de la manufacture. De ce fait, il sera aisé d'arrêter certaines d'entre elles.

La mauvaise nouvelle, c'est que le réchauffement du permafrost des terres bordant l'océan Arctique (et celui des sédiments marins) libère de grandes quantités de méthane à mesure que la fonte progresse et que les microbes digèrent le carbone enfoui dans la toundra. Le seul moyen d'empêcher ces émissions est de ralentir puis

BRÛLAGE DE CANNE À SUCRE, AU BRÉSIL.
LE BRÛLAGE DES TERRES ARABLES ET
DE LA VÉGÉTATION EST UNE SOURCE
CONSIDÉRABLE DE POLLUTION AU CARBONE

de stopper le réchauffement mondial lui-même – tant qu'il en est encore temps.

La troisième plus importante source de la crise climatique est le carbone noir, aussi appelé suie. À la différence des autres polluants de l'air, ce n'est pas un gaz et il est constitué de particules de carbone comme celles que l'on trouve dans la fumée, mais plus petites. C'est pourquoi il n'est devenu que récemment un sujet de préoccupation pour les scientifiques, qui ont découvert le rôle important qu'il joue. Contrairement aux cinq autres causes du réchauffement mondial, qui absorbent les rayons infrarouges émis par la Terre, le carbone noir absorbe la chaleur venue du Soleil. Il a aussi la durée de vie la plus courte.

La première source de carbone noir est le brûlage de la biomasse, en particulier des forêts et des pâtures, pour nettoyer le sol destiné à l'agriculture. Ce problème est concentré dans trois zones : le Brésil, l'Indonésie et l'Afrique centrale. Les feux de forêt et les brûlis saisonniers en Sibérie et en Europe orientale produisent également de la suie, que les vents emportent dans l'Arctique, où elle se mêle à la neige et à la glace. Ce carbone a largement contribué à la disparition progressive des glaces de l'Arctique puisque l'on estime son implication à 1 °C sur les 2,5 °C de réchauffement de la région.

Les feux de forêt en Amérique du Nord, en Australie, en Afrique du Sud et ailleurs dégagent

NETTOYER L'AIR APRÈS LE GRAND SMOG DE 1952

En décembre 1952, un *smog* létal s'est abattu sur Londres, enveloppant la ville dans un couffin de pollution pendant cinq jours. 4 000 personnes sont mortes cette semaine-là, 8 000 autres les mois suivants, d'infection respiratoire et d'asphyxie. La tragédie fut le résultat d'une augmentation de la combustion de charbon en raison du froid. Le million de foyers chauffés au charbon s'ajouta au *smog* déjà épais issu des usines locales. Des conditions climatiques inhabituelles – dont une inversion de température – maintinrent près du sol les particules de suie et de goudron, réduisant la visibilité et vouant la ville à une quasi-paralysie.

Après ce désastre, le gouvernement s'efforça d'améliorer la qualité de l'air du pays. En 1956, le Parlement adopta le *Clean Air Act*, qui interdit la combustion de charbon en plein air et favorise son remplacement par l'électricité, le gaz et l'essence. C'est à cette époque qu'apparut un mouvement environnemental aux États-Unis et dans d'autres pays.

Qualité de l'air en plein jour, Trafalgar Square, Londres, 1952.

également quantité de carbone noir. Outre la combustion de la biomasse, 20 % du carbone noir provient, en Asie du Sud, du brûlage du bois, des bouses de vache et des résidus de récolte, et, en Chine, de celui du charbon – tout cela à des fins domestiques.

Le carbone noir menace particulièrement l'Inde et la Chine, en partie du fait du schéma des saisons sur le sous-continent indien, avec une alternance de mois secs et de moussons. L'inversion de température sur presque toute l'Asie du Sud durant cette période emprisonne le carbone noir au-dessus des glaciers et des neiges éternelles, provoquant une forte pollution de l'air de l'Himalaya et du plateau tibétain. Dans certaines de ces zones, le niveau de pollution est comparable à celui de Los Angeles. La présence de carbone noir y est même si forte que la fonte des neiges, déjà alimentée par le réchauffement, s'est accélérée. On estime que 75 % des glaciers himalayens de moins de 15 km² pourraient disparaître d'ici dix ans.

Plus de la moitié de l'eau potable et de l'eau utilisée pour l'agriculture en Inde et dans une grande partie de la Chine et de l'Indonésie étant issue de la fonte saisonnière de ces glaciers, les conséquences humaines pourraient s'avérer catastrophiques. Ainsi, 70 % de l'eau du Gange vient de la fonte de la glace et des neiges de l'Himalaya.

LE CARBONE NOIR ET LES GLACIERS HIMALAYENS

20 % du carbone noir de l'atmosphère vient, en Inde, du brûlage du bois, du fumier et des résidus de récolte, et, en Chine, de celui du charbon, à des fins domestiques. Entre les moussons, les nuages de pollution restent au-dessus de l'Himalaya. Le carbone noir tombe sur les glaciers qui, une fois salis, absorbent la lumière au lieu de la refléter, accélérant le rythme de la fonte. De ce fait, les scientifiques estiment que nombre de glaciers himalayens auront disparu d'ici 2020.

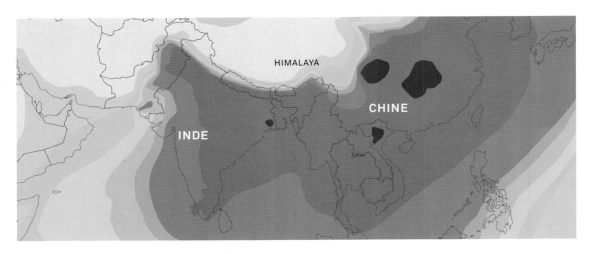

QUANTITÉ DE CARBONE NOIR DANS L'ATMOSPHÈRE

MOINS   PLUS

SOURCE : «Third-World Soot Is Target in Climate Fight », *New York Times*, 15 avril 2009

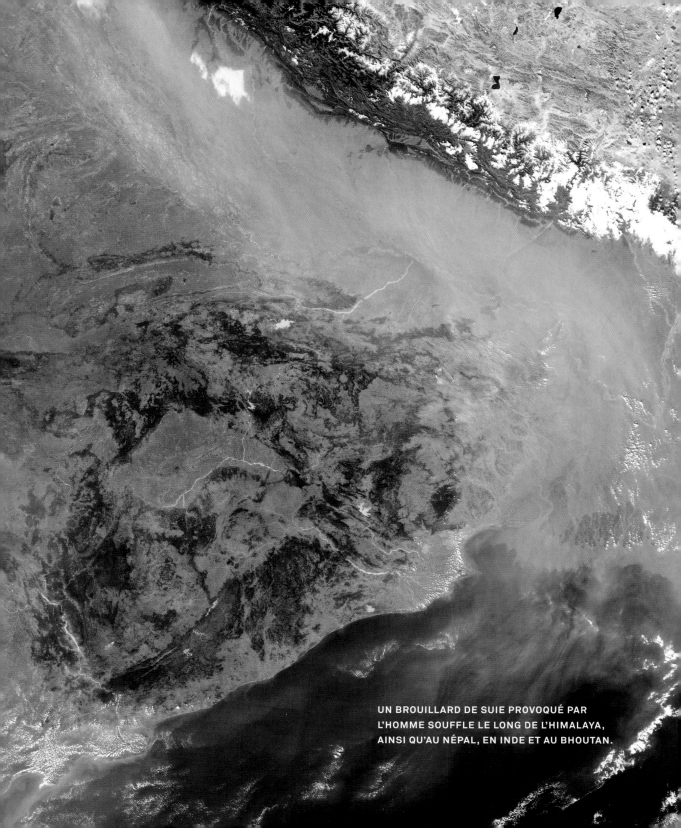

UN BROUILLARD DE SUIE PROVOQUÉ PAR
L'HOMME SOUFFLE LE LONG DE L'HIMALAYA,
AINSI QU'AU NÉPAL, EN INDE ET AU BHOUTAN.

Le carbone noir a aussi pour origine le brûlage des déchets agricoles, comme la bagasse (canne à sucre) et le fourrage, et celui du bois, dans le monde entier. Plus d'un tiers du carbone noir rejeté dans l'atmosphère vient de la combustion de carburants fossiles, en particulier du gazole des camions non équipés de capteurs d'échappement. Cet équipement, récemment introduit, est encore peu répandu. Une grande part de la pollution au carbone noir est issue d'activités produisant également du CO_2 : les moteurs inefficients des petits véhicules en Asie et les centrales électriques au charbon. Mais ce n'est pas toujours le cas. Ainsi, la combustion du charbon dans les pays industriels produit du CO_2 sans dégager beaucoup de suie, grâce aux mesures prises dans les dernières décennies pour améliorer la combustion des carburants et diminuer localement la pollution de l'air.

L'essentiel du réchauffement dû au carbone noir vient de l'absorption de la lumière solaire. La suie est un constituant majeur des grands nuages noirs qui couvrent l'Eurasie avant de traverser le Pacifique jusqu'en Amérique du Nord et l'océan Indien jusqu'à Madagascar. Ces nuages – et d'autres formes de pollution de l'air – masquent partiellement le réchauffement en évitant que certains rayons descendent plus bas dans l'atmosphère. Le carbone noir ne reste pas longtemps dans celle-ci parce que la pluie le nettoie (une des raisons pour lesquelles il n'est apparu que récemment dans la liste des gaz à effet de serre).

De ce fait, quand on cessera d'émettre du carbone noir, en quelques semaines, une partie de la chaleur ne sera plus bloquée dans l'atmosphère. Mais actuellement, les quantités émises chaque jour sont considérables, au point que les scientifiques observent une très forte concentration en carbone noir dans les zones qui connaissent de longues saisons sèches.

Les scientifiques s'inquiètent aussi du fait que le carbone noir contribue au réchauffement quand il tombe sur la neige et la glace, obscurcissant une surface réfléchissante et accélérant ainsi leur fonte. La réflexivité de la Terre est un facteur important pour comprendre la question du réchauffement global. Plus la lumière solaire rebondit sur les nuages et les zones réfléchissantes de la surface terrestre, moins les rayons sont absorbés sous forme de chaleur. Cette moindre absorption rend la chaleur moins captive de la pollution quand celle-ci repart dans l'atmosphère sous forme de rayon infrarouge.

Des scientifiques ont donc suggéré de peindre en blanc des millions de toits, et d'autres mesures ont été prises pour accroître la réflexivité de la surface terrestre. S'il faut considérer avec sérieux ces propositions, elles n'empêchent pas, dans le même temps, que la Terre perde une large part de sa réflexivité naturelle (ou «albédo», selon le vocable scientifique) par la fonte des neiges et de la glace, en particulier en Arctique et dans l'Himalaya.

La quatrième source de réchauffement est une famille de produits chimiques industriels appelés halocarbones, incluant les fameux chlorofluorocarbones (CFC). L'usage de nombre d'entre eux a déjà été réglementé et réduit par le Protocole de Montréal (1987), adopté en réaction à la première crise atmosphérique mondiale : le trou dans la couche d'ozone stratosphérique.

Grâce à ce traité, ce type de pollution décline lentement mais sûrement. Elle représente encore 13 % de l'ensemble – ce qui n'est pas rien –, et un renforcement du Protocole est en cours. Des scientifiques ont notamment critiqué la demande insistante des États-Unis, en 2006, à ajourner *sine die* l'interdiction du bromure de méthyle pour certains usages agricoles. Ils souhaitent aussi que certaines

ALBÉDO : MESURER LA RÉFLEXION DU SOLEIL

L'albédo mesure la réflexivité de différents objets et surfaces de la Terre ; moins le chiffre est élevé, plus l'énergie est absorbée, ce qui contribue au réchauffement climatique. Les surfaces les plus réfléchissantes sont la neige et la glace, qui renvoient jusqu'à 90 % de l'énergie solaire dans l'espace. La fonte des glaces fait que les océans absorbent davantage d'énergie.

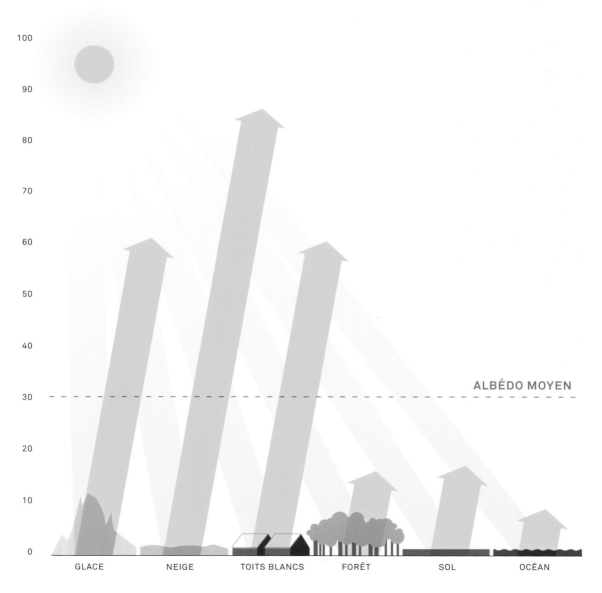

SOURCE : National Center for Atmospheric Research ; Lawrence Berkeley National Laboratory ; C. Donald Ahrens, *Meteorology Today*

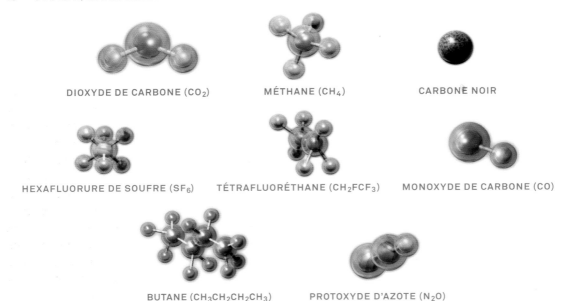

DIOXYDE DE CARBONE (CO_2) MÉTHANE (CH_4) CARBONE NOIR

HEXAFLUORURE DE SOUFRE (SF_6) TÉTRAFLUORÉTHANE (CH_2FCF_3) MONOXYDE DE CARBONE (CO)

BUTANE ($CH_3CH_2CH_2CH_3$) PROTOXYDE D'AZOTE (N_2O)

UN GUIDE DES POLLUANTS DU RÉCHAUFFEMENT

Le réchauffement climatique est dû, directement ou indirectement, à six familles de polluants (voir « Les sources du réchauffement », ci-contre). Le dioxyde de carbone (CO_2), gaz à effet de serre le plus abondant et dont l'augmentation est la plus rapide, vient en tête. Le méthane (CH_4), qui a aussi un effet de serre, vient en second, suivi par le carbone noir (suie). Les substances chimiques industrielles inventées au siècle dernier jouent aussi un grand rôle : chlorofluorocarbones, halocarbones (tétrafluoréthane, CH_2FCF_3) et hexafluorure de soufre (SF_6). Ces substances emprisonnent la chaleur dans l'atmosphère. Le monoxyde de carbone (CO) et les composés organiques volatils (COV) – tel le butane – ne l'emprisonnent pas directement, mais leur interaction avec d'autres polluants produit cet effet. Enfin, le protoxyde d'azote (N_2O) – sous-produit d'une agriculture intensive en azote –, à un niveau moindre mais significatif, emprisonne la chaleur dans l'atmosphère.

substances chimiques utilisées à la place des halocarbones (en particulier les hydrofluorocarbones) soient à leur tour contrôlées dans le cadre du Protocole de Montréal, car ils sont une cause de réchauffement en rapide développement.

Trois autres composants chimiques de la famille des halocarbones, qui ne détruisent pas l'ozone (et ne sont à ce titre pas couverts par le précédent traité), sont, en tant que puissants gaz à effet de serre, couverts par le Protocole de Kyoto

(non ratifié par les États-Unis). Certains halocarbones restent dans l'atmosphère pendant des milliers d'années (le tétrafluorure de carbone peut y rester 50 000 ans, mais n'est produit qu'en petite quantité).

Les efforts engagés au niveau mondial pour protéger la couche d'ozone stratosphérique se sont avéré un succès historique. Bien que les industries touchées aient d'abord battu en brèche les avertissements des scientifiques quant à la gravité de la menace, les dirigeants politiques, pays après pays, malgré les divergences idéologiques et une relative incertitude de la science, ont conclu un traité efficace. Trois ans après la signature, le sujet a été revisité et les normes renforcées, comme elles l'ont été depuis à plusieurs reprises. Certaines compagnies, initialement opposées au traité, ont participé à son durcissement après avoir trouvé des substituts aux produits dangereux. Le monde est donc en voie de résoudre ce problème, les scientifiques estimant qu'il faudra encore cinquante à cent ans pour « guérir » l'ensemble de la couche d'ozone. Ils disent aussi que seul l'échec face au réchauffement climatique pourrait inverser la tendance et menacer d'élargir à nouveau le trou au-dessus de l'Antarctique. La poursuite du réchauffement de l'atmosphère (et du refroidissement de la stratosphère) risque en effet de réactiver la destruction de l'ozone stratosphérique et de réduire la couche d'ozone au point de mettre à nouveau l'humanité en danger.

Le monoxyde de carbone et les composés organiques volatils (COV) composent la cinquième famille de polluants de l'air qui contribue au réchauffement global de la planète. Aux États-Unis, le monoxyde est surtout produit par les voitures et par la combustion de la biomasse. Les COV sont principalement issus de l'industrie ; mais, aux États-Unis, un quart de ces émissions vient des voitures et des camions. Si ces polluants n'emprisonnent pas eux-mêmes la chaleur, ils contribuent à produire un ozone à basse altitude, qui est un puissant gaz à effet de serre et un polluant de l'air toxique.

Ces polluants ne figurent pas parmi les composés chimiques contrôlés dans le cadre du Protocole de Kyoto, comme le carbone noir, mais les scientifiques les incluent dans les causes du réchauffement parce que leur interaction avec d'autres substances chimiques dans l'atmosphère (méthane, sulfates, CO_2) aboutit à un emprisonnement de fortes quantités de chaleur. Pour résoudre la crise du climat, toute stratégie efficace doit donc être ciblée sur ces polluants autant que sur les cinq autres causes du réchauffement mondial. Elle doit aussi s'intéresser à d'autres composés chimiques de l'atmosphère qui complexifient le problème, tels le dioxyde sulfuré (qui conduit à la formation de particules de sulfate), l'oxyde nitrogène (qui contribue à la formation d'ozone), les sulfates, les nitrates et le carbone organique. Isolément, ces éléments ont un effet net de refroidissement mais, en interagissant avec les polluants sources de réchauffement, ils affectent la santé publique et les écosystèmes.

Dernière cause du réchauffement, le protoxyde d'azote. La plupart de ses émissions sont

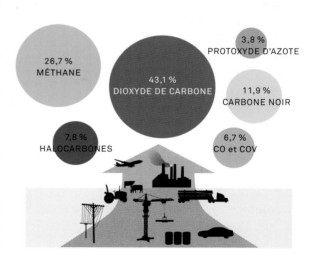

LES SOURCES DU RÉCHAUFFEMENT
Le réchauffement est dû à six familles de polluants, avec leur contribution respective. Le gaz et le carbone noir sont principalement émis par l'activité humaine, du transport à l'élevage en passant par la cuisine.

SOURCE : Drew T. Shindell *et al.*, *Science*, 2009

UN OUVRIER DÉVERSE DE L'ENGRAIS DANS UNE FERME DU NORD DU MEXIQUE. LES ÉMISSIONS D'OXYDES SONT MAJORITAIREMENT DUES AUX PRATIQUES AGRICOLES ET À L'USAGE INTENSIF D'ENGRAIS AZOTÉS SYNTHÉTIQUES – EUX-MÊMES CONSOMMATEURS DE CARBURANTS FOSSILES.

issues des pratiques agricoles s'appuyant sur les engrais azotés, ce qui amplifie les émissions naturelles résultant de la décomposition bactérienne de l'azote dans le sol. Au cours des cent dernières années – depuis que deux chimistes allemands ont découvert le moyen de combiner l'hydrogène avec l'azote atmosphérique pour créer l'ammoniac –, le volume d'azote dans l'environnement a doublé. Traditionnellement, les paysans alternaient les récoltes afin de renouveler l'azote évincé du sol après des années de monoculture. En plantant des légumes et en appliquant du fumier animal, on restaurait la fertilité de la terre.

Désormais, l'agriculture moderne dépend massivement d'engrais azotés synthétiques, qui ne cessent d'ajouter de l'azote dans des sols qui seraient sans cela épuisés. Ce marché faustien a considérablement accru la production, moyennant des émissions de protoxyde d'azote dans l'atmosphère et d'azote dans les fleuves et les rivières, stimulant la croissance rapide et dangereuse d'algues. Quand ces algues meurent et se décomposent, l'oxygène présent dans l'eau vient à manquer, ce qui crée des zones mortes où les poissons et autres espèces animales ne peuvent survivre. La production de ces engrais azotés synthétiques requiert en outre de grosses quantités de combustibles fossiles, dont la fabrication implique un rejet significatif de CO_2 dans l'atmosphère. La combustion des carburants fossiles émet aussi de petites quantités de protoxyde d'azote, du fait de processus industriels ou d'une mauvaise gestion du fumier et des égouts.

Si le protoxyde est le plus faible contributeur au réchauffement climatique, il reste important et peut être réduit en modifiant notre recours à l'azote.

Enfin, il faut noter le rôle joué dans l'atmosphère par la vapeur d'eau. D'aucuns aiment à souligner que celle-ci emprisonne plus de chaleur que le CO_2. Cela s'explique, techniquement, par la hausse de la température de l'air et des océans due aux polluants, qui accroît la quantité de vapeur contenue dans l'atmosphère. Cette quantité est responsable des schémas de température et de circulation atmosphérique qui déterminent l'humidité de l'air. Puisque ces variables dépendent des émissions de CO_2 et d'autres polluants, ce sont les activités humaines qui font évoluer la quantité de vapeur d'eau dans l'atmosphère. Le seul moyen de réduire le rôle de la vapeur d'eau, c'est donc de résoudre la crise climatique.

Ainsi la solution au réchauffement global est-elle aussi facile à décrire que difficile à mettre en œuvre. Les émissions des six polluants de l'air à l'origine du problème – le CO_2, le méthane, le carbone noir, les halocarbones, le protoxyde et le monoxyde de carbone, et les COV – doivent être drastiquement réduites. Simultanément, il faut accroître le rythme auquel ces polluants sont retirés de l'air pour être réabsorbés par les océans et la biosphère.

CHAPITRE DEUX

D'OÙ VIENT NOTRE ÉNERGIE ET OÙ VA-T-ELLE

UN SUPERTANKER À VIDE QUITTE LE PORT DE
HOUSTON POUR ALLER PRENDRE SA CARGAISON.

La production de combustibles fossiles – charbon, pétrole, gaz naturel –
est la principale cause de la pollution et du réchauffement d'origine humaine.
Résoudre la crise du climat consiste donc avant tout à accélérer le développement
de substituts pauvres en CO_2 pour produire l'énergie nécessaire à l'économie
mondiale. Notre dépendance actuelle aux combustibles fossiles est relativement
nouvelle dans l'histoire humaine. Si le charbon et le pétrole étaient connus
sous l'Antiquité, on ne les utilisait qu'en petites quantités et là où ils étaient
facilement accessibles, à la surface de la Terre.

Le bois resta la principale source d'énergie jusqu'à la fin du XVIIIe siècle. L'essor lent mais constant de la population au Moyen Âge (qui s'accéléra après la colonisation européenne des Amériques) entraîna une diminution considérable de la couverture forestière en Europe, passée de 95 % à la fin de l'Empire romain (476 ap. J.-C.) à 20 % au moment de la révolution scientifique du début du XVIIIe siècle.

La pénurie de bois et l'apparition de nouvelles machines conduisirent à augmenter le recours au charbon, jusque-là jugé inférieur au bois comme moyen de chauffage en raison de la pollution de l'air qu'il provoquait dans les villes et les maisons. Le ratio poids-énergie plus élevé du charbon lui valut la préférence, d'abord dans la métallurgie, où de très hautes températures étaient nécessaires pour produire le fer et l'acier, puis dans nombre de processus manufacturiers émergents qui accompagnèrent la révolution industrielle.

À mesure que la quête de charbon s'enfonçait plus loin sous terre, les technologies et l'industrie minière du début de la révolution industrielle se développèrent de concert. Le moteur à vapeur et les roues et rails en acier firent leur apparition dans les mines de charbon. Grâce au progrès technologique, l'avènement de la locomotive à vapeur et le remplacement de la voile par la vapeur sur les navires menèrent à une explosion de la demande de charbon. Très vite, la révolution industrielle fit du charbon la principale source d'énergie des usines. Mais ce fut la maîtrise de l'électricité à des fins commerciales, à la fin du XIXe siècle, qui devait assurer au charbon un emploi dominant.

Lorsque l'on réfléchit aux meilleurs choix possibles pour produire de l'énergie à partir de sources non fossiles, il convient de penser différemment les trois formes d'énergie nécessitant d'être déplacées d'un endroit à un autre : les carburants liquides, les carburants gazeux et l'électricité. Chacune a ses caractéristiques.

Les formes liquides d'énergie, qui viennent presque toutes du pétrole, sont très différentes du gaz et de l'électricité. Parce que les carburants liquides issus du pétrole sont faciles à stocker et contiennent plus d'énergie, à poids égal, que le charbon, ils représentent la quasi-totalité de l'énergie utilisée dans le transport. Aux États-Unis, plus de 50 % du pétrole sert aux voitures et aux camions, le reste étant employé dans l'industrie (moteurs

CE TRAIN TRANSPORTANT DU CHARBON DESTINÉ
À LA PRODUCTION D'ÉNERGIE SE PRÉPARE
À QUITTER UNE MINE PRÈS DE WRIGHT (WYOMING).

« Je miserais ma fortune sur le soleil et l'énergie solaire. Quelle source d'énergie ! »

THOMAS EDISON

LES MIROIRS DE LA « TOUR SOLAIRE »,
PRÈS DE SÉVILLE (ESPAGNE), REFLÈTENT ET
CONCENTRENT LA LUMIÈRE DU SOLEIL.

l'électricité, et près de 20 % à couvrir les usages domestiques (chauffage, cuisine).

Les carburants gazeux ont d'abord été produits à partir du charbon, selon un processus de conversion très coûteux ; plus tard, on a compris que les sous-sols où l'on pompait du pétrole contenaient aussi du gaz naturel en grande quantité. Au début, on se contentait de brûler le gaz pour atteindre le pétrole ; on pompe désormais les deux. Puis les géologues ont appris à localiser les gisements ne contenant que du gaz.

Avec plus d'atomes d'hydrogène par atome de carbone que le charbon ou le pétrole, le méthane ne dégage que 70 % du CO_2 produit par le pétrole – et 50 % du CO_2 produit par le charbon – pour la même quantité d'énergie. C'est pourquoi beaucoup voient dans le gaz un carburant de transition essentiel avant l'abandon du pétrole et du charbon. Mais, dans les décennies à venir, les réductions de CO_2 nécessaires pour stopper la crise du climat impliqueront d'abandonner aussi le gaz. Après tout, 20 % du CO_2 produit sur le marché de l'énergie provient déjà de la combustion du gaz. Les carburants gazeux ont des singularités. Les centrales énergétiques les plus modernes et fonctionnant au gaz sont deux fois plus efficientes que les centrales au charbon.

L'électricité est une source d'énergie primaire faite à partir du charbon, de la lumière du soleil et du vent. Elle fournit une large part de l'énergie mondiale et se développe plus vite que les autres secteurs énergétiques. L'invention des ampoules incandescentes par Thomas Edison, en 1879, et celle du courant alternatif par Nikola Tesla neuf ans plus tard ont conduit à l'électrification progressive des tramways, des entreprises et des maisons, et à toute une série d'appareils électriques dont les rejetons sont omniprésents dans notre vie.

Malgré son usage très répandu et sa commodité, l'électricité a de gros inconvénients. Une grande part de l'énergie présente dans les carburants servant à produire l'électricité se perd dans la conversion relativement inefficiente en courant électrique. Ensuite, l'électricité est coûteuse à stocker. Enfin, la demande d'électricité ayant crû rapidement, et la dépendance initiale des générateurs électriques ayant favorisé les producteurs de vapeur au charbon, la production de CO_2 d'origine humaine a augmenté de façon exponentielle. Plus de 40 % de l'électricité dans le monde est encore issue de la combustion du charbon, et près de 20 % de celle du gaz naturel. Le reste vient de sources faiblement productrices de CO_2. Les barrages hydroélectriques en fournissent 18 %, et le nucléaire, que l'on a pu considérer comme le successeur naturel des combustibles fossiles, seulement 15 %. Une petite part vient du solaire, de l'éolien, de la géothermie, sources qui devraient croître rapidement dans les vingt-cinq prochaines années.

La popularité croissante de l'électricité, par comparaison avec les autres énergies, est non seulement due à sa facilité d'utilisation, mais aussi à la souplesse de son système de transmission et à la capacité de son infrastructure de distribution à acheminer différentes sources d'énergie vers des turbines électriques. À quelques exceptions près – le photovoltaïque et la pile à combustible –, la plupart des formes de production d'électricité utilisent l'énergie pour faire tourner rapidement une turbine afin de mouvoir une bobine de cuivre au contact d'un aimant, ce qui produit le courant électrique (voir « Comment fonctionne une turbine », p. 60). Le charbon, le gaz et le pétrole sont brûlés pour produire de la vapeur qui est pressurisée afin de faire tourner la turbine. Les éoliennes et les barrages hydroélectriques font directement tourner celle-ci.

« Je miserais ma fortune sur le soleil et l'énergie solaire. Quelle source d'énergie ! »

THOMAS EDISON

LES MIROIRS DE LA « TOUR SOLAIRE », PRÈS DE SÉVILLE (ESPAGNE), REFLÈTENT ET CONCENTRENT LA LUMIÈRE DU SOLEIL.

Ensemble, pétrole, gaz naturel et charbon fournissent 86,5 % de l'énergie primaire utilisée sur Terre (le pétrole, 36,5 % ; le charbon, 27 % ; le gaz, 23 %). Ces trois combustibles fossiles sont les principaux responsables du réchauffement climatique. C'est pourquoi l'on commence à s'intéresser à des alternatives produisant de l'énergie sans émettre de grandes quantités de CO_2.

Les sources d'énergie renouvelables, en particulier destinées à produire de l'électricité, ont l'avantage d'exister en quantités pratiquement illimitées. À eux trois, le charbon, le gaz naturel et le pétrole contiennent en effet autant d'énergie que la Terre en reçoit du Soleil en seulement cinquante jours. La Terre baigne dans une telle quantité d'énergie solaire que ce qui en tombe à la surface de notre planète en une heure est théoriquement égal à la consommation d'énergie mondiale d'une année. Même en tenant compte des difficultés inhérentes à la capture et à l'utilisation de l'énergie solaire, sept jours de rayonnement solaire suffiraient à combler les besoins annuels en énergie de la planète. Il y a presque cent ans, Thomas Edison disait, dans une conversation avec Henry Ford et Harvey Firestone : « Je miserais ma fortune sur le soleil et l'énergie solaire. Quelle source d'énergie ! J'espère que nous n'attendrons pas pour y puiser d'avoir épuisé le pétrole et le charbon. »

De même, l'énergie que l'on pourrait tirer en un mois du vent ou des émissions géothermiques de la Terre pourrait couvrir une année de nos besoins énergétiques. Si on y ajoute l'énergie des rivières, et celle des vagues et des marées océaniques, il apparaît évident que les sources renouvelables d'énergie peuvent, si on les développe, remplacer totalement les combustibles fossiles riches en CO_2.

La difficulté, bien sûr, réside dans la nécessité d'investissements considérables pour développer et construire des systèmes d'énergie renouvelable rentables, permettant de capturer et d'utiliser efficacement ces énormes flux naturels. Toutes les formes d'énergie sont coûteuses mais, avec le temps, l'énergie renouvelable devient de moins en moins chère, tandis que les énergies fossiles le sont de plus en plus. Le prix de l'énergie renouvelable est appelé à baisser pour trois raisons.

D'abord, une fois réalisée l'infrastructure nécessaire, le carburant sera à jamais gratuit. Contrairement aux combustibles à base de carbone, le vent, le soleil et la terre elle-même fournissent une énergie gratuite en quantité illimitée. Ensuite, si les technologies des combustibles fossiles sont plus avancées, celles des énergies renouvelables font des progrès rapides. L'innovation et la réflexion permettent d'augmenter constamment l'efficacité de ces énergies et de réduire leurs coûts. Enfin, lorsque le monde aura décidé de passer aux énergies renouvelables, le volume de production réduira de lui-même considérablement le coût de chaque éolienne et de chaque panneau solaire, tout en apportant de nouvelles incitations à la recherche et au développement pour accélérer encore le processus d'innovation.

Songeons par exemple à ce qui s'est passé depuis vingt ans en matière de coût et d'efficacité des ordinateurs. La demande croissante d'ordinateurs bon marché a permis aux fabricants de puces informatiques de consacrer d'énormes budgets à la recherche et de développer des traitements de l'information moins chers et plus puissants. Grâce au phénomène bien connu appelé loi de Moore (selon lequel le nombre de transistors d'un microprocesseur double tous les dix-huit à vingt-quatre mois), les prix ont baissé chaque année de 50 % pour la même puissance de traitement de l'information. Cela correspond d'ailleurs à une attente

des sociétés, qui pensent toutes que leurs concurrents feront le nécessaire pour poursuivre leur avance sur le même rythme. Anticipant que l'industrie dans son ensemble suivra ce chemin, chaque entreprise se bat pour ne pas rester en arrière. Et, comme la demande mondiale d'ordinateurs ne cesse de croître, les incitations à mener la course sont suffisantes pour fabriquer toujours davantage d'ordinateurs plus puissants au prix le plus bas.

En outre, la puissance des ordinateurs augmentant la capacité des scientifiques et des ingénieurs à explorer de nouveaux moyens de traiter l'information – par le recours à de nouveaux matériaux et à des processus subatomiques, en concevant des outils toujours plus performants, en testant les produits par simulation informatique sans avoir à les fabriquer –, il s'est créé un cercle vertueux qui ne cesse d'alimenter les découvertes. Ces percées devraient continuer à nourrir cet extraordinaire schéma de progrès radical tous les dix-huit à vingt-quatre mois pendant au moins vingt ans.

De même, l'explosion de la demande d'approches innovantes pour la production d'énergie à partir de sources renouvelables alimente des budgets de recherche et développement toujours plus importants en vue de trouver des approches à moindres coûts. En d'autres termes, ce que l'on fait avec les bits d'information commence à être fait avec les électrons. Le coût diminuant, la demande s'accroît, renforçant le schéma d'amélioration permanente, comme dans l'informatique. Décider, à l'échelle mondiale, de passer massivement aux énergies renouvelables renforcerait considérablement cette tendance.

LA PRODUCTION D'ÉLECTRICITÉ AUJOURD'HUI

L'essentiel de l'électricité que nous utilisons est produit par des turbines. La centrale électrique convertit une source d'énergie primaire – charbon, gaz naturel, uranium – en chaleur. Celle-ci change l'eau en vapeur qui fait tourner une turbine. Les pales de la turbine électrique alimentent un générateur pour produire de l'électricité, ensuite transmise aux foyers et aux entreprises pour leur usage quotidien. (L'hydroélectricité utilise l'eau courante pour faire tourner la turbine. L'éolienne est une turbine qui convertit le vent en mouvement ; ses pales sont similaires à celles d'une turbine.)

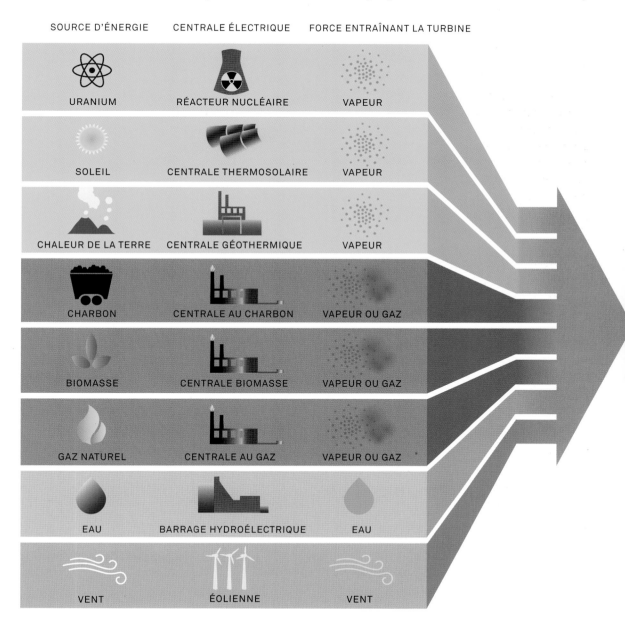

SOURCE D'ÉNERGIE   CENTRALE ÉLECTRIQUE   FORCE ENTRAÎNANT LA TURBINE

URANIUM — RÉACTEUR NUCLÉAIRE — VAPEUR

SOLEIL — CENTRALE THERMOSOLAIRE — VAPEUR

CHALEUR DE LA TERRE — CENTRALE GÉOTHERMIQUE — VAPEUR

CHARBON — CENTRALE AU CHARBON — VAPEUR OU GAZ

BIOMASSE — CENTRALE BIOMASSE — VAPEUR OU GAZ

GAZ NATUREL — CENTRALE AU GAZ — VAPEUR OU GAZ

EAU — BARRAGE HYDROÉLECTRIQUE — EAU

VENT — ÉOLIENNE — VENT

COMMENT FONCTIONNE UNE TURBINE

Dans un générateur type, la vapeur, le gaz, l'eau ou le vent font tourner les pales de la turbine.
La turbine met alors en mouvement un axe relié soit à une bobine de fils de cuivre placée dans des aimants,
soit à des aimants placés dans une bobine de cuivre. Dans les deux cas, l'aimant et la bobine tournent l'un
par rapport à l'autre. Sur le schéma ci-dessous, la bobine tourne entre les deux pôles opposés d'un aimant.

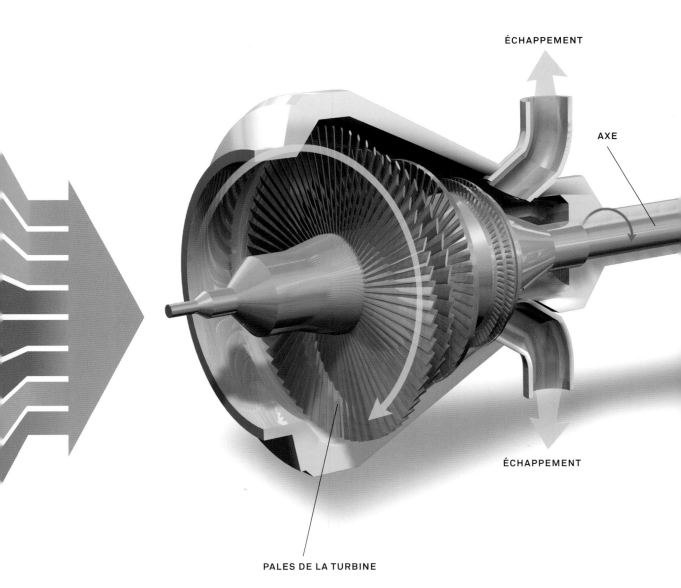

ÉCHAPPEMENT

AXE

ÉCHAPPEMENT

PALES DE LA TURBINE

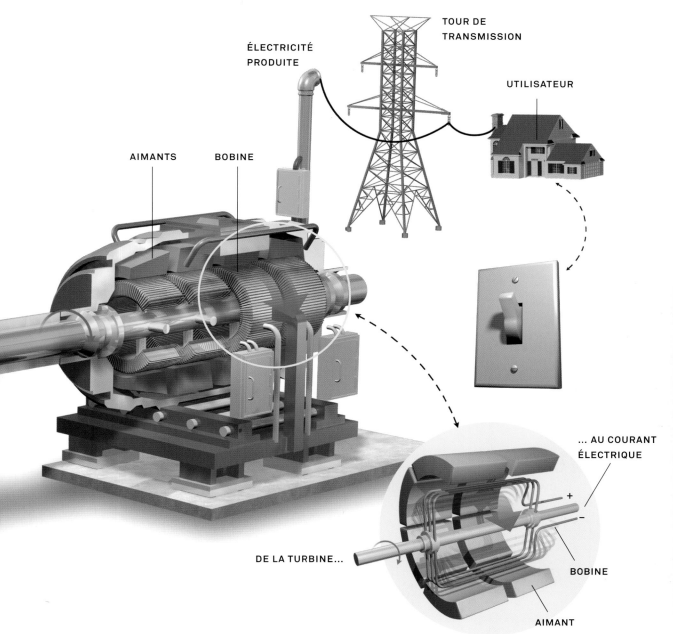

ÉLECTRICITÉ PRODUITE

TOUR DE TRANSMISSION

UTILISATEUR

AIMANTS

BOBINE

... AU COURANT ÉLECTRIQUE

+

−

DE LA TURBINE...

BOBINE

AIMANT

COMMENT FONCTIONNE UN GÉNÉRATEUR

Quand un fil conducteur, tel un fil de cuivre, tourne dans un champ magnétique, ses électrons chargés négativement peuvent se déplacer de l'orbite d'un atome à une autre. Le mouvement de ces électrons «libres» est une charge électrique ; quand une bobine de fil tourne rapidement, elle produit un courant électrique continu, ou électricité.

CHAPITRE TROIS

L'ÉNERGIE SOLAIRE

DES MIROIRS PARABOLIQUES CONCENTRENT
L'ÉNERGIE DU SOLEIL DANS L'UNE
DES CENTRALES THERMOSOLAIRES
DU DÉSERT MOJAVE (CALIFORNIE),
QUI PRODUIT 150 MW D'ÉLECTRICITÉ.

Il y a deux façons de produire de l'électricité à partir du soleil : en produisant de la chaleur qui alimente un générateur d'électricité ou en convertissant directement la lumière du soleil en électricité au moyen de cellules solaires.

La première approche, appelée solaire thermique concentré, utilise la lumière du soleil pour chauffer des liquides qui servent à faire tourner des générateurs d'électricité. Il faut pour cela se servir de miroirs qui concentrent la lumière.

Il existe différents procédés. Certaines centrales thermosolaires ont recours à des miroirs incurvés (appelés miroirs paraboliques) qui suivent le mouvement du soleil dans le ciel et concentrent les rayons sur un tuyau, lequel chauffe de l'eau ou un autre liquide. D'autres emploient de longs miroirs quasiment plats pour un résultat similaire à un moindre coût.

Autre structure innovante et visuellement séduisante, la centrale à tour utilise une série de miroirs plats disposés en demi-cercle sur son pourtour. La tour dispose d'un grand réservoir de liquide chauffé à très haute température par l'énergie solaire que concentre simultanément l'ensemble des miroirs. Comme dans les autres centrales, la chaleur collectée sert à faire bouillir de l'eau et à produire de la vapeur alimentant des turbines électriques. La plupart des experts estiment que cette technologie, plus productive, présente davantage de risques que les deux premières. Les températures plus élevées facilitent le stockage de l'énergie sur des périodes plus longues en l'absence de soleil. Mais il n'est pas sûr que la centrale à tour soit avantageuse en termes de coût.

D'autres centrales produisent de l'électricité thermosolaire grâce à un moteur Stirling à haute performance, suspendu devant chaque miroir parabolique. La chaleur intense de la lumière concentrée alimente le moteur, qui est relié à un petit générateur électrique. S'il s'agit là d'une approche novatrice, on estime qu'elle restera plus onéreuse que les autres types de centrales thermosolaires, en raison du coût de fabrication des moteurs Stirling.

Les centrales thermosolaires, quel que soit le modèle choisi, sont des installations de grande taille qui exigent de lourds investissements. Parce qu'elles utilisent l'acier, le verre et le béton, et n'ont pas besoin de matériaux rares ou précieux, elles ne craignent pas les goulots d'étranglement stratégiques qui touchent parfois les matériaux de base de ce type d'ouvrage. Aussi peuvent-elles dès à présent fournir d'importantes quantités d'énergie.

Ces centrales sont reliées aux réseaux de transmission et de distribution existants. Or, c'est dans les zones où la lumière est la plus directe que cette technologie est la plus efficiente, mais les déserts sont loin des centres de population où l'on a le plus besoin d'électricité. Il est donc nécessaire, pour optimiser ce potentiel, de construire des lignes de transmission *high-tech* reliées à un système de

LE PARC PHOTOVOLTAÏQUE D'OLMEDILLA (ESPAGNE) UTILISE PLUS DE 160 000 PANNEAUX PHOTOVOLTAÏQUES POUR PRODUIRE 60 MW D'ÉLECTRICITÉ.

DANS CETTE CENTRALE À TOUR PRÈS DE SÉVILLE
(ESPAGNE), LES MIROIRS CONCENTRENT L'ÉNERGIE
SOLAIRE SUR UNE STRUCTURE DE PRÈS DE 100 M
DE HAUT, CHAUFFANT L'EAU QUI, DEVENUE VAPEUR,
FAIT TOURNER UNE TURBINE ÉLECTRIQUE.

distribution performant. De plus, certaines centrales solaires requièrent presque autant d'eau que les centrales traditionnelles à combustible fossile, même si l'industrie s'oriente vers des centrales à moindres besoins.

Le second moyen de produire de l'électricité à partir du soleil est d'utiliser des cellules solaires faites de matériaux ayant la propriété de convertir l'énergie des photons directement en électricité. Nul besoin ici de turbines à vapeur. Ces cellules photovoltaïques (PV) sont des semi-conducteurs, comme les transistors. L'énergie des photons libère les électrons des atomes à l'intérieur des cellules PV afin qu'ils s'en échappent sous forme de courant électrique.

Jusqu'à récemment, les experts pensaient que l'électricité photovoltaïque resterait plus chère que celle issue du solaire thermique concentré. Mais des améliorations constantes de l'efficience de toutes les formes de cellules PV ont conduit certains à conclure que nous allons franchir un seuil au-delà duquel le photovoltaïque sera plus avantageux que le solaire thermique. En outre, si la courbe de réduction des coûts continue à faire baisser au même rythme ceux du photovoltaïque, celui-ci pourrait devenir moins cher que l'électricité issue des combustibles fossiles.

Cela ne veut pas dire que le solaire thermique concentré n'a pas un avenir prometteur. En effet, la possibilité de construire des centrales thermosolaires à partir de matériaux largement disponibles et de les relier au réseau de transmission et de distribution en fait une option très intéressante dans de nombreuses régions – en particulier celles bénéficiant d'un ensoleillement maximal et celles connectées à des lignes de transmission très performantes.

Les cellules PV avancées peuvent bénéficier d'une courbe d'innovation et de réduction des coûts similaire (mais pas aussi grande) à celle de la loi de Moore, qui a permis de fortes réductions du coût des puces informatiques par période de dix-huit à vingt-quatre mois.

À l'inverse, les matériaux requis pour les centrales thermosolaires sont des biens marchands, dont le coût ne baissera sans doute pas aussi rapidement que celui des cellules PV. En outre, la production des cellules PV semble, bien plus que le thermosolaire, bénéficier d'économies d'échelle. Chaque doublement du volume cumulé de la production entraîne une réduction de coût de 20 %. Et les performances du PV ne dépendent pas autant de l'ensoleillement que celles du thermosolaire. Enfin, les cellules PV peuvent être déployées en divers lieux, et les petites installations sont aussi performantes que les très grandes. Sur un toit par exemple, il est possible d'installer des cellules PV mais pas une centrale thermosolaire. Le PV sera donc compétitif dans de nombreuses régions du monde – y compris sur tout le territoire américain –, tandis que le thermosolaire ne le sera que dans les zones très ensoleillées. La pratique du « comptage net », qui permet aux particuliers et aux entreprises d'installer des cellules PV sur leurs toits et de revendre l'électricité au réseau quand

COMMENT FONCTIONNE LE SOLAIRE THERMIQUE CONCENTRÉ

Dans une centrale thermosolaire concentrée (CST), le rayonnement solaire est concentré par des miroirs, qui envoient les rayons sur un tuyau rempli d'eau ou d'un fluide synthétique appelé Therminol. Le liquide, ainsi chauffé à plusieurs centaines de degrés, est pompé à travers le système, puis un échangeur de chaleur convertit cette énergie en vapeur qui fait tourner une turbine génératrice d'électricité.

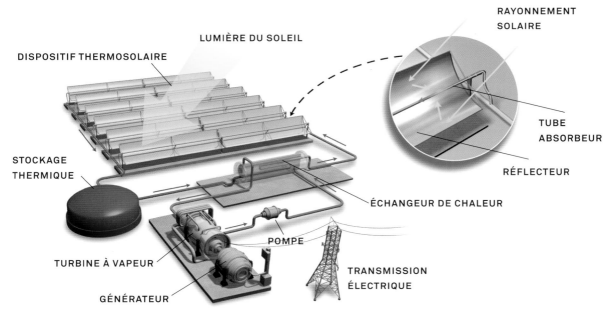

RAYONNEMENT SOLAIRE

LUMIÈRE DU SOLEIL

DISPOSITIF THERMOSOLAIRE

TUBE ABSORBEUR

RÉFLECTEUR

STOCKAGE THERMIQUE

ÉCHANGEUR DE CHALEUR

POMPE

TURBINE À VAPEUR

TRANSMISSION ÉLECTRIQUE

GÉNÉRATEUR

ils n'en ont pas l'usage, favorisera un essor rapide du photovoltaïque.

Plus de 90 % des cellules PV actuelles sont faites de silicium. Les premières générations nécessitent la transformation du silicium, soit en polysilicium monocristallin (de multiples petits cristaux), soit en silicium amorphe. La hausse récente de la demande d'électricité solaire a considérablement augmenté la capacité de fabrication de cellules PV à base de silicium, et donc entraîné une baisse conséquente des prix. Le silicium étant la deuxième substance la plus importante à la surface de la Terre (après l'oxygène), il n'y a pas de

risque de pénurie de cette matière première. Et, à mesure que le coût diminue, la demande s'accroît, alimentant un cercle vertueux en termes d'efficacité-coût. Jusqu'à récemment, ce processus restait plus onéreux que le solaire thermique concentré, mais cette situation évolue rapidement alors que se développent de nouvelles formes d'énergie photovoltaïque.

Les cellules de silicium monocristallin deviennent plus performantes et, peu à peu, de moins en moins coûteuses. Le verre et les cadres en métal qui les composent sont relativement chers, ce qui a conduit les scientifiques à explorer l'emploi de

COMMENT FONCTIONNE LE PHOTOVOLTAÏQUE (PV)

Les cellules solaires photovoltaïques (PV) produisent directement de l'électricité, sans turbine. Quand la lumière du soleil frappe le panneau, en général fait de silicium semi-conducteur, les photons libèrent les électrons des atomes du matériau photovoltaïque, lesquels s'échappent de la cellule sous forme de courant électrique. Quand les électrons sont forcés d'aller dans une direction, ils deviennent du courant électrique. Il faut un inverseur pour convertir le courant direct en courant alternatif, celui utilisé dans nos habitations.

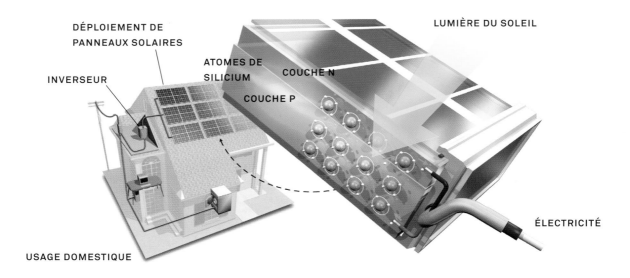

DÉPLOIEMENT DE PANNEAUX SOLAIRES

LUMIÈRE DU SOLEIL

INVERSEUR

ATOMES DE SILICIUM

COUCHE N

COUCHE P

ÉLECTRICITÉ

USAGE DOMESTIQUE

matériaux et de designs plus innovants et économiques. Il est moins coûteux de fabriquer et d'installer les nouveaux types de cellules à «film mince», même si leur efficacité à convertir les photons en électrons est moindre que celle des cellules de silicium monocristallin. Les matériaux les plus utilisés pour ces cellules à film mince sont le silicium amorphe, un mélange de cadmium et de tellurium, et un mélange de cuivre, d'iridium, de gallium et de sélénium.

L'arbitrage entre les cellules au silicium et les cellules à film mince est une question à la fois de coût et d'efficacité. Les deux types de cellules voient toutefois leur coût baisser et leur efficacité s'accroître (bien que le progrès soit plus rapide pour les cellules à film mince).

L'apparition d'une nouvelle génération de cellules PV suscite un grand enthousiasme dans le monde de la recherche et parmi les ingénieurs. La mise au point de nouvelles structures moléculaires par des technologies de fabrication et des processus chimiques nouveaux permettra d'augmenter le niveau de performance, pour un coût encore plus bas. Grâce à la nanotechnologie, les cellules seront plus efficaces dans la capture et l'emploi des photons et dans le déplacement des électrons. En outre, certains aspects coûteux de la fabrication de l'actuelle génération de cellules pourront être réduits par le recours à des lentilles ou des miroirs peu onéreux pour concentrer la lumière sur une petite cellule, chère mais très performante. Sur certaines nouvelles cellules, les nanostructures servent déjà à réaliser le travail de concentration à la surface de la cellule elle-même.

Toutefois, la nouvelle génération de cellules PV à film mince requiert l'emploi de matériaux rares et précieux (le sélénium, par exemple), sujets d'éventuels goulots d'étranglement et de coûts plus élevés en cas de gros volumes de production.

Contrairement aux combustibles fossiles ou aux centrales nucléaires, les centrales solaires ne peuvent produire de courant que lorsqu'il y a du soleil. Même si le carburant est gratuit – la lumière solaire –, il n'y a pas de soleil la nuit et, dans la journée, les nuages affectent le flux d'électricité produite. Ce problème d'«intermittence» nécessite de réfléchir différemment au rôle futur de l'électricité solaire.

Le grand avantage des centrales solaires, c'est que leur pic de production correspond aux périodes de plus grand ensoleillement et coïncide avec le pic de demande d'électricité, dû à l'usage intensif de l'air conditionné. Les centrales thermosolaires apportent une autre solution au problème de l'intermittence : la chaleur collectée dans les réservoirs de liquide peut être stockée (en général dans du sel en fusion) quand les nuages font écran au soleil. Actuellement d'une heure, la durée de stockage atteindra bientôt cinq à six heures, et une centrale à tour devrait pouvoir stocker la chaleur durant quinze heures ! Les cellules PV, elles, n'émettent pas de chaleur pour produire l'électricité et ne peuvent donc utiliser le stockage thermique. Pour résoudre le problème de l'intermittence, la plupart des centrales PV sont équipées de générateurs au gaz. Une autre solution, partielle, consiste à construire un réseau national unifié performant, qui permettra de compenser les problèmes d'intermittence dans une zone par l'ensoleillement dans une autre.

Le réseau électrique peut intégrer les flux intermittents d'électricité tant que la part de sources intermittentes ne dépasse pas environ 20 % du total. Au-delà, cela devient beaucoup plus problématique. Une solution innovante – qui est aussi un bénéfice collatéral – serait de passer de l'automobile actuelle à un véhicule hybride branché ou tout électrique : ceux-ci, s'ils existaient par millions, pourraient en effet servir de réseau de batteries. Enfin, d'autres formes de stockage de l'énergie électrique sont susceptibles de niveler les flux intermittents d'électricité.

Aujourd'hui, tous les procédés d'électricité solaire sont plus coûteux que l'électricité issue de la combustion du charbon ou du gaz ; mais le calcul ne tient pas compte des coûts énormes de la pollu-tion et du réchauffement. Néanmoins, les innova-tions dans le solaire vont rapidement faire dimi-nuer son prix. Un grand nombre d'experts estiment que, dans quelques années, nous serons capables de produire de l'électricité PV à des prix compé-titifs par rapport aux générateurs au charbon. Mais, tant que le coût du solaire est supérieur, le financement de ces technologies doit reposer

L'ÉNERGIE SOLAIRE BASÉE DANS L'ESPACE

Cela fait des décennies que l'on débat d'une proposition originale d'énergie solaire basée dans l'espace. Dans l'espace, il n'y a pas de problème d'intermittence et l'énergie solaire est plus forte. Le soleil qui frappe les panneaux solaires d'un toit en Amérique du Nord fournit 125 à 375 W/m^2, ce qui représente 1 kWh d'électricité par jour. En théorie, il est possible de mettre en orbite un large dispositif de cellules PV sur un satellite géostationnaire à plus de 30 000 km au-dessus de la Terre, où le rayonnement solaire est huit fois plus important.

Les scientifiques proposent de placer plusieurs satellites sur une orbite fixe de 1 km. Chacun utiliserait des réflecteurs pour collecter le rayonnement permanent et le diriger vers des cellules PV. Un seul dispositif PV dans l'espace pourrait recueillir six à huit fois l'énergie recueillie sur Terre, et une même orbite pourrait en abriter des milliers.

Les satellites enverraient l'énergie vers des capteurs au sol au moyen de fréquences micro-ondes. Certains disent que ces faisceaux achemineraient l'énergie de façon performante, sans menacer les êtres humains, les oiseaux ni aucune autre forme de vie. Mais le scepticisme est grand sur l'acceptation par l'opinion de ces faisceaux dans l'espace et d'un système nécessitant une installation équipée de lanceurs de fusée.

De vastes panneaux concentrent l'énergie sur des panneaux PV. L'électricité produite est transmise à des centrales sur la Terre au moyen de micro-ondes.

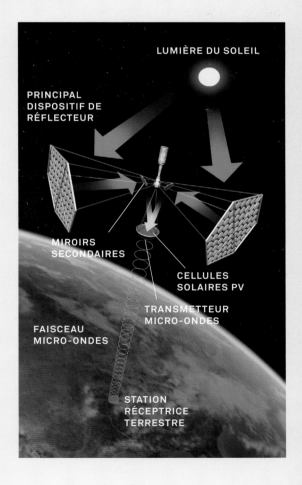

LUMIÈRE DU SOLEIL

PRINCIPAL DISPOSITIF DE RÉFLECTEUR

MIROIRS SECONDAIRES

CELLULES SOLAIRES PV

TRANSMETTEUR MICRO-ONDES

FAISCEAU MICRO-ONDES

STATION RÉCEPTRICE TERRESTRE

PLUS DE 1 000 PANNEAUX PV SUR LE TOIT DE LA
SALLE D'AUDIENCE PAUL VI, AU VATICAN (ITALIE),
FOURNISSENT AU BÂTIMENT LE CHAUFFAGE,
L'AIR CONDITIONNÉ ET L'ÉCLAIRAGE.

sur des politiques gouvernementales visant à compenser l'écart artificiel de coût entre le solaire et l'électricité fossile.

Dans de nombreux pays, en particulier les États-Unis, les gouvernements se sont montrés changeants, entraînant une politique de *stop-and-go* qui a périodiquement asséché le capital nécessaire au développement de l'industrie.

Ainsi, neuf centrales solaires ont été construites entre 1984 et 1991 dans le désert Mojave, au sud de la Californie (soit un total de 2 millions de mètres carrés de miroirs), et fonctionnent efficacement depuis. Ne stockant pas l'énergie, elles utilisent des générateurs au gaz pour produire de l'électricité lorsque l'ensoleillement est insuffisant. Leur réussite laisse penser que l'on pourrait construire rapidement des centrales similaires, mais bénéficiant d'améliorations technologiques permettant de produire de grandes quantités d'électricité. Cependant, les politiques gouvernementales engagées dans les années 1990 ont tari la source de capital nécessaire à construire d'autres centrales.

L'inconstance de la politique américaine a deux causes : l'évolution en dents de scie des prix du pétrole et le changement de majorité à la Maison Blanche et au Congrès. Toutes les fois que les prix du pétrole atteignent un pic, il y a un sursaut du soutien public aux énergies alternatives. Mais quand ils baissent à nouveau, ce soutien tend à se dissiper. Quant au second facteur, les firmes charbonnières et pétrolières, ainsi que les centrales au charbon, se sont fortement mobilisées pour développer une opposition au solaire au sein des deux principaux partis politiques.

Néanmoins, au cours des dix dernières années, des centrales solaires innovantes ont été construites dans l'Arizona et le Nevada, et beaucoup sont en construction ou en développement dans l'ouest du pays et ailleurs dans le monde. Les récentes incitations mises en place par la Maison Blanche – et les nouvelles lois en Californie et dans d'autres États, qui exigent que les centrales tirent une part de leur électricité de sources renouvelables – ont relancé la construction de centrales solaires. Ainsi, Florida Power and Light vient d'entreprendre la réalisation d'une centrale photovoltaïque destinée à produire de l'électricité pour ses clients.

Dans d'autres pays – l'Espagne et l'Allemagne, entre autres –, les politiques gouvernementales innovantes ont stimulé la demande et considérablement étendu l'emploi de la technologie solaire. La Chine et Taiwan se sont engagés à devenir les leaders de la production de photovoltaïque. En revanche, aux États-Unis, même si le photovoltaïque est développé, un seul fabricant parmi les dix premiers mondiaux y est basé.

Des politiques plus consistantes sont donc nécessaires aux États-Unis et ailleurs pour accélérer le développement du marché de l'électricité solaire et créer des millions d'emplois dans cette industrie du XXIe siècle. Quand le monde aura décidé de se donner des objectifs ambitieux en termes de développement du solaire et d'engager les investissements nécessaires pour améliorer encore les technologies dans ce domaine, nul doute que l'énergie solaire fournira alors une part majeure de l'électricité mondiale.

BÂTIR POUR LE SOLEIL : LES MAISONS SOLAIRES PASSIVES

Il existe des formes d'énergie solaire qui ne produisent pas d'électricité. L'énergie dite « solaire passive » peut réduire notablement la consommation d'énergie des immeubles d'habitation et de bureaux. (Aux États-Unis, 40 % des émissions de gaz à effet de serre viennent de l'énergie consommée par les immeubles.)

Les structures solaires passives utilisent le soleil comme source directe de chauffage. La technologie repose sur la physique du mouvement de la chaleur : les immeubles deviennent eux-mêmes collecteurs solaires, absorbeurs de chaleur et diffuseurs de chaleur. L'absorption de chaleur est maximisée en hiver et minimisée en été. Les immeubles sont orientés de

sorte que les fenêtres soient face au soleil, avec des surplombs permettant de faire entrer plus d'énergie l'hiver et moins l'été. La masse thermique – par exemple, des murs en pierre – absorbe et stocke la chaleur solaire ; une ventilation adaptée fait circuler la chaleur dans le bâtiment ; murs et fenêtres sont isolés pour empêcher la chaleur ou la fraîcheur de s'échapper. Sur le toit, des chauffe-eau solaires permettent de réduire le recours à l'énergie. Le solaire passif est à même de diminuer sensiblement les besoins en énergie d'un bâtiment. Associé à des panneaux PV ou à d'autres technologies, il peut donner un bâtiment « zéro énergie net », n'ayant besoin d'aucun apport extérieur.

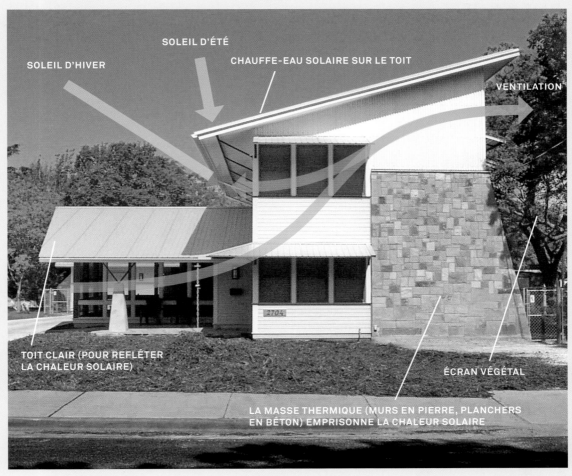

SOLEIL D'ÉTÉ

SOLEIL D'HIVER

CHAUFFE-EAU SOLAIRE SUR LE TOIT

VENTILATION

TOIT CLAIR (POUR REFLÉTER LA CHALEUR SOLAIRE)

ÉCRAN VÉGÉTAL

LA MASSE THERMIQUE (MURS EN PIERRE, PLANCHERS EN BÉTON) EMPRISONNE LA CHALEUR SOLAIRE

CHAPITRE QUATRE

RÉCOLTER
LE VENT

FERME À ÉOLIENNES,
SHERMAN COUNTY (OREGON).

Le vent est en réalité une autre forme d'énergie solaire. Certaines parties de la planète recevant davantage de lumière directe que d'autres – les tropiques, par exemple, en reçoivent plus que les pôles –, il en résulte une différence de température de l'air à l'origine des grands courants de vent planétaires. En outre, l'air au-dessus des terres se réchauffe plus vite dans la journée et se refroidit plus vite au cours de la nuit que l'air au-dessus des océans. Les différentes caractéristiques de la Terre elle-même affectent le réchauffement et le refroidissement de l'air. Les montagnes ont un impact sur l'altitude – et donc sur la température – de l'air. Les déserts sont chauds la journée et froids la nuit, tandis que les forêts ne se réchauffent pas autant le jour et ne refroidissent pas autant la nuit. Quand l'air près de la surface de la Terre est chaud, il s'épand et s'élève, créant un vide de pression dans lequel s'engouffre l'air froid. C'est le vent.

La permanence des traits géographiques – océans et continents, cols et montagnes, collines et vallées, déserts et forêts – rend prévisibles la plupart des vents. Si l'air était, comme l'eau, visible, nous verrions des « lacs » d'air là où le vent est nul, des « rivières » là où il souffle en brise et des torrents tumultueux là où il dépasse les 24 kilomètres/heure nécessaires à la production d'électricité. C'est en ces endroits que l'on installe les éoliennes.

Au total, la ressource éolienne de la Terre est si grande qu'elle pourrait techniquement fournir cinq fois l'énergie consommée dans le monde. La quantité d'énergie éolienne disponible aux États-Unis peut techniquement fournir dix fois la quantité d'énergie consommée chaque année dans ce pays.

Au cours des deux dernières années, l'énergie éolienne a été la première source d'électricité supplémentaire aux États-Unis. Source d'électricité renouvelable mais également forme d'énergie qui croît le plus vite, elle dépasse la capacité nette supplémentaire des centrales au charbon, au gaz et au nucléaire. En 2008, les États-Unis ont été les premiers au monde pour la mise en œuvre de nouvelles capacités éoliennes.

En termes de volume total d'électricité produite, les États-Unis sont en tête, suivis de l'Allemagne, avec une population bien moins importante. L'Espagne, dont la population est moitié moindre que celle de l'Allemagne, a une capacité éolienne des deux tiers de celle-ci. La Chine est quatrième pour la capacité éolienne installée, mais deuxième pour celle installée en 2008 et devrait bientôt prendre la deuxième place pour la capacité totale. L'Inde est cinquième pour la capacité installée, mais troisième pour le nombre d'éoliennes installées en 2008.

Le Danemark, en tête de tous les pays pour la part totale d'énergie reçue du vent, en tire plus de 21 % de son électricité. (La première éolienne commerciale moderne y fut d'ailleurs construite après

UN TECHNICIEN INSPECTE LA PALE D'UNE TURBINE
DE LA FERME À ÉOLIENNES WETHERSFIELD,
DANS L'OUEST DE L'ÉTAT DE NEW YORK.

la Seconde Guerre mondiale, avec l'aide du Plan Marshall.) L'Allemagne et l'Espagne tirent 5 % de leur énergie du vent, avec un pourcentage supérieur dans certaines régions.

L'omniprésence de la ressource éolienne justifie qu'elle soit devenue la source d'électricité la plus populaire dans le monde. Jusqu'à présent, l'éolien est aussi la forme d'énergie renouvelable la moins coûteuse, hormis le géothermique. Si le coût des autres ressources – en particulier le photovoltaïque – va rapidement baisser dans les prochaines années, l'éolien est une technologie déjà mature et compétitive, même en l'absence de

ÉNERGIE ÉOLIENNE MONDIALE
L'énergie éolienne connaît une croissance rapide et totalise à présent 120 000 MW au niveau mondial. En 2008, les États-Unis ont produit 8 500 MW d'électricité éolienne supplémentaire, soit une hausse de 50 % par rapport à l'année précédente.

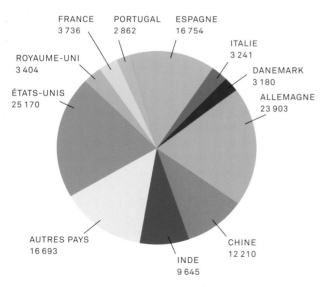

FRANCE
3 736

PORTUGAL
2 862

ESPAGNE
16 754

ITALIE
3 241

ROYAUME-UNI
3 404

DANEMARK
3 180

ÉTATS-UNIS
25 170

ALLEMAGNE
23 903

AUTRES PAYS
16 693

CHINE
12 210

INDE
9 645

CAPACITÉ ÉOLIENNE INSTALLÉE TOTALE, 2008
(en mégawatts)

SOURCE : Global Wind Energy Council

nouvelles percées. Tandis que les instances internationales s'apprêtent à donner un prix au carbone pour conférer une valeur plus réaliste à l'électricité issue des combustibles fossiles, l'éolien devrait poursuivre sa croissance rapide comme source majeure d'électricité dans le monde.

Aujourd'hui, la plupart des éoliennes ont la même apparence : trois grandes pales au sommet d'une haute tour. L'éolienne type a des pales de 27 à 45 mètres de long, montées sur une tour de 45 à 105 mètres de haut. Le moteur à turbine le plus répandu produit une moyenne de 1,5 mégawatt d'électricité – assez pour alimenter quatre cents foyers aux États-Unis. Ces grandes éoliennes sont généralement installées en groupes de douze ou de cent, dans des « fermes à éoliennes » connectées au réseau de transmission et de distribution.

Les pales des éoliennes modernes sont conçues selon un principe similaire à celui des ailes d'avion. La courbure en haut de la pale fait ralentir le vent par rapport à la vitesse qu'il a en bas de la pale ; ainsi, le vent pousse les pales vers le haut, les faisant tourner avec une grande force. La rotation des pales entraîne celle d'un axe moteur qui fait tourner un générateur électrique, lequel produit de l'électricité de la même manière que la vapeur faisant tourner les pales des turbines des centrales fossiles, nucléaires ou thermosolaires.

Avec le temps, la construction de rotors plus grands et de tours moins hautes a augmenté l'efficacité de l'énergie éolienne. La difficulté à transporter des pales de grandes dimensions sur les autoroutes laisse à penser que la taille des pales est proche de sa limite. Mais des prédictions similaires dans le passé ne se sont pas avérées. Le prix du transport sur de longues distances des tours, des pales et des turbines étant élevé, il est plus intéressant de construire des éoliennes dans le pays où elles sont utilisées. Aux États-Unis, des

COMMENT FONCTIONNE UNE ÉOLIENNE

La plupart des fermes à éoliennes modernes sont composées de tours munies de trois pales fixées sur un axe horizontal. Le rotor et le générateur électrique sont au sommet de la tour, et un moteur contrôlé par ordinateur dirige les pales dans le vent. La forme incurvée des pales accroît la vélocité du vent au-dessus de celles-ci, ce qui diminue la densité de l'air. Cette basse pression (par rapport au bas de la pale) crée une poussée aérodynamique qui fait tourner les pales. Leur rotation entraîne un axe qui fait tourner le générateur électrique situé derrière les pales.

VÉLOCITÉ PLUS GRANDE,
DENSITÉ DE L'AIR MOINDRE = POUSSÉE

VÉLOCITÉ PLUS FAIBLE,
DENSITÉ DE L'AIR
PLUS IMPORTANTE

ÉOLIENNE VERTICALE

Les turbines à axe vertical sont moins performantes. Mais leur capacité à capter le vent dans toutes les directions et à tourner plus vite par vent faible leur offre un marché à petite échelle.

GÉNÉRATEUR

L'ÎLE GALLOISE D'ANGLESEY ABRITE PLUSIEURS
FERMES À ÉOLIENNES QUI PROFITENT
DES VENTS SOUTENUS DE L'ENDROIT.

dizaines de milliers d'emplois ont déjà été créés dans la fabrication et l'installation d'éoliennes. Ainsi, Cardinal Fastener, à Bedford Heights (Ohio), l'entreprise qui a fabriqué les boulons géants du Golden Gate Bridge et de la statue de la Liberté, estime réaliser bientôt la moitié de son chiffre d'affaires en fabriquant des boulons pour éoliennes. Bien d'autres emplois de ce type devraient voir le jour.

Entre autres avantages, les fermes à éoliennes sont adaptables : si l'on a besoin de plus d'électricité, il est possible d'ajouter des éoliennes. Une éolienne peut être construite et installée en deux mois (le design modulaire rend l'assemblage simple et rapide), un atout par rapport à la plupart des autres générateurs d'électricité, qui ne peuvent fonctionner qu'au bout d'une dizaine d'années. Les éoliennes ont une longue durée de vie et un faible coût de maintenance. En outre, l'éolien – contrairement à d'autres technologies – ne nécessite pas d'eau, un avantage certain dans les régions sèches. L'éolien utilise moitié moins de terrain que n'importe quelle autre énergie renouvelable, mais il est aussi le plus visible à l'horizon. Pour moi, les éoliennes ajoutent de la beauté au paysage ; ce n'est pas l'opinion de ceux qui organisent des campagnes contre leur installation. D'un autre côté, l'enthousiasme pour l'éolien ne doit pas conduire à négliger les objections légitimes quant à certains sites. Ainsi, le projet d'installer

LES ÉOLIENNES MENACENT-ELLES LES OISEAUX ?

Il arrive que des oiseaux se fassent tuer par des éoliennes, ce qui a suscité une controverse quant à l'installation de nouvelles fermes à éoliennes.

Le nombre total d'oiseaux morts chaque année à cause d'éoliennes aux États-Unis représente 0,5 % du nombre d'oiseaux tués par les tours de communication, 0,005 % du nombre tué par les immeubles et moins de 0,03 % du nombre tué par les chats domestiques. (Statistiquement, cela signifie qu'aux États-Unis, un chat tue en moyenne chaque année le même nombre d'oiseaux que l'énergie éolienne.)

En outre, le CO_2 produit par les centrales électriques à combustible fossile est l'une des principales causes du réchauffement du climat, lequel, selon une étude, pourrait contribuer à l'extinction de plus d'un quart des espèces d'oiseaux dans le monde. Certes, il serait possible d'éviter ces disparitions par des progrès dans la conception des éoliennes, et les ingénieurs y travaillent. On teste aujourd'hui des senseurs capables de détecter l'approche de nuées d'oiseaux et d'arrêter l'éolienne si nécessaire.

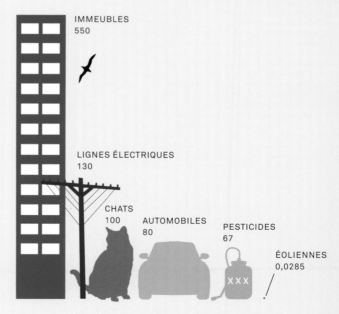

IMMEUBLES 550

LIGNES ÉLECTRIQUES 130

CHATS 100

AUTOMOBILES 80

PESTICIDES 67

ÉOLIENNES 0,0285

CAUSES DE LA MORT DES OISEAUX (en millions/an aux États-Unis)

SOURCE : Wallace P. Erickson *et al.*, in *Bird Conservation Implementation and Integration in the Americas*, 2002

LA PLUPART DES NOUVELLES ÉOLIENNES
AU ROYAUME-UNI SONT BASÉES OFFSHORE,
DONT CETTE TURBINE DE 5 MW PRÈS
D'INVERNESS (ÉCOSSE).

une grande ferme à éoliennes dans une tourbière des îles Shetland ne se traduirait nullement par une réduction des émissions de CO_2.

Si la plupart des éoliennes sont situées sur terre, elles sont de plus en plus nombreuses *offshore*. D'abord, les objections sont moindres concernant l'installation d'éoliennes au large. En outre, les vents au-dessus de l'océan sont généralement plus forts, plus prévisibles et moins turbulents, du fait de l'absence d'obstacles. De l'expérience acquise dans la construction de plates-formes pétrolières *offshore* sur le plateau continental ont découlé une expertise et une confiance qui permettent de bâtir des plates-formes éoliennes attachées au fond de l'océan pour un coût raisonnable. Certains pensent d'ailleurs que, dans nombre de zones, il serait économiquement intéressant de placer des éoliennes au sommet des plates-formes pétrolières. Deux compagnies, StatoilHydro, en Norvège, et Siemens, en Allemagne, ont commencé à travailler sur des plates-formes flottantes pour des éoliennes *offshore* qui, situées dans des eaux plus profondes, seront ancrées aux fonds marins par trois câbles.

De plus, l'acheminement de l'électricité à terre par les câbles de transmission enfouis dans l'océan est relativement bon marché, y compris lorsque la plate-forme se situe à des dizaines ou des centaines de kilomètres du rivage. Le Danemark, la Suède, le Royaume-Uni, l'Irlande, les Pays-Bas et la Chine ont commencé à utiliser le vent *offshore* comme source d'électricité renouvelable et non polluante. Aux États-Unis, de multiples projets sont au stade du développement, mais aucun n'est encore opérationnel.

La plus grande ferme à éoliennes *offshore*, Lynn and Inner Dowsing, se trouve dans l'océan près de Skegness, en Angleterre. Elle comporte cinquante-quatre éoliennes de très grande taille, chacune ayant des pales de plus de 55 mètres de long et une turbine placée à plus de 80 mètres au-dessus de la mer. Ces machines peuvent produire jusqu'à 200 mégawatts d'électricité. Le Royaume-Uni est en train de construire au large de l'estuaire de la Tamise une ferme *offshore* encore plus grande, de deux cent soixante-dix turbines pour 1 000 mégawatts ; une fois achevée, en 2012, elle sera la plus grande installation *offshore* au monde. En 2010, le Danemark doit installer en mer du Nord, à une distance de 30 à 40 kilomètres à l'ouest du pays, une ferme de quatre-vingt-onze turbines fournissant 209 mégawatts, la Horns Rev 2.

Dans certaines zones, la prévisibilité et la régularité du vent ont conduit il y a déjà très longtemps à exploiter ce flux naturel d'énergie. Le vent sert de source d'énergie au moins depuis l'invention de la voile, il y a plus de 5 000 ans. La plupart des historiens accordent à la Perse l'invention du moulin à vent, au premier millénaire. La technologie s'est ensuite diffusée en Chine, puis en Europe après le retour des Croisés. Améliorée aux Pays-Bas et en Grande-Bretagne, elle servait notamment à moudre le grain, pomper de l'eau et scier du bois. Avant que l'on ne commence à utiliser les réserves souterraines de charbon, au début du XVIIe siècle, il y avait en Europe des milliers de moulins à vent, et près de 500 000 en Chine.

Le recours au charbon a entraîné un désintérêt pour le moulin à vent, avant même que l'électricité soit une source d'énergie. Le moulin à vent resta cependant en service dans les régions où il était difficile de se procurer des carburants fossiles. Au début du XXe siècle, on l'utilisait pour produire de l'électricité dans des zones rurales non connectées à de grandes centrales électriques par des lignes de transmission.

Le regain d'intérêt pour les moulins à vent date des embargos sur le pétrole de 1973 et 1979, et de

LE GARÇON QUI APPRIVOISAIT LE VENT

William Kamkwamba a pris le cadre du vieux vélo de son père, un amortisseur rouillé en guise d'axe, un ventilateur de tracteur comme rotor, et a fait fondre des tuyaux en PVC qui ne servaient plus pour les transformer en pales. Il a fouillé la décharge de son village pour y trouver des roulements à billes, finalement dénichés dans un vieux pressoir à arachides. Avec une poignée faite d'un clou planté dans un épi de maïs et des rayons de bicyclette en guise de tournevis, il a assemblé ces éléments hétéroclites en une éolienne, qu'il a placée en haut d'une échelle en bois de caoutchouc. Le vent a fait tourner les pales, et ce Malawi de 14 ans a brandi dans sa main l'ampoule ainsi allumée.

William a été obligé d'arrêter ses études secondaires quand sa famille n'a plus pu payer les frais de scolarité. Elle avait tout juste survécu aux grandes famines du Malawi. William a tout de même suivi les cours en recopiant les notes de ses amis, en histoire, anglais, géographie et sciences. Ayant un jour trouvé en bibliothèque un manuel de physique en anglais, cet étudiant autodidacte a décidé de devenir inventeur. Le père d'un de ses amis avait une bicyclette munie d'une dynamo qui l'éclairait quand il pédalait. À partir de ce concept de base – le mouvement d'une bobine de cuivre dans un champ magnétique – et sachant que l'électricité rendrait la vie plus facile à Wimbe (son village natal, de soixante familles), il a appris les bases de l'électronique à partir des illustrations du manuel.

Des photos d'une éolienne, dans un autre livre de bibliothèque, lui donnèrent l'idée d'en construire une. « Nous avons assez de vent au Malawi. Je me suis dit que je pourrais en faire une pour avoir de l'électricité à la maison. » Après son premier succès avec l'ampoule, William s'est employé à accroître la puissance de sa machine, ajoutant une batterie de voiture pour stocker de l'énergie, un disjoncteur fait de clous et d'aimants de haut-parleur, et des interrupteurs faits main. Il installa une ampoule dans chaque pièce de sa maison et deux dehors, puis compléta l'ensemble par des panneaux solaires sur le toit. Bientôt, chaque maison de Wimbe fut équipée de panneaux solaires et d'une batterie pour stocker l'électricité.

Les ambitions de William étaient plus grandes. En une année, les deux tiers des ménages du Malawi étaient incapables de produire suffisamment de maïs

William Kamkwamba en haut de l'éolienne construite avec des matériaux de récupération dans son village au Malawi.

pour leur propre consommation. En 2001 et 2002, la saison sèche a provoqué une famine dont ont été victimes un grand nombre de ses 11 millions d'habitants. Les éoliennes de William étaient destinées à éviter cette souffrance à son village. L'une pompe de l'eau pour irriguer le jardin familial, tandis qu'une pompe solaire équipant le puits commun remplit des réservoirs d'eau pour tous les villageois.

Depuis qu'il a construit sa première éolienne, en 2003, William est devenu le symbole de l'innovation locale en Afrique. Grâce à son livre, à son blog (williamkamkwamba.typepad.com) et à des conférences dans le monde entier, il a transmis un message d'espoir et d'humanité à travers les énergies propres. Puis il est retourné à l'école, à l'African Leadership Academy, à Johannesbourg, où il étudie pour être en mesure de créer une société de fabrication d'éoliennes en Afrique. « Les gens veulent la technologie mais ne peuvent l'utiliser sans électricité, explique-t-il. Je souhaite leur apporter une électricité viable. »

la forte augmentation du prix des carburants fossiles qui en résulta. La recherche de sources d'énergies alternatives déboucha très vite sur le vent. Plusieurs pays mirent alors en œuvre de nouvelles politiques, en particulier les États-Unis, où la plupart des technologies encore utilisées aujourd'hui à travers le monde ont été développées à la suite de mesures incitatives prises par le président Carter.

Les premières générations d'éoliennes productrices d'électricité étaient souvent basées sur des propulseurs d'avion, ce qui les rendait bruyantes et suscitait les plaintes du voisinage. Un problème résolu sur les éoliennes modernes, dont il est difficile d'entendre le bruit des turbines. Le bruit des turbulences créées dans l'air a également été minimisé, au point que l'on n'enregistre presque plus de plaintes à ce sujet.

Par ailleurs, les ingénieurs ont repensé les éoliennes afin de les rendre plus performantes. Grâce à de nouveaux matériaux, plus légers, et de meilleurs designs, ils ont pu construire les prédécesseurs des éoliennes actuelles, tout en améliorant leur efficacité. Des pales et des turbines plus grandes ont été placées sur des tours plus hautes pour profiter des vents plus forts à plus haute altitude.

Quelques années après le début du programme Carter, 85 % de l'énergie éolienne mondiale était produite aux États-Unis. Cette politique de promotion des énergies renouvelables – associée à l'impact de la hausse des prix du pétrole – a considérablement réduit la dépendance des États-Unis vis-à-vis du pétrole importé.

Malheureusement, l'arrivée de Ronald Reagan, en 1981, s'est accompagnée d'une réduction de 80 % des programmes d'énergie renouvelable, et l'industrie américaine a cessé tout progrès dans ce domaine. Avec la chute des prix du pétrole, la dépendance du pays à l'égard du pétrole étranger s'est rapidement amplifiée.

Cette histoire malheureuse illustre l'un des défis que l'éolien a en commun avec le solaire : il nécessite des politiques innovantes et cohérentes qui permettent de compenser l'avantage artificiel que les subventions et la non-prise en compte des coûts réels donnent au pétrole et au charbon. Les pays ayant le plus progressé dans l'éolien sont ceux qui ont mis en œuvre des politiques de long terme visant à accroître la demande en énergie renouvelable et à inciter la fabrication et la production.

L'administration Clinton-Gore a renoué avec les incitations à l'éolien (ainsi qu'aux autres énergies renouvelables), mais le basculement du Congrès dans le camp républicain, en 1994, a de nouveau bloqué le financement. Le crédit d'impôt qui avait contribué à l'essor initial de l'éolien a été à plusieurs reprises supprimé puis remis en place, mais pour une durée de deux ans, décourageant l'investissement nécessaire au développement de cette source d'énergie. Les États-Unis ont donc perdu leur avance dans la technologie éolienne. Même s'ils utilisent davantage d'éoliennes que tout autre pays, la moitié d'entre elles sont désormais importées. Et, sur les dix plus grandes compagnies mondiales dans ce domaine, une seule – General Electric – se trouve aux États-Unis.

Heureusement, en l'absence de politique fédérale consistante, plusieurs États américains – dont les précurseurs, le Texas et la Californie – ont comblé ce vide par des mesures incitatives qui ont favorisé le développement de cette industrie essentielle. Le Texas – que l'on associe en général à la production de pétrole – est en tête pour la capacité éolienne installée, plus du double de celle de tout autre État américain. L'Iowa et la Californie sont respectivement en deuxième et troisième

LES FERMES À ÉOLIENNES D'ALTAMONT PASS
(CALIFORNIE), CONSTRUITES DANS LES
ANNÉES 1970, SONT L'UNE DES PLUS GROSSES
INSTALLATIONS DE CE TYPE AUX ÉTATS-UNIS.

places. Le Minnesota, quatrième, est en tête pour la part d'électricité issue de l'éolien, et l'Iowa, deuxième.

Vingt-deux États américains ont aujourd'hui une production d'électricité éolienne installée de plus de 100 mégawatts (suffisante pour alimenter 30 000 foyers), et celle-ci se développe chaque jour davantage. La plus grande ferme à éoliennes terrestre se situe au Texas, à l'ouest de Dallas. Le Horse Hollow Wind Energy Center (de la société Florida Power and Light) réunit quatre cent vingt et une turbines géantes qui fournissent jusqu'à 735 mégawatts. Des fermes encore plus grandes sont actuellement en construction. Trois États – le Minnesota, l'Iowa et le Colorado – tirent déjà de l'éolien 5 % de leur électricité.

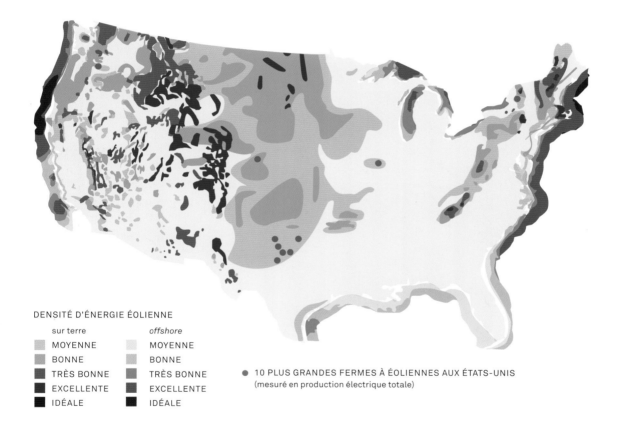

DENSITÉ D'ÉNERGIE ÉOLIENNE

sur terre	offshore
MOYENNE	MOYENNE
BONNE	BONNE
TRÈS BONNE	TRÈS BONNE
EXCELLENTE	EXCELLENTE
IDÉALE	IDÉALE

● 10 PLUS GRANDES FERMES À ÉOLIENNES AUX ÉTATS-UNIS
(mesuré en production électrique totale)

LES RESSOURCES ÉOLIENNES AUX ÉTATS-UNIS

De même que pour le potentiel hydroélectrique, géothermique et solaire, la quantité d'énergie que l'on peut récolter du vent dépend des conditions locales. Les zones vertes et bleues les plus foncées indiquent des endroits où le vent est suffisamment fort et prévisible pour produire régulièrement de l'électricité. Mais, tant qu'un super-réseau n'aura pas été construit aux États-Unis, nombre de ces zones resteront trop éloignées des lignes de transmission pour que le vent soit utilisable.

SOURCE : American Wind Energy Association ; National Renewable Energy Laboratory

Avec l'éolien et le solaire, une fois les systèmes en place, le carburant est gratuit. Mais les limites à l'emploi de l'éolien sont similaires à celles du solaire. L'électricité ne peut être produite que lorsque le vent souffle suffisamment pour faire tourner les pales de l'éolienne. Si le vent tombe, celle-ci ne produit plus d'électricité. L'intermittence pose un problème tant pour l'éolien que pour le photovoltaïque car ces deux processus ne produisent pas de chaleur, mais seulement de l'électricité. Et celle-ci – contrairement à la chaleur – est difficile à stocker de façon performante. Cela devrait changer avec la construction d'un réseau national unifié et un recours plus important aux véhicules électriques branchés, dont la flotte pourra faire office de réseau performant de batteries.

Il est une autre limite que l'éolien partage avec le solaire, en particulier avec l'électricité produite par les centrales thermosolaires : les meilleures ressources de soleil et de vent se situent souvent dans des zones éloignées des centres de population. De ce fait, des lignes de transmission *high-tech* et longue distance sont nécessaires pour maximiser l'utilisation des deux ressources.

Les réseaux électriques sont souvent conçus de telle sorte qu'il est difficile d'y intégrer des sources intermittentes dépassant 20 % du total. Néanmoins, les réseaux intelligents couvrant de larges zones permettront d'aller au-delà. En outre, la prévisibilité du vent réduit le risque d'arrêts imprévus, permettant aux opérateurs de fermes à éoliennes de minimiser l'impact des périodes creuses. Si plusieurs fermes utilisent les mêmes lignes de transmission, une période creuse dans une ferme peut généralement être compensée par l'électricité produite dans une autre ferme.

Les petites éoliennes, capables de fournir de l'électricité à une maison ou à une ferme, susci-tent un enthousiasme croissant. Aux États-Unis, on estime que 13 millions de foyers pourraient y avoir recours. Toutes ces éoliennes se trouvent dans des zones rurales, l'environnement urbain ne bénéficiant pas des vents nécessaires.

À cet égard, l'éolien, comme le photovoltaïque, peut s'adapter à ce que l'on appelle un système d'« énergie distribuée », qui permet à ceux qui l'utilisent de réduire la quantité d'électricité achetée au réseau. Cependant, chaque éolienne devant avoir sa propre turbine électrique et le coût de chaque kilowattheure d'électricité augmentant à proportion inverse de la taille de l'éolienne, les petites éoliennes devraient rester plus onéreuses que les cellules solaires PV à l'échelle domestique, d'autant que le coût de l'énergie photovoltaïque continue à baisser rapidement.

L'électricité que produit une petite éolienne type (de 10 à 40 mètres de haut) permet actuellement un retour sur investissement allant de six à trente années. Des progrès constants en termes de performance et de réduction des coûts devraient raccourcir ce délai. Selon les experts en énergie renouvelable, l'expérience montre que, pour toutes les énergies « résidentielles », susciter un large intérêt chez le consommateur implique un retour sur investissement qui n'excède pas quelques années. Bien sûr, l'augmentation du coût de l'électricité fournie par les compagnies aura également pour effet de raccourcir le délai de retour sur investissement des petites éoliennes, encourageant ainsi un recours plus étendu à ces systèmes.

À présent, 10 000 petites éoliennes sont installées chaque année aux États-Unis, et ce nombre croît rapidement. Certains experts estiment que ce marché pourrait se développer significative-ment si l'on optimisait le fonctionnement des turbines pour un emploi par vent faible dans certaines zones adaptées.

CHAPITRE CINQ

POMPER L'ÉNERGIE GÉOTHERMIQUE

CE SPA ISLANDAIS BLEU LAGON EST ALIMENTÉ PAR L'EAU CHAUDE PROVENANT DE LA CENTRALE GÉOTHERMIQUE VOISINE.

Aujourd'hui, l'énergie géothermique est potentiellement la source d'énergie la plus importante – mais aussi la moins connue – aux États-Unis comme ailleurs. Contrairement au solaire, qui vient du ciel, l'énergie géothermique vient des profondeurs de notre planète. Comme le solaire et l'éolien, le géothermique pourrait, s'il était convenablement développé, rivaliser avec l'ensemble des énergies disponibles issues du charbon, du pétrole et du gaz. En effet, la quantité d'énergie géothermique disponible est, selon le secrétaire américain à l'Énergie, Steven Chu, « réellement illimitée ». Pourtant, même les fervents partisans des énergies renouvelables n'évoquent jamais cette source d'énergie plus que prometteuse.

La quantité d'énergie géothermique disponible est souvent sous-estimée parce que son emploi comme source d'électricité a longtemps été associé aux quelques endroits où de l'eau chaude bouillonne ou jaillit en surface. Dans certains de ces lieux, des systèmes de captage de chaleur puisant dans les réserves souterraines de vapeur ou d'eau chaude servent à faire tourner des turbines produisant de l'électricité. Et, comme les premières expériences de l'électricité géothermique ont été limitées à ces sites « hydrothermiques », beaucoup croient à tort que l'on en est resté là.

À cet égard, l'idée largement répandue – en dehors de la communauté scientifique – ressemble à celle qui a longtemps prévalu à propos du charbon et du pétrole, à l'époque où les seules réserves connues, rares, affleuraient le sol. Avant le creusement des premières mines de charbon, au XVIIe siècle, et le premier forage pétrolier, en 1859, ceux qui connaissaient ces deux matières premières pensaient qu'elles n'existaient qu'en quantité limitée et ne pourraient être utilisées que dans les quelques endroits où elles étaient visibles. Mais quand des ingénieurs développèrent de nouvelles technologies minières et de forage pour exploiter les gisements enfouis de pétrole et de charbon, on découvrit de vastes réserves qui sont devenues les principales sources d'énergie des cent cinquante dernières années.

De même, l'énergie géothermique que l'on connaissait par le passé ne constituait qu'une part infime de ce qui est en réalité accessible grâce aux nouvelles technologies permettant de forer plus profondément sous terre.

Les stocks mondiaux de ressources d'énergie géothermique sont en effet énormes. Selon le rapport des Nations unies, World Energy Assessment, ils représentent environ 280 000 fois la consommation annuelle d'énergie primaire de la planète. Aux États-Unis, selon deux autres experts, Bruce Green et Gerald Nix, « le contenu énergétique des ressources géothermiques à une profondeur de 3 kilomètres est estimé à 3 millions de quads, soit l'équivalent de 30 000 années de consommation d'énergie au rythme actuel du pays ». Le Massachusetts Institute of Technology, dans une importante étude sur le géothermique publiée il y a trois ans, estimait que « la part techniquement exploitable » des ressources géothermiques aux États-Unis représente « 2 000 fois la consommation annuelle d'énergie primaire » du pays. Ainsi, à condition que les progrès technologiques appropriés soient réalisés, le géothermique devrait à terme fournir une part non négligeable des besoins énergétiques des États-Unis, et ce de façon durable s'agissant de la production d'électricité, du chauffage et du refroidissement des bâtiments.

En outre, le géothermique a de nombreux avantages par rapport aux autres formes d'énergie. Contrairement au charbon, au pétrole et au gaz, il n'émet pratiquement pas de CO_2. Modulaires et adaptables, les centrales géothermiques sont en outre celles qui ont la plus petite « empreinte » environnementale sur la planète. Comme le solaire, le géothermique est accessible presque partout sur Terre : il y en a dans les pays en déve-

loppement et dans les pays plus riches. Mais, contrairement au solaire et à l'éolien, il n'est pas intermittent. Une fois en place, une centrale géothermique fournit de l'électricité 24 heures sur 24.

Il existe deux types de zones géologiques où les ressources hydrothermiques ont été plus facilement localisées. Les endroits où la température sous la surface de la Terre est la plus chaude se situent en général aux frontières des plaques tectoniques et là où s'élèvent des volcans en activité. L'exemple le plus connu est peut-être l'« anneau de feu » qui marque le périmètre de l'océan Pacifique, de la côte est de la Nouvelle-Zélande à Samoa au nord, puis à travers la Papouasie-Nouvelle-Guinée et l'Indonésie à l'ouest, puis encore au nord à travers les Philippines, Taiwan et le Japon, enfin à l'est à travers les îles Aléoutiennes et au sud le long de la côte ouest des Amériques.

LES ZONES CHAUDES DE LA TERRE

L'écorce terrestre est la plus chaude là où les plaques tectoniques se rencontrent, comme sur l'« anneau de feu » qui encercle le Pacifique. Le globe comporte une douzaine de points chauds plus petits, dus à différents phénomènes géologiques.

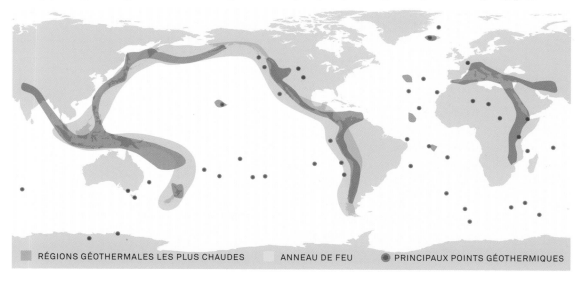

RÉGIONS GÉOTHERMALES LES PLUS CHAUDES   ANNEAU DE FEU   PRINCIPAUX POINTS GÉOTHERMIQUES

SOURCE : National Oceanic and Atmospheric Administration ; Jonathan T. Hagstrum, *Earth and Planetary Science Letters,* 236, 2005

« La quantité d'énergie géothermique disponible est réellement illimitée. »

STEVEN CHU, SECRÉTAIRE AMÉRICAIN À L'ÉNERGIE

LE GEYSER « OLD FAITHFUL », DANS LE PARC
NATIONAL DE YELLOWSTONE, EST UN SYMBOLE
DE L'ÉNERGIE GÉOTHERMALE DE LA TERRE.

Dans le second type de zone – sans lien avec les limites des plaques tectoniques –, la chaleur du magma enfoui dans le manteau terrestre trouve un chemin naturel vers la surface. Les sources d'eau chaude bouillonnantes et les fameuses «attractions» (comme Old Faithful) du Parc national de Yellowstone sont le fruit de ce second phénomène géologique. Les scientifiques ont localisé environ quarante-cinq points de ce type à la surface de la Terre. Encore peu comprises, les raisons de leur existence semblent complexes pour la majorité d'entre eux (voir «L'origine des points chauds», ci-dessous).

La forme classique d'énergie géothermique est l'hydrothermie telle qu'on l'utilise depuis 1904 pour produire de l'électricité – c'était à Larderello,

L'ORIGINE DES POINTS CHAUDS

De récentes découvertes montrent qu'au moins la moitié des principaux points chauds de la Terre pourraient résulter de collisions avec de grands astéroïdes, tombés dans l'océan à un point se trouvant exactement à l'opposé du point chaud en question (180° plus loin). Si on trace une ligne droite à partir du Parc de Yellowstone en passant par le centre de la Terre, elle aboutit sur l'autre face du globe aux îles Kerguelen, à 2 100 km au nord de l'Antarctique et 4 100 km au sud-est de l'Afrique. Un astéroïde aurait touché la Terre à cet endroit, dans l'océan Indien, y laissant un point chaud et transmettant des ondes de choc sur tout le globe, qui ont rebondi à l'intérieur du manteau rocheux puis convergé vers un point situé de l'autre côté de la planète. Au cours des derniers 15 millions d'années, la dérive des continents a déplacé le point chaud ainsi créé jusqu'à l'emplacement actuel de Yellowstone. Pendant cette même période, l'activité volcanique du sous-sol océanique a formé les îles Kerguelen au point d'impact de l'astéroïde.

Analysant les deux points chauds antipodiques, 99 % des statisticiens estiment qu'au moins la moitié des points chauds du type Yellowstone sont liés à des points chauds de l'autre côté de la Terre, dont certaines données suggèrent qu'ils ont été créés par l'impact avec une masse venue de l'espace. Selon cette théorie, les impacts d'astéroïde sur le continent n'ont pas eu le même effet de l'autre côté de la planète parce que la masse terrestre a amorti les ondes de choc, les empêchant de se propager. Quant à ceux qui

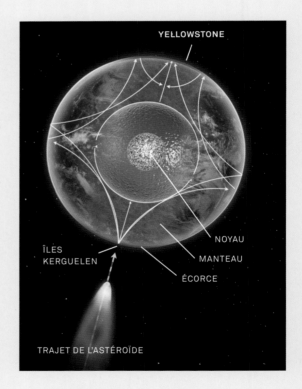

considèrent avec scepticisme cette théorie nouvellement admise, il convient de rappeler que la théorie de la dérive des continents et des plaques tectoniques ne fut acceptée par la communauté scientifique que dans les années 1960.

LES VINGT-DEUX CENTRALES GÉOTHERMIQUES
DES GEYSERS, DANS LE NORD DE LA CALIFORNIE,
CONSTITUENT ACTUELLEMENT LA PLUS GRANDE
INSTALLATION GÉOTHERMIQUE DANS LE MONDE.

en Italie, site dont l'activité ne fut interrompue que durant les deux guerres mondiales. Aujourd'hui encore, le site de Larderello produit environ 400 mégawatts d'électricité en charge de base. La technologie du forage de sites hydrothermiques classiques a atteint sa maturité, et le coût de l'électricité produite est compétitif par rapport aux autres sources. Par conséquent, de nouveaux sites ne cessent d'être mis en exploitation, tant dans les pays en développement que dans les pays développés. La capacité totale des ressources d'énergie géothermique exploitées aujourd'hui est d'environ 10 000 mégawatts.

Ainsi, 60 % de l'électricité utilisée sur la côte nord de la Californie (du Golden Gate Bridge à l'Oregon) provient de turbines électriques activées par de la vapeur issue de sources chaudes situées au nord de San Francisco : les Geysers. Leur pic de production, atteint il y a vingt-deux ans, est de 2 000 mégawatts, mais ils n'en produisent plus que la moitié. Les Geysers sont constitués de vingt-deux sites distincts, ce qui représente le système hydrométrique le plus grand du monde. Cependant, le projet de nouvelle centrale à Sarulla, au nord de Sumatra, en Indonésie, devrait laisser loin derrière lui, une fois réalisé, les vingt-deux centrales des Geysers.

Les meilleurs sites hydrothermiques disposent d'une source naturelle d'eau souterraine, de températures élevées et de roches poreuses et perméables à travers lesquelles l'eau circule et absorbe la chaleur. Cette chaleur est extraite sous forme de vapeur ou d'eau très chaude. Ces sites nécessitent toutefois de grandes quantités de fluides naturels, situés assez peu en profondeur. En effet, comme une partie de l'eau se perd au cours du processus, maintenir la productivité nécessite souvent d'importants ajouts d'eau. C'est ce qui se passe aux Geysers en Californie.

Les centrales hydrothermiques classiques sont construites selon trois modèles. La vapeur peut être prise directement par la turbine puis condensée en eau pour être remise en circulation. L'eau très chaude peut être dépressurisée et précipitée en vapeur. Elle peut aussi être introduite dans un échangeur afin de transférer la chaleur à un autre fluide – comme l'isopentane – que l'on fait bouillir sous haute pression, afin de produire une vapeur qui active la turbine. Le fait que les ressources soient davantage disponibles sous forme d'eau chaude, à diverses températures, que sous forme de « vapeur sèche » donne à la dernière catégorie de centrale le plus gros potentiel d'emploi, en particulier pour les ressources inférieures à 200 °C.

L'intérêt nouveau et grandissant suscité par l'électricité géothermique se fonde sur de nouvelles technologies qui permettent d'exploiter des sites profondément enfouis et contenant d'énormes quantités de chaleur, mais qui n'ont pas certaines caractéristiques des réservoirs hydrothermiques. Il peut s'agir par exemple de sites privés d'eau.

La volonté de capter l'énergie de ces ressources non hydrothermiques a fait apparaître une nouvelle technologie de production d'électricité, appelée « système géothermique stimulé » (EGS en anglais). Le recours aux technologies mises au point au cours du XXe siècle dans les domaines du gaz et du pétrole en matière de forage et de stimulation de réservoir permet de créer des réservoirs actifs qui émulent les propriétés des systèmes hydrothermiques. Géologues et ingénieurs pensent pouvoir ainsi exploiter, dans des zones enfouies à plusieurs kilomètres sous la surface terrestre, une abondante source de production d'électricité géothermique.

Au lieu d'explorer les sites hydrothermiques classiques, les géologues cherchent désormais des zones dotées de roches sèches, ou bien peu

COMMENT FONCTIONNENT
LES SYSTÈMES GÉOTHERMIQUES STIMULÉS (EGS)

La géothermie de nouvelle génération exploite des puits forés plusieurs kilomètres sous la surface de la terre pour atteindre une roche chaude, souvent sèche. Dans chaque puits, l'eau pressurisée est pompée vers le bas, « stimulant » le site en descellant des fissures dans la roche, par lesquelles l'eau ainsi introduite peut circuler. Une fois chauffée, l'eau est repompée jusqu'à la surface, où elle est convertie en vapeur pour entraîner une turbine, produisant de l'électricité.

TRANSMISSION DE L'ÉLECTRICITÉ

CENTRALE ÉLECTRIQUE

TURBINE

GÉNÉRATEUR

ÉCHANGEUR DE CHALEUR

POMPE À INJECTION

COUCHE SÉDIMENTAIRE

EAU FROIDE

EAU CHAUDE

3 À 6 KM

ROCHE CHAUDE

ZONE PERMÉABLE

poreuses et peu perméables, contenant des quantités minimales d'eau ou de saumure, ayant une température variant entre 150 et 200 °C et étant suffisamment proches de la surface pour permettre un forage performant en termes de coût. En pompant l'eau à haute pression à travers ces roches, on ouvre des fissures existantes par où celle-ci peut se frayer un chemin. Pour extraire l'énergie, l'eau est pompée depuis la surface vers des puits à injection situés plus bas, puis vers la zone fracturée, avant de remonter à la surface dans des puits de production sous forme de vapeur ou d'eau très chaude – les deux pouvant servir de source d'énergie pour activer une turbine électrique. Ces techniques d'« hydrofracturation » et de « stimulation » sont employées depuis longtemps pour le gaz et le pétrole.

Quand l'eau injectée circule à travers les fissures nouvellement ouvertes dans la zone fracturée, on extrait la vapeur (ou le liquide à haute température) par un ensemble de puits de production situés à distance des puits à injection. Au cours du processus, la chaleur extraite de la zone de fracture est produite de la même façon que dans les formations hydrothermiques classiques. Cela nécessite d'ajouter l'« hydro » au « thermique », puis de faire à nouveau circuler l'eau pour alimenter un système géothermique nouveau et hautement productif.

En certains endroits, en particulier dans l'ouest des États-Unis, les industriels s'efforcent de réduire la déperdition d'eau inhérente à l'activité d'une centrale EGS. Selon les tests réalisés sur plusieurs sites de ce type, 5 % de l'eau se perd par perméation (en fracturant la roche); l'objectif des industriels est de réduire ce chiffre à moins de 1%. Certains opérateurs affirment même avoir atteint 0%.

Ironiquement, l'un des fluides alternatifs que l'on songe à utiliser dans les réservoirs EGS est le CO_2 supercritique. À ce stade, le CO_2 présente une forte densité liquide et une faible viscosité gazeuse, ce qui le rend plus efficace que l'eau pour transférer la chaleur depuis les roches chaudes vers le réservoir EGS situé à la surface. Une part du CO_2 en circulation serait «séquestrée» dans la formation rocheuse, mais les quantités impliquées – même en cas de développement massif des EGS – sont négligeables par rapport à ce qui serait nécessaire pour que la capture du carbone et sa séquestration aient un impact au niveau mondial. En outre, l'électricité et la chaleur produites par un EGS pourraient remplacer le charbon, le pétrole et le gaz, réduisant à néant leur empreinte carbonique.

Les roches de l'écorce terrestre naturellement peu perméables recèlent les plus gros stocks

LES RESSOURCES GÉOTHERMIQUES AUX ÉTATS-UNIS

Les systèmes géothermiques stimulés (EGS) permettent à la plupart des régions américaines de devenir des sources d'énergie. Cette carte indique où et à quelle profondeur la température de la Terre dépasse 150 °C – température minimale, selon les scientifiques, pour un usage performant en termes de coût des EGS afin de produire de l'électricité.

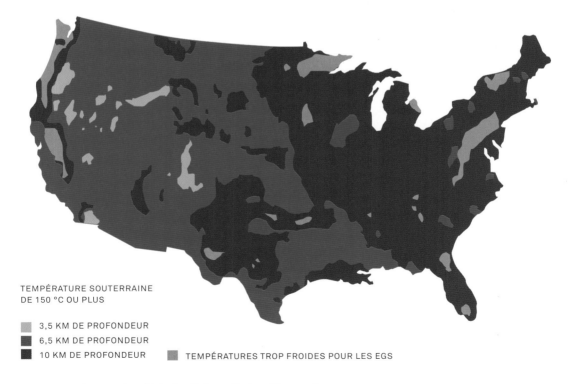

TEMPÉRATURE SOUTERRAINE
DE 150 °C OU PLUS

■ 3,5 KM DE PROFONDEUR
■ 6,5 KM DE PROFONDEUR
■ 10 KM DE PROFONDEUR   ■ TEMPÉRATURES TROP FROIDES POUR LES EGS

SOURCE : Massachusetts Institute of Technology, *The Future of Geothermal Energy*, 2006

PROJET DU BASSIN DE COOPER, SUD DE L'AUSTRALIE. DES OUVRIERS SE PRÉPARENT À FORER PRÈS DE 5 KM SOUS TERRE POUR PUISER LA CHALEUR GÉOTHERMIQUE.

d'énergie thermique. Le défi majeur des EGS est de créer artificiellement le bon niveau de perméabilité, qui permette au flux d'eau injectée de transférer la chaleur de façon régulière et continue. Les projets d'EGS doivent inclure la mise en œuvre d'une connectivité suffisante dans la zone stimulée pour qu'un maximum de chaleur soit extrait de chaque puits sans diminuer la durée de vie du réservoir à cause d'un refroidissement trop rapide pendant la phase de production d'énergie.

Comme pour le captage de pétrole stimulé, ou la capture et la séquestration du carbone, l'injection d'eau pressurisée dans une formation rocheuse enfouie profondément dans le sol est susceptible, dans certaines conditions, de générer des phénomènes microsismiques ; le processus de

AU CENTRE DE LA TERRE

Les scientifiques pensent que le noyau de la Terre est principalement fait de fer, atteignant une température comparable à celle de la surface du Soleil. Partout dans le monde, l'écorce terrestre ne cesse d'absorber d'énormes quantités de chaleur, transmises par convexion et conduction à partir du cœur incandescent de la planète.

Ce noyau de fer solide et très chaud fait 2 574 km de diamètre, soit 70 % de celui de la Lune. Les scientifiques ne connaissent pas exactement sa température, mais on l'estime entre 4 315 et 6 985 °C (la science ne sait pas non plus expérimentalement s'il est en fer ; on le déduit du comportement des ondes sismiques qui le traversent). Ce noyau interne est entouré d'un noyau externe, fait de métal en fusion, principalement du fer, d'une température estimée entre 3 700 et 4 315 °C. L'épaisseur de ce noyau extérieur est de 2 240 km, ce qui veut dire que le diamètre total du noyau intérieur et extérieur est d'environ 7 081 km, soit environ celui de Mars.

La couche sphérique suivante – épaisse de 2 880 km – est le manteau, qui s'étend de 96 à 200 km sous la surface de la Terre. Sa température varie de 3 700 °C pour le manteau intérieur à 980 °C pour le manteau extérieur. La dernière couche est la mince écorce de la Terre, qui va de moins de 3 km d'épaisseur au fond des océans à plus de 96 km sous les chaînes de montagnes. La profondeur moyenne sous les continents est inférieure à 32 km.

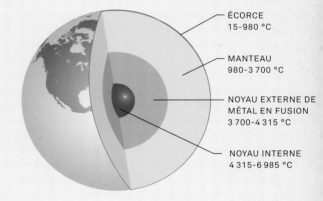

ÉCORCE
15-980 °C

MANTEAU
980-3 700 °C

NOYAU EXTERNE DE
MÉTAL EN FUSION
3 700-4 315 °C

NOYAU INTERNE
4 315-6 985 °C

Outre la chaleur convective et conductrice allant du manteau vers l'écorce, l'écorce elle-même a sa propre source de chaleur : elle contient des quantités importantes d'uranium, de thorium, de potassium et d'autres éléments radioactifs qui chauffent ce qu'ils décomposent. En mesurant les températures de la roche à partir de la surface au moyen d'un thermomètre placé dans un puits, les scientifiques observent qu'au-delà d'une profondeur de 150 m, la température commence à augmenter régulièrement avec la profondeur. On estime que la quantité de chaleur à 10 km sous la surface terrestre contient 50 000 fois la quantité d'énergie issue de l'ensemble des réserves mondiales de pétrole et de gaz naturel.

LA CENTRALE ÉLECTRIQUE DE WAIRAKEI,
EN NOUVELLE-ZÉLANDE, FUT L'UNE DES
PREMIÈRES CENTRALES GÉOTHERMIQUES
DANS LE MONDE. ELLE PEUT PRODUIRE
JUSQU'À 181 MW D'ÉLECTRICITÉ.

production doit donc comporter une évaluation des risques sismiques. Il faut éviter les zones à risque sismique élevé, où peuvent se former de larges failles ou de dangereux tremblements de terre, tout en gérant le risque sur les autres sites. Si les capteurs font état d'une élévation de l'activité sismique, il est possible de contrôler le risque en réduisant les pressions souterraines. En tout état de cause, cette évaluation du risque sismique sur un site spécifique, comme de tout autre événement possible, fait partie intégrante de tout projet géothermique. Il y a quelques années, la compagnie suisse qui a réalisé des forages dans une zone de failles, à quelques kilomètres de Bâle, n'avait pas pris toutes les précautions nécessaires : un séisme de magnitude 3-4 eut ainsi lieu pendant la phase de pressurisation, accompagné d'une onde de choc audible et de mouvements du sol à peine détectables. Le projet fut abandonné. Il y a donc des leçons à tirer de cette expérience malheureuse, qui doit être replacée dans le contexte des premiers développements d'une technologie nouvelle, dont il faut à la fois comprendre et anticiper les risques.

Peu après l'embargo pétrolier de 1973, quand les États-Unis et plusieurs autres pays ont commencé à chercher des sources alternatives d'énergie, les scientifiques travaillant pour le gouvernement américain, à Los Alamos, ont lancé la première expérience d'EGS, à Fenton Hill (Nouveau-Mexique). Depuis, les progrès en recherche et développement au niveau international ont conduit cette technologie à maturation, au point que la plupart des experts sont certains qu'elle deviendra une source majeure et non polluante d'électricité en charge de base.

Le principal coût des EGS concerne le forage. Un seul forage à une profondeur de 3 kilomètres peut coûter plus de 5 millions de dollars, et le désir

LA VILLE DE BEPPU (JAPON) UTILISE DIRECTEMENT
LA CHALEUR GÉOTHERMIQUE POUR CHAUFFER
SES BÂTIMENTS ET PRODUIRE DE L'ÉLECTRICITÉ.

des investisseurs de financer ce type d'opération dépend parfois des signes de succès d'un premier forage. L'économie actuelle de l'EGS favorise la découverte de roches chaudes à une profondeur de 3 à 6 kilomètres. Cette contrainte de capital incite les compagnies à forer dans des zones à très haute température, ayant davantage de potentiel électrique, présentant moins de risques et coûtant moins cher.

Lorsque les matériaux et les techniques de forage, ainsi que les technologies concernées, auront suffisamment évolué pour permettre de forer à moindre coût au-delà de 6 kilomètres, les ressources géothermiques prendront une ampleur

formidable. Il en résultera une baisse de la pression financière sur l'industrie et un usage facilité des ressources géothermiques dans un nombre croissant de régions.

Si la technologie de base de l'EGS a fait ses preuves dans plusieurs expériences de terrain – et suscité beaucoup d'enthousiasme chez les experts qui en connaissent les potentialités –, les essais de réservoir à l'échelle commerciale constituent encore un obstacle qui devra être franchi pour que les investisseurs privés jugent le risque financier acceptable. À un stade comparable de l'histoire du pétrole, nombreux sont les puits ayant périclité. La quantité d'argent nécessaire pour développer pleinement cette technologie est négligeable par rapport au montant des budgets gouvernementaux alloués à la recherche. Toutefois, une large incompréhension des potentialités de la géothermie a souvent conduit à une amputation de son budget, ralentissant le développement de cette ressource sans pareille. L'administration Bush-Cheney a notamment réduit à néant les fonds fédéraux qui lui étaient consacrés et mis fin au crédit d'impôt à la production, qui stimulait l'investissement privé.

L'absence d'un programme fédéral cohérent et consistant de développement de l'électricité géothermique a, en retour, renforcé le sentiment que cette technologie n'était pas prometteuse. C'est fort regrettable, car les experts en énergie qui ont examiné les faits répètent depuis des années que les États-Unis ont commis une grave erreur en ne développant pas rapidement cette forme d'énergie. Le Massachusetts Institute of Technology a néanmoins conclu en ces termes son étude sur les EGS : « Il est important de souligner que, si des progrès supplémentaires restent nécessaires, aucune des barrières techniques et économiques connues au développement des EGS comme source d'énergie n'est insurmontable. »

En 2008, les fonds de recherche et développement et le crédit d'impôt géothermique ont été remis en place, et d'autres obstacles au développement de cette ressource sont en voie d'être levés. Il en a résulté un surcroît d'activité dans le déploiement de centrales hydrothermiques et d'EGS. Ainsi, un petit projet de démonstration du potentiel de l'EGS est en cours de réalisation à Desert Peak (Nevada), qui permettra de passer de la centrale hydrothermique existante de 11 mégawatts à une centrale EGS de 50 mégawatts. L'énergie géothermique peut aussi tirer parti de l'adoption au niveau national du *Renewable Portfolio Standard*, qui exige que les entreprises énergétiques trouvent des moyens de produire des énergies renouvelables et peu polluantes.

Scientifiques et ingénieurs travaillent également à diminuer le coût d'extraction de l'énergie dans des zones rocheuses à moins haute température. Ces roches chaudes se trouvant dans toute l'écorce terrestre, les ressources potentielles en sont quasi illimitées. En fait, si la technologie EGS pouvait être performante à une profondeur de 10 kilomètres, les États-Unis dans leur ensemble seraient alors susceptibles de produire de l'électricité géothermique (voir « Les ressources géothermiques aux États-Unis », p. 103).

En effet, les roches de moindre température (de 100 à 130 °C) peuvent être utilisées directement pour chauffer des bâtiments, sans qu'il soit besoin de convertir la vapeur en électricité. Le premier système de chauffage géothermique a été installé à l'échelle d'un district à Boise (Idaho), il y a plus de cent ans. Aujourd'hui encore, le siège de l'État et plusieurs autres bâtiments de Boise sont chauffés avec de l'eau chaude géothermique. À Klamath Falls (Oregon), la chaleur des puits géothermiques est employée comme moyen direct de chauffage depuis plus d'un siècle. De même, en réaction aux chocs pétroliers des années 1970, l'Islande a converti l'ensemble de ses ressources, et il n'est pas un seul bâtiment du pays qui ne soit chauffé au moyen des réserves d'eau chaude situées sous la surface de cette terre tectoniquement active.

Pendant que les États-Unis dormaient, d'autres pays ont fortement investi dans la recherche et le développement en matière d'EGS. L'Union européenne a un projet d'EGS en cours à Soultz-sous-Forêts (France), près de la frontière allemande. D'autres projets ont été lancés en Allemagne, en Suisse, au Royaume-Uni, en République tchèque et ailleurs. En Australie, le gouvernement a mené une politique très active, avec sept grandes entreprises développant de nombreux projets.

Les Philippines, le Salvador et le Costa Rica produisent plus de 15 % de leur électricité à partir de la géothermie, tout comme le Kenya et l'Islande, situés dans des zones d'activité tectonique différentes. Enfin, la Nouvelle-Zélande, l'Indonésie, le Nicaragua et la Guadeloupe en tirent de 5 à 10 % de leur électricité.

L'industrie géothermique développe deux autres types d'énergie. Le premier est la « coproduction » d'eau chaude à partir de puits de pétrole ou de gaz, convertie ensuite en électricité. Dans de nombreux cas, l'énergie contenue dans l'eau chaude issue des puits de pétrole ou de gaz est simplement jetée ; mais le développement de nouveaux échangeurs de chaleur et d'autres techniques permettant de transformer l'eau chaude du sous-sol en électricité offrent désormais aux sociétés pétrolières ou gazières la possibilité d'exploiter cette source gratuite d'électricité.

Le second type d'énergie, ce sont les réservoirs d'eau chaude à haute pression situés en profondeur, qui contiennent parfois du méthane dissous. Plutôt que d'être évacué dans l'atmosphère, celui-ci peut être récupéré au cours de la production d'eau chaude. Aux États-Unis, cette ressource est surtout concentrée le long du golfe du Mexique, dans la région des Appalaches et sur la côte ouest.

Il existe enfin une tout autre forme d'énergie géothermique : la pompe à chaleur géothermique, aussi appelée géothermie domestique. Bien qu'il s'agisse de la forme la plus faible d'énergie géothermique, elle est la plus accessible et pourrait fournir, dans les seuls États-Unis, environ 1 000 gigawatts d'énergie – de quoi couvrir un tiers de la consommation annuelle d'électricité du pays.

La pompe à chaleur géothermique est un moyen économique de réduire le coût de chauffage et de refroidissement des bâtiments. Si les EGS dépendent des technologies de forage développées pour le pétrole et le gaz, la pompe à chaleur utilise les techniques de forage plus communément répandues du puits à eau. Partout, de 4 à 25 mètres sous la surface de la terre, la température est en moyenne de 15 °C. Plus précisément, la température à cette profondeur est équivalente à la température annuelle moyenne de l'air à la surface de l'endroit concerné. En faisant circuler de l'eau ou un autre fluide résistant au gel par une source souterraine en circuit fermé ou vers le fond d'un puits géothermique, puis en la pompant pour la ramener à la surface, l'énergie thermique peut être soit extraite (l'hiver), soit recueillie (l'été). Par des moyens classiques de compression de la vapeur, à base de réfrigérants, la pompe à chaleur géothermique transfère la chaleur avec quatre fois plus d'efficacité que les pompes air-air – réduisant ainsi les besoins en électricité conventionnelle.

Dans la plupart des régions tempérées, il est bien plus facile d'élever la température de 15 °C à 20 ou 21 °C que de partir des températures extérieures. En été, pour refroidir l'espace, le processus est inversé, le fond de la pompe à chaleur servant de réceptacle aux températures plus froides. Une fois encore, il est bien plus facile de refroidir l'air si l'on dispose d'une source de fluide à 15 °C.

La pompe à chaleur géothermique est généralement intégrée au système de chauffage et d'air conditionné du bâtiment. Dans la plupart des pays, l'achat et l'emploi de ces pompes donnent lieu à des réductions d'impôt. Leur principal inconvénient est leur coût d'installation. La plupart des constructeurs et des promoteurs ne s'intéressent pas au coût annuel de fonctionnement du bâtiment une fois celui-ci vendu ou loué au premier propriétaire ou au premier locataire. Ils ne consentent donc pas à faire cet investissement, même en cas de surcoût marginal, puisque les bénéfices seront récoltés par ceux qui paieront le chauffage et l'air conditionné (voir le chapitre 15).

La pompe à chaleur géothermique peut générer jusqu'à 60 % d'économies en matière de chauffage et d'air conditionné, ce qui fait d'elle un investissement intéressant dans tout type de région, en particulier pour une construction neuve. Plus coûteux, le réaménagement d'une structure ancienne reste néanmoins, à terme, économiquement attractif.

LE CHAUFFAGE GÉOTHERMIQUE DOMESTIQUE

Il y a quelques années, ma femme et moi avons décidé d'installer une pompe à chaleur domestique pour avoir de l'eau chaude, le chauffage et la climatisation. Il existe différents types de pompes à chaleur domestiques. Certaines utilisent l'eau en circuit ouvert ou fermé, d'autres un réfrigérant, d'autres encore un puits profond. Les systèmes les plus récents sont appelés systèmes d'échange direct : ils échangent directement la chaleur entre le sol et un fluide réfrigérant. N'ayant pas besoin d'eau, ils sont en général plus efficaces et s'adaptent plus facilement à de petites surfaces. Chez nous, une entreprise a installé un système d'échange direct qui fait circuler un réfrigérant dans des tuyaux de cuivre souterrains. Il a été placé à une profondeur de 100 m, dans des trous creusés sous la route conduisant à notre maison.

La chaleur souterraine naturelle est transférée au réfrigérant plus froid circulant dans les tuyaux de cuivre. Le réfrigérant (qui devient vapeur une fois dans les tuyaux) est comprimé par un échangeur situé dans la cave. La compression élève pression et température. En hiver, l'air à l'intérieur, plus froid, absorbe la chaleur de la terre, chauffant la maison. En été, le système est inversé : la chaleur à l'intérieur est absorbée par le fluide, qui l'entraîne sous terre et la libère dans le sous-sol plus froid.

Ce système géothermique fournit chaleur et climatisation presque sans recourir à des carburants fossiles. Mais il a d'autres avantages.

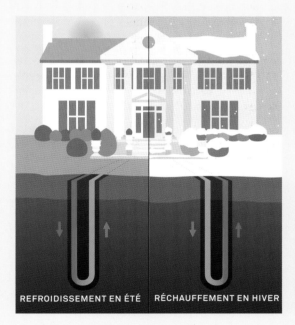

REFROIDISSEMENT EN ÉTÉ   RÉCHAUFFEMENT EN HIVER

La chaleur de la terre est transférée dans la maison en hiver ; en été, la chaleur de l'air est envoyée dans le sol.

En diminuant l'emploi d'électricité aux heures de grande consommation, il réduit notre facture. Il est silencieux, à la différence des systèmes d'air conditionné classiques. Enfin, la maison est bien chaude en hiver, fraîche et déshumidifiée en été.

CHAPITRE SIX

FAIRE POUSSER DU CARBURANT

LE BRÉSIL A DÉVELOPPÉ LA PREMIÈRE
ÉCONOMIE DE BIOCARBURANTS À GRANDE
ÉCHELLE : ENVIRON 50 % DU CARBURANT
UTILISÉ PAR LES VOITURES À ESSENCE EST
DE L'ÉTHANOL. RÉCOLTE DE CANNE À SUCRE,
SERTÃOZINHO, BRÉSIL.

L'énergie de la biomasse ou bioénergie est l'un des moyens les plus prometteurs de réduire significativement le CO_2 produit par la combustion du charbon et du gaz naturel. Il est regrettable que tant de gens n'y voient qu'une source de carburant liquide pouvant remplacer le pétrole, car la plupart des experts ont dû tempérer les espoirs placés dans la fabrication d'essence à partir de plantes comme le maïs. La bonne nouvelle, c'est que les sources non vivrières de biomasse peuvent, grâce aux nouvelles technologies de combustion, être brûlées directement pour produire de l'électricité et de la chaleur, permettant d'économiser l'énergie et de réduire la pollution cause du réchauffement climatique. En outre, une technologie inédite pour créer des carburants liquides à partir de cultures non vivrières est en passe d'être commercialisée.

La bioénergie est, en théorie, renouvelable. Le charbon contenu dans les plantes venant de la lumière du soleil – *via* la photosynthèse –, toute plante utilisée pour produire de l'énergie peut être remplacée par une autre, dont la croissance sera activée par le soleil. Mais, en réalité, l'énergie consommée dans la transformation du matériau végétal en forme utilisable d'énergie vient souvent de combustibles fossiles non renouvelables. Si les avantages l'emportent généralement sur les coûts, il est nécessaire d'analyser les « cycles de vie » pour déterminer quelle approche pourra réellement résoudre la crise du climat – et remplir d'autres objectifs souhaitables, comme la réduction de la dépendance au pétrole importé, la conservation de l'eau et la protection de la biodiversité.

Diverses matières premières sont susceptibles de fournir de la bioénergie : arbres et résidus, cultures vivrières (maïs et canne à sucre, par exemple), cultures énergétiques (panic érigé, miscanthus, sorgho doux), déchets ménagers, agricoles et industriels contenant des matériaux organiques. On peut recourir à cette biomasse pour produire de l'électricité, de l'énergie thermique et des carburants liquides destinés au transport.

En outre, en modifiant les procédés utilisés pour produire des carburants liquides à partir de biomasse, il est possible de produire des biomatériaux. Tout comme les combustibles fossiles servent à produire des précurseurs du plastique, des produits chimiques et autres (environ 20 % de chaque baril de pétrole est destiné à cet usage), les bioraffineries alimentent un marché croissant de bioplastiques et de molécules pour la chimie, souvent plus profitables que les biocarburants liquides.

Si l'on exclut la combustion de bois de chauffage et de cuisine dans les pays moins développés, plus de 90 % de la bioénergie produite dans le monde est employée sous forme d'énergie thermique pour les processus industriels et le chauffage des bâtiments, et d'électricité dans les générateurs à vapeur ou combinant chaleur et électricité.

Jusqu'à présent, la plupart des débats publics ont toutefois porté sur la production d'éthanol et

LE MISCANTHUS EST UNE CULTURE PROMETTEUSE
POUR LE BIOCARBURANT. IL NÉCESSITE
PEU DE MAINTENANCE, VIT SUR DES TERRES
MARGINALES ET POUSSE TRÈS VITE.

de biodiesel en vue de développer des substituts aux hydrocarbures liquides. Aux États-Unis, l'éthanol fabriqué à partir du maïs et destiné à l'automobile a ainsi suscité un grand enthousiasme. Mais la technologie de première génération utilisée pour convertir en carburants automobiles le maïs, l'huile de palme, le soja et d'autres cultures vivrières a créé une vaste controverse. En effet, nombre d'analyses du cycle de vie de ce processus ont montré que ce type d'éthanol libérait autant de CO_2 dans l'atmosphère que les hydrocarbures auxquels il se substituait.

On a aussi reproché à l'éthanol de première génération de contribuer à la hausse des prix de la nourriture sur la planète, en détournant des cultures vivrières de l'alimentaire au profit du carburant. Ce détournement a par ailleurs conduit à détruire davantage de forêts tropicales et subtropicales, menaçant la biodiversité et renforçant les émissions de gaz à effet de serre dans l'atmosphère. Enfin, il a été montré que cette technologie consomme énormément d'eau.

Néanmoins, la nécessité de réduire la dépendance mondiale vis-à-vis des marchés pétroliers et le soutien des agriculteurs et de l'agrobusiness à

la production d'éthanol se sont combinés pour stimuler la production d'éthanol et de biodiesel de première génération. Faire des choix politiques intelligents en matière de bioénergie implique donc d'abord de prendre des mesures pour assurer une production durable des matières premières :

▶ la récolte de la biomasse ne doit pas entraîner la destruction de forêts vierges et de la biodiversité qu'elles abritent ;

▶ les émissions de CO_2 doivent être réduites au minimum ;

▶ il faut utiliser des cultures non vivrières, afin d'éviter toute pression à la hausse sur les prix alimentaires et sur la déforestation ;

▶ il faut recourir à l'eau dans le respect du durable, en termes de quantité et de qualité ;

▶ la fertilité du sol doit être préservée et, si possible, améliorée ;

▶ le bien-être social et économique des participants au processus doit être respecté et, si possible, accru.

Lorsqu'ils auront la certitude que les matières premières formant la biomasse sont produites et fournies de façon durable, les décideurs devront s'assurer que les technologies choisies pour les ras-

MATIÈRES PREMIÈRES DES BIOCARBURANTS

MAÏS ENSILÉ

CHARBON DE BOIS

sembler, les transporter et les convertir en énergie, ainsi que les biocarburants et biomatériaux sont écologiquement, économiquement et socialement durables. La production d'éthanol dans les bioraffineries de première génération a été une déception. Mais elle a eu l'avantage d'accroître le revenu de certains agriculteurs et a fait naître une infrastructure qui sera très utile quand les technologies de deuxième génération permettront de produire de l'éthanol à partir de cultures non vivrières.

Cette déception m'a touché, parce qu'en tant que vice-président des États-Unis, en 1994, j'avais fait basculer le vote pour un engagement national plus fort en faveur de l'éthanol. En 1978, jeune membre du Congrès issu d'un district rural du Tennessee, j'avais organisé un atelier de travail sur ce que l'on appelait alors le « gasohol » pour 5 000 participants, surtout des agriculteurs, désireux de prendre ma part de l'effort de réduction de notre dépendance au pétrole importé. Tout au long des seize années que j'ai passées à la Chambre et au Sénat des États-Unis, j'ai toujours été partisan d'aider les agriculteurs à ce qu'ils gagnent leur vie en produisant des carburants pour les voitures et les camions.

Au milieu des années 1990, toutefois, plusieurs signaux montrèrent que la balance énergie-CO_2 de cet éthanol de première génération n'était pas aussi favorable que je l'aurais souhaité. Mais mon désir de soutenir l'économie rurale (au Tennessee et dans l'Iowa, notamment) et l'espoir d'une plus grande efficacité dans la production et la transformation des matières premières m'ont conduit à favoriser le développement à grande échelle de cette technologie. En effet, grâce à des cultures sans labour et à des techniques nouvelles permettant de diminuer l'usage d'eau, de carburant et d'engrais, les dégagements en carburants fossiles de ces matières premières ont pu être réduits à un point d'équilibre plus favorable entre le CO_2 et l'énergie. En pratique, les résultats des dernières années ont toutefois convaincu nombre d'analystes que la production de l'éthanol de première génération à partir du maïs était une erreur.

Au Brésil, où le soleil et la pluie sont abondants, où la main-d'œuvre et le processus de conversion sont moins onéreux, la canne à sucre est plus efficiente et, en général, moins dommageable pour l'environnement que l'éthanol issu du maïs (avec seulement 33 % des émissions de gaz à

COPEAUX DE BOIS

DÉCHETS PAPIERS

effet de serre de celui-ci). Le Brésil a lancé son Programme national d'alcool en 1975, après l'embargo pétrolier de la fin 1973. Plante vivace, la canne à sucre nécessite bien moins d'engrais à base de pétrole ; elle produit plus de biomasse par hectare que le maïs ; les résidus (les bagasses) servent comme combustible dans le processus de production ; enfin, les grandes firmes brésiliennes d'éthanol suivent un cycle de l'eau en boucle fermée et ont des pratiques responsables en matière sociale et environnementale. En outre, les zones de culture (moins de 2 % des terres arables du pays), situées loin de l'Amazonie, n'ont pas empiété, directement ou indirectement, sur la forêt. Le Brésil a commencé à fabriquer et vendre des véhicules flexibles en 2003, et exporte depuis 2005 de larges volumes d'éthanol. Néanmoins, pour diverses raisons (dont le climat), l'éthanol de canne à sucre fabriqué aux États-Unis n'est pas compétitif par rapport à l'éthanol brésilien ; en outre, les droits de douane élevés limitent les importations de celui-ci dans notre pays.

S'agissant du maïs, même en tenant compte de la forte croissance des rendements à l'hectare rendue possible par l'hybridation et, plus récemment, l'introduction de nouveaux caractères génétiques, les rendements sont d'à peu près 1 500 litres l'acre (0,4 hectare), à comparer aux 2 460 litres pour la canne à sucre (selon une étude de la North Carolina University). De plus, le maïs produisant beaucoup moins d'énergie que la canne à sucre, les stocks de maïs ne doivent pas être situés à plus de 80 kilomètres de la raffinerie afin de limiter les coûts de transport. Et, comme le produit raffiné – l'éthanol – ne peut transiter par les réseaux de pipeline existants, sa distribution dépend également du transport routier.

Les émissions produites par les voitures roulant à l'éthanol – issu du maïs, de canne à sucre ou autre – sont bien moindres que celles des voitures à essence. Mais ce n'est plus le cas si on inclut dans le calcul l'énergie fossile utilisée pour cultiver et récolter la plante, puis pour raffiner et transporter l'éthanol. Malheureusement, en particulier parce que l'agriculture moderne fait un usage intensif du pétrole, les émissions nettes de gaz à effet de serre de l'éthanol au maïs sont presque égales à celles de l'essence.

Par ailleurs, le potentiel énergétique de l'éthanol étant d'un tiers inférieur à celui de l'essence, le nombre de kilomètres que peuvent parcourir les véhicules utilisant un mélange d'éthanol est proportionnellement réduit à la quantité d'éthanol contenue dans le carburant. À présent, environ 100 milliards de litres d'éthanol sont mélangés à la moitié des 530 milliards de litres d'essence consommés chaque année aux États-Unis – à un taux de 10 % ou moins dans la plupart des cas, en vertu du *Renewable Fuel Standard*.

Il y a enfin une limite supérieure à la place que peut prendre l'éthanol sur le marché des carburants, même s'il était produit et utilisé de façon durable. Selon une étude publiée cette année par *Scientific American*, « il n'y a pas assez de terre agricole disponible pour fournir plus de 10 % des besoins en carburant liquide des pays développés avec la première génération de biocarburants ». Et le service de recherches du Congrès a montré en 2007 que même si toute la récolte de maïs aux États-Unis servait à produire cet éthanol de première génération, celui-ci ne pourrait couvrir que 13,4 % des besoins actuels du pays en essence.

Néanmoins, à la fin des années 1980, les États-Unis ont lancé un programme visant à encourager les constructeurs automobiles à fabriquer des voitures et des petits camions qui puissent rouler avec des carburants contenant jusqu'à 85 % d'éthanol (E85). En retour, les constructeurs ont eu le droit

FILE DE CAMIONS CHARGÉS DE
CANNE À SUCRE DANS UNE USINE D'ÉTHANOL
PRÈS DE SÃO PAULO, BRÉSIL.

d'afficher une consommation de carburant au kilomètre inférieure à celle réellement atteinte. Remplacer quelques pièces d'un véhicule afin de le rendre compatible avec le mélange plus corrosif à l'éthanol ne coûtant que 100 dollars, les constructeurs ont économisé de l'argent en évitant d'engager les investissements beaucoup plus importants qui auraient permis de diminuer la consommation de carburant au kilomètre.

Plus de dix ans après le lancement de ce programme, toutefois, des études montrent que seuls 6 % des véhicules flexibles utilisent l'E85 comme principal carburant. Il faut dire que moins de 1 % des stations-service vendent de l'E85, un nombre un peu plus élevé vendant du biodiesel. Et ces stations sont largement regroupées dans le nord du Midwest, là où la production d'éthanol est la plus élevée. Dans la plupart des autres régions du pays, des millions de personnes possèdent des véhicules flexibles sans le savoir. Et celles qui ont repéré le logo E85 sur leur véhicule cherchent en vain près de chez elles des stations où l'acheter. Le principal intérêt de ce programme a donc été de permettre aux constructeurs automobiles d'échapper aux normes plus strictes de consommation au kilomètre.

Deux autres facteurs sont responsables du changement d'opinion des experts à l'encontre de l'éthanol. D'abord, la hausse importante des prix alimentaires en 2007-2008 a été en partie attribuée au détournement de terres cultivées au profit de cultures destinées à produire de l'éthanol. Des études détaillées ont montré que cette hausse avait aussi d'autres causes – dont la sécheresse historique en Australie, qui a privé le marché mondial d'une part considérable de céréales. L'essentiel de la pression exercée sur la base agricole de la planète est dû à la croissance démographique et à la forte augmentation de la demande en protéines animales due à l'élévation des revenus et à un changement des habitudes dans le monde en développement. À n'en pas douter cependant, les détournements de terres vivrières au profit des carburants ont renforcé la pression sur les prix alimentaires, à un moment où nombre de régions pauvres faisaient face à des problèmes croissants de sécurité alimentaire.

Dans les pays développés, quand le prix du pétrole est élevé, le soutien public aux biocarburants augmente ; mais, dans le même temps, l'intense consommation en pétrole de la production alimentaire entraîne les prix des aliments vers des sommets, en particulier dans les pays en développement. Nous faisons face à des cycles répétés de hausse des prix de l'alimentation et de l'énergie, chaque cycle soulignant à nouveau le conflit entre nourriture et biocarburant.

En 2008, le National Research Council a révélé que, sur une base nationale moyenne, chaque litre d'éthanol au maïs nécessite 4 litres d'eau en raffinerie (par rapport à 1,5 litre d'eau pour le raffinement de 1 litre d'essence), et que la production de maïs nécessite en moyenne 540 litres d'eau – près de 3 000 litres dans les zones irriguées. Bien que l'essentiel du maïs américain se nourrisse de pluie, l'extension de sa culture l'a poussé dans des zones exigeant une telle irrigation que le recours à l'eau a considérablement augmenté. Et les prévisions de sécheresses plus fortes et plus fréquentes dans les principales zones de culture (une tendance observée au niveau mondial dans les zones continentales, due au réchauffement du climat) ont aiguisé les inquiétudes quant à l'avenir de ces processus trop consommateurs d'eau.

Des usines d'éthanol de première génération se sont ainsi vu refuser leurs autorisations parce qu'elles voulaient puiser dans les nappes aquifères souterraines des quantités d'eau jugées

Produire de l'éthanol de première génération est une erreur.

MAÏS CULTIVÉ POUR ÊTRE CONVERTI EN ÉTHANOL, PRÈS DE LA CENTRALE ÉLECTRIQUE DE COTTAM, NOTTINGHAMSHIRE (ANGLETERRE).

intolérables. Certaines usines dans le Minnesota et le Wisconsin ont rencontré l'opposition de citoyens craignant de perdre tout accès à l'eau potable. D'autres bioraffineries ont proposé de s'installer dans des zones où l'on puise déjà de façon déraisonnable dans les nappes souterraines, comme à Ogallala, dans le Nebraska.

Le biodiesel de première génération – issu en général de la graine de soja – émet moins de gaz à effet de serre que l'éthanol au maïs, mais il présente les mêmes inconvénients. Dans certains pays, le marché émergent du biodiesel s'est traduit par de grossières atteintes à l'environnement, comme la destruction de forêts de tourbe en Indonésie et en Malaisie pour faire pousser des palmiers à huile. L'Indonésie est devenue le troisième pays émetteur de gaz à effet de serre, largement en raison de cette pratique. (À un degré moindre, les graisses animales sont aussi utilisées pour fabriquer du biodiesel. On connaît les histoires d'entrepreneurs et de consommateurs enthousiastes qui recyclent l'huile de friture des *fast-foods,* et des projets plus ambitieux sont en cours, afin de récupérer la graisse auprès des éleveurs de bovins, de poulets et de porcs.)

Une comparaison des rendements illustre les opportunités offertes à ceux qui détruisent les forêts de tourbe au profit du palmier à huile et du biodiesel. Le palmier donne 2 308 litres l'acre, suivi du cocotier, deuxième source la plus produc-

RENDEMENTS DES CULTURES CONVERTIES EN BIOCARBURANTS

Ces chiffres montrent le rendement des principales cultures pour le biocarburant actuel et les rendements projetés pour l'éthanol de deuxième génération. Les cultures sont à présent transformées en biodiesel ou en éthanol. La génération suivante convertit en éthanol des cultures cellulosiques non vivrières comme le miscanthus et le panic érigé. Cette technologie n'est pas encore exploitée.

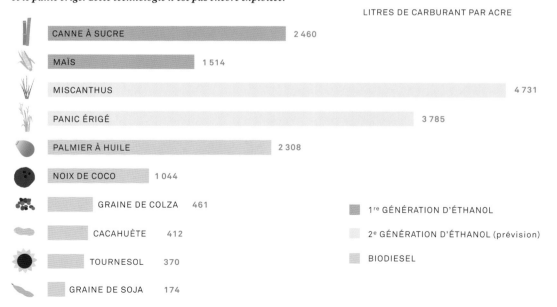

LITRES DE CARBURANT PAR ACRE

CANNE À SUCRE — 2 460
MAÏS — 1 514
MISCANTHUS — 4 731
PANIC ÉRIGÉ — 3 785
PALMIER À HUILE — 2 308
NOIX DE COCO — 1 044
GRAINE DE COLZA — 461
CACAHUÈTE — 412
TOURNESOL — 370
GRAINE DE SOJA — 174

1re GÉNÉRATION D'ÉTHANOL
2e GÉNÉRATION D'ÉTHANOL (prévision)
BIODIESEL

SOURCE : éthanol : North Carolina Cooperative Extension Service, octobre 2007 ; biodiesel : National Sustainable Agriculture Information Service

tive de matière première pour le biodiesel, avec 1 044 litres, du colza (461), de la cacahuète (412), du tournesol (370) et de la graine de soja – qui, avec 174 litres l'acre, est la matière première favorite aux États-Unis pour le biodiesel. En 2008, la majorité de la production américaine de biodiesel a été exportée, principalement en Europe.

Les décideurs, qui connaissent le très défavorable équilibre entre le CO_2 et l'énergie du cycle de vie de l'éthanol au maïs, se sont souvent réfugiés dans l'idée que l'essor du marché des biocarburants allait au moins créer une infrastructure de production et de distribution qui fournirait des biocarburants de deuxième génération, plus responsables du point de vue économique et environnemental.

Les biocarburants « cellulosiques » peuvent être obtenus à partir de graminées (comme le panic érigé), d'arbres à croissance rapide et d'autres plantes ayant un contenu en cellulose plus élevé que les cultures vivrières, ou à partir de déchets organiques issus de l'agriculture, de l'industrie du bois ou d'autres industries. Cette technologie de deuxième génération permet d'éviter les graves problèmes liés à la production d'éthanol au maïs. De plus, les émissions de gaz à effet de serre des biocarburants cellulosiques devraient être bien moindres, en fonction de la plate-forme et de la technologie de conversion utilisées. Mais le développement de versions rentables de cette technologie a pris plus de temps que certains l'espéraient.

Quand elle sera plus largement commercialisée, la production d'éthanol de deuxième génération aura l'avantage par rapport à celle de la première génération de ne plus utiliser de cultures vivrières mais des plantes vivaces, des arbres à croissance rapide et des déchets à fort contenu en cellulose.

Certaines des plantes servant de matière première – tel le panic érigé – aident à la séquestration du carbone dans le sol pendant leur croissance, séquestration accélérée par leur récolte régulière. Incidemment, alors que la plupart des études sur l'éthanol cellulosique aux États-Unis se sont concentrées sur le panic, des données récentes montrent que le miscanthus (herbe vivace d'Afrique et d'Asie du Sud) a des rendements encore meilleurs.

L'un des principaux avantages de ce processus de deuxième génération, c'est que les plantes utilisées poussent sur des terres non vivrières, ce qui élimine la concurrence géopolitique et écologique problématique entre culture vivrière et culture « carburant » ; elles peuvent aussi être plantées dans des terres abîmées, abandonnées par les agriculteurs, dont elles vont restaurer la fertilité. En outre, la plupart de ces cultures ne nécessitent ni engrais à base de pétrole, ni labours, ni nouveaux semis (elles sont vivaces).

Certains ont proposé l'emploi des déchets agricoles, comme le fourrage du maïs, pour fabriquer de l'éthanol cellulosique, mais les experts ès sols estiment qu'il vaut mieux laisser ces déchets sur le sol pour en restaurer la fertilité. Néanmoins, selon la plupart des experts, les deux objectifs pourraient être poursuivis de concert si la quantité de déchets retirés est inférieure à 25 % du total.

S'agissant de la rotation des cultures, plusieurs agriculteurs pratiquent désormais la « culture énergétique » après une pleine récolte de plantes vivrières et avant les semis du printemps suivant. D'autres ont recours au système de « cultures mixtes », où l'on fait pousser les deux espèces simultanément. Ces deux approches, si elles sont mises en œuvre avec prudence, peuvent enrichir la fertilité des sols et apporter aux agriculteurs une source supplémentaire de revenus.

De même, les arbres à croissance rapide – peuplier, saule hybride, sycomore, liquidambar, eucalyptus – donnent des récoltes annuelles. Certains peuvent être coupés à ras du sol, ce qui stimule leur croissance tout en stabilisant, nourrissant et recarbonisant le sol.

En outre, selon les ministères américains de l'Énergie et de l'Agriculture, les déchets de l'industrie du bois, des scieries, des presses à papier, de l'industrie du bâtiment, ou le nettoyage des sous-bois pendant les actions de prévention contre les feux de forêt, sont à même de fournir plus de 350 millions de tonnes de matière première cellulosique. Une étude menée conjointement montre que les États-Unis pourraient chaque année transformer au moins 1,3 milliard de tonnes de biomasse cellulosique : assez pour produire des biocarburants liquides couvrant un tiers de la consommation en essence et gazole.

Nombre d'écologistes s'inquiètent de ce que le ramassage intensif des déchets forestiers et la coupe d'arbres sélective à grande échelle se font sans respecter la biodiversité et la complexité des écosystèmes forestiers. Beaucoup de pays en développement n'ont pas la capacité institutionnelle de faire appliquer ou de contrôler l'application des principes de « foresterie durable ». Aux États-Unis, les relations étroites entre l'industrie du bois et le Service fédéral des forêts ont suscité des inquiétudes quant à l'utilisation de ces ressources en bois pour produire de la bioénergie.

Les biocarburants de deuxième génération peuvent être produits par deux types de technologies. Si l'éthanol de première génération est essentiellement issu du procédé ancien de la fermentation, qui transforme le sucre et l'amidon des cultures vivrières en alcool, les technologies de deuxième génération visent à briser les structures moléculaires plus rigides des plantes à contenu élevé en cellulose, hémicellulose et lignine. Le National Renewable Energy Laboratory note que

« les plantes ont évolué sur plusieurs centaines de millions d'années pour devenir résistantes aux attaques des bactéries, des champignons, des insectes et des conditions météo extrêmes... Concernant la production d'éthanol cellulosique, le grand enjeu est d'hydrolyser la cellulose pour en extraire les sucres qui la composent ».

Si la concurrence entre diverses voies technologiques doit à terme faire émerger un processus d'hydrolyse leader, l'emploi d'enzymes transformées pourrait devenir en 2010 la première technologie commercialement disponible pour une production compétitive d'éthanol de deuxième génération.

La modification génétique d'enzymes et de microbes afin de convertir la biomasse en énergie a été accueillie avec enthousiasme ces dernières années. On s'intéresse aussi aux rendements très élevés qui peuvent être obtenus en introduisant des caractères génétiques dans des variétés de plantes servant de matières premières, bien que cela nourrisse des controverses. Certains vont jusqu'à introduire des caractères génétiques qui changent la nature chimique des composants fabriqués par la plante en croissance. Ces nouvelles techniques suscitent une opposition, surtout en Europe : on craint que les choix faits par les scientifiques travaillant pour des entreprises entraînent des modifications génétiques présentant des risques pour les écosystèmes.

Il faut se souvenir que les cultures vivrières dont dépend aujourd'hui l'humanité ont elles-mêmes été modifiées, depuis nos ancêtres de l'âge de pierre, à travers une lente sélection de caractères génétiques. Mais le collage d'un gène est un processus à la fois plus rapide et bien plus puissant. Et les modifications qui en résultent sont susceptibles d'accroître le risque d'effets collatéraux inattendus, pouvant se diffuser avant d'être connus et compris. Néanmoins, il existe déjà dans le monde quantité de cultures génétiquement modifiées. En 2008, 8 % de la terre cultivée était plantée de cultures OGM. Et nombre de scientifiques estiment que les risques des modifications génétiques sont très faibles, tandis que les bénéfices économiques sont très élevés.

Il y a eu tout de même des cas de modifications génétiques à conséquences inattendues. Puisque le risque d'événements «à faible probabilité mais fort impact» existe, il est fondamental que les gouvernements élaborent un processus de contrôle sur les modifications appartenant à cette catégorie.

Le second mode de production de biocarburant de deuxième génération consiste en un processus thermochimique qui convertit le matériau cellulosique en syngaz, lequel peut alors être transformé de diverses façons pour produire un biocarburant liquide. Cette technique est actuellement plus onéreuse, mais des efforts sont entrepris pour la rendre compétitive.

COMMENT LA BIOMASSE DEVIENT DU BIOCARBURANT

Les biocarburants de première génération résultent d'une transformation de l'amidon du maïs, du palmier ou de la canne à sucre, converti en glucose dans un processus appelé broyage. Les biocarburants de deuxième génération sont fabriqués en cassant la structure cellulaire de plantes non vivrières comme le panic érigé ou le miscanthus afin de libérer leurs glucoses. Dans les deux cas, les glucoses passent par un processus de fermentation qui produit l'alcool, distillé ensuite en bioéthanol.

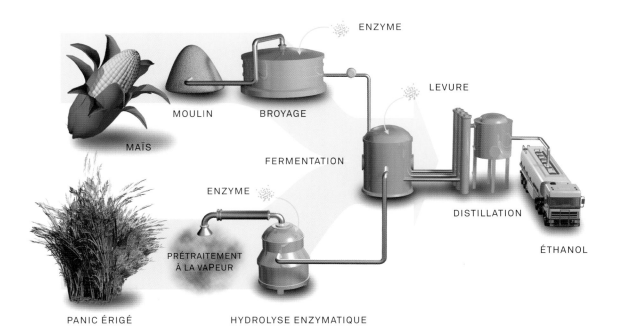

Le gaz de décharge est la seconde source humaine de méthane aux États-Unis, pays ayant d'énormes quantités de déchets enfouis.

CERTAINES DÉCHARGES ENFOUIES CAPTURENT UNE PARTIE DU MÉTHANE QUI S'ÉCHAPPE DES MATIÈRES ORGANIQUES EN DÉCOMPOSITION. LE GAZ DE CETTE DÉCHARGE (NEW JERSEY) AIDE À FOURNIR DE L'ÉNERGIE À 25 000 FOYERS.

Une forme bien moins chère et plus abondante de bioénergie sous forme gazeuse se trouve dans les décharges publiques, responsables de 14 % des émissions mondiales de méthane. Celui-ci ayant une certaine valeur (c'est le principal composant du gaz naturel), la capture et l'emploi productif des énormes quantités de méthane produites chaque année dans les décharges constituent une réelle opportunité économique.

Le méthane est la deuxième cause du réchauffement climatique après le CO_2. Chaque molécule est vingt fois plus efficace qu'une molécule de CO_2 pour emprisonner la chaleur. Les décharges sont la troisième cause d'origine humaine d'émissions de méthane (14 %, contre 50 % pour l'agriculture – principalement le bétail et la culture du riz – et 16 % pour les systèmes au gaz naturel, essentiellement en raison de fuites).

Le gaz de décharge, composé pour moitié de méthane, pour moitié de CO_2, est la seconde source de méthane d'origine humaine aux États-Unis, où les déchets sont particulièrement abondants ; en 2009, avec une population quatre fois et demi plus importante, la Chine est derrière les États-Unis pour la quantité de déchets domestiques. Les États-Unis émettent autant de gaz de décharge que l'Afrique tout entière et plus de deux fois et demi la quantité émise par la Chine, pourtant en deuxième position. La quantité de gaz de décharge recueillie et brûlée augmente chaque année, mais la quantité de méthane dégagée par les décharges augmente encore plus vite, selon l'agence américaine Environmental Protection Agency (EPA).

La technologie de capture du méthane des décharges enfouies est bien développée, mature et rentable. Le système le plus utilisé consiste en une série de puits d'extraction verticaux creusés dans la décharge, ou en tranchées recueillant le gaz et l'acheminant vers un lieu où il est transformé. Beaucoup de décharges munies d'un tel système se contentent de mettre le feu au gaz, ce qui réduit au moins le réchauffement potentiel au méthane en émettant, à la place, du CO_2. Mais cette approche n'est pas optimale et néglige l'opportunité d'utiliser le gaz en tant que source productrice d'énergie. Or, on peut le brûler pour produire de l'électricité ou le vendre à des entreprises comme source de chauffage. Certaines sociétés et municipalités ont aussi des flottes de véhicules modifiés pour rouler au gaz de décharge.

Plusieurs pays en développement mettent leurs déchets dans des décharges à ciel ouvert, où ils se décomposent en dégageant du CO_2 ainsi que du méthane en moindres quantités. La pluie tombant sur ces décharges produit des eaux usées qui contaminent souvent les nappes souterraines. Les déchets enfouis, en revanche, sont régulièrement recouverts de saleté, de sorte que la décomposition est anaérobique (sans oxygène), ne produisant de méthane qu'après un ou deux ans. Mais les eaux usées peuvent être très toxiques pour les nappes d'eau souterraines.

En 1996, les États-Unis ont adopté une loi sur l'enfouissement des déchets, exigeant de toutes les décharges municipales de capturer le méthane produit, puis de le brûler ou de l'utiliser de façon productive. Environ 37 % des décharges enfouies aux États-Unis sont sujettes à cette réglementation, mais la moitié d'entre elles brûlent le gaz collecté. Les 63 % restants n'ont pas l'obligation de recueillir leur gaz. Et si 20 % d'entre elles le font spontanément, seul un tiers de celles-ci le recueillent à des fins productives au lieu de le brûler.

Beaucoup d'entreprises se sont associées à des décharges enfouies pour produire de l'électricité et de la chaleur à partir du gaz de décharge. L'usine BMW de Greer (Caroline du Sud) comble ainsi 70 %

de ses besoins en énergie (chauffage et électricité). L'entreprise estime que d'ici six ans, elle aura économisé 5 millions de dollars chaque année.

L'EPA a lancé un partenariat international concernant trente pays sur les possibilités d'exploitation du méthane de décharge. Ce partenariat, intitulé « Du méthane pour les marchés », est conçu pour faciliter le développement de projets permettant de recueillir ce gaz.

Récemment, des entreprises ont conçu une nouvelle technique pour capturer davantage de méthane à partir des déchets solides en les plaçant dans de grands bâtiments en béton, hermétiquement fermés et équipés de systèmes de récupération efficaces. Pour permettre l'ajout de déchets supplémentaires, le méthane peut être complètement évacué avant que les portes soient fermées. Et le processus gagne encore en efficacité avec l'introduction de bactéries anaérobiques accélérant la production de méthane.

La production de biocarburants liquides pour le transport étant au centre des débats, d'aucuns

UNE NOUVELLE RÉVOLUTION INDUSTRIELLE

« Pendant vingt-cinq ans, je n'ai jamais pensé à ce que nous faisions à la Terre en fabriquant nos produits », avoue Ray Anderson, créateur d'Interface Flooring. Mais, dans les années 1990, les clients ont commencé à demander ce que l'entreprise faisait pour l'environnement. « La réponse était : pas grand-chose. » Anderson a paniqué quand le livre de Paul Hawken, *The Ecology of Commerce,* est arrivé sur son bureau. En le lisant, il s'est dit : « La manière dont je gère Interface s'apparente à du pillage. Un jour, les gens comme moi finiront en prison. »

Ces quinze dernières années, Anderson a lancé « Mission Zero », afin d'éliminer l'impact négatif d'Interface sur la Terre d'ici 2020. Pour l'industrie de la moquette, dont les déchets annuels représentent 5 milliards de livres (près de 2 270 000 tonnes), réduire cette quantité est au cœur d'un avenir durable.

Interface a commencé des recherches en matériaux renouvelables, utilisant des polymères issus du maïs plutôt que du pétrole. Puis l'entreprise a produit de la moquette à partir de vinyle et de nylon de récupération. Ces vingt-trois dernières années, plus de 100 millions de livres (soit 45 400 tonnes de matériaux ont ainsi évité la décharge. En 2003, Interface s'est fixé les mêmes objectifs en matière d'énergie, lançant avec l'EPA un programme pour convertir le gaz de méthane

Ray Anderson, dans l'usine d'Interface de West Point (Géorgie), devant les machines agglomérant des déchets de fibres.

de la décharge de LaGrange (Géorgie) en source d'énergie. Le système capture et brûle le méthane, le transformant en chaleur et électricité.

Les émissions de gaz à effet de serre d'Interface ont baissé de 83 % en tonnage total. De plus, ses ventes ont augmenté des deux tiers et ses profits ont doublé. Anderson conteste ceux qui affirment qu'il faut faire un choix entre l'environnement et l'économie.

se demandent s'il vaut la peine de dépenser autant d'argent, de temps et d'énergie dans la transformation de biosolides en bioliquides. Après tout, si plus de 90 % de la controverse de la biomasse concerne les bioliquides, 90 % de la bioénergie produite dans le monde l'est sous forme de chaleur et d'électricité. Les chercheurs de la John F. Kennedy School of Government et du Stockholm Environment Institute ont montré en 2007 que, « si la baisse des gaz à effet de serre est un objectif majeur, il sera plus efficace de donner la priorité à la biomasse pour remplacer l'énergie basée sur le charbon plutôt que pour remplacer les carburants utilisés dans le transport ».

Des chercheurs de la Michigan State University, de la University of Minnesota et de l'Université suédoise de sciences agricoles ont publié au printemps 2008 une étude montrant que l'emploi de biomasse pour produire de l'électricité peut réduire les émissions de gaz à effet de serre bien plus efficacement qu'en la transformant, de façon coûteuse, en carburant liquide. Ils ont rappelé que plus de 30 % de l'énergie contenue dans la biomasse cellulosique se perd au cours de la récupération des sucres fermentables, que 27 % de l'énergie contenue dans ceux-ci se perd durant la fermentation, et que 75 % de l'énergie restant dans le carburant liquide ainsi produit se perd lors de la combustion interne des moteurs.

Aussi, même si les centrales électriques classiques perdent, en moyenne, 65 % de l'énergie des combustibles au cours de leur combustion, l'efficacité plus grande des véhicules électriques signifie que l'emploi de biomasse pour l'électricité peut remplacer deux fois plus de pétrole que si elle était convertie en carburant liquide. En outre, si les centrales électriques brûlant de la biomasse cellulosique étaient équipées de centrales de cogénération (combinant chaleur et électricité), plus de 60 % de l'énergie de la biomasse serait efficacement utilisée.

Nous devons aussi anticiper et accélérer la conversion progressive de la flotte automobile mondiale à l'électricité, ce qui accroîtra l'efficacité énergétique du secteur des transports, réduira la dépendance vis-à-vis de marchés pétroliers instables, et permettra un emploi plus efficace de la biomasse – dans la production d'énergie thermique et d'électricité.

Observons, toutefois, que même si toutes les voitures passaient à l'électricité, la construction de réseaux d'alimentation électrique suffisamment performants prendra, dans les pays en développement, beaucoup plus de temps que dans les pays développés. Avions et camions auront par ailleurs encore besoin de carburants liquides faibles en carbone. Heureusement, outre qu'elles produisent de l'éthanol et du biodiesel, les bioraffineries peuvent produire du biocarburant pour avion ; plusieurs compagnies aériennes explorent cette piste.

Les scientifiques travaillent pendant ce temps sur des processus de troisième génération. Si la technologie de deuxième génération vise à produire de l'éthanol à partir de cultures non vivrières, l'objet de la génération suivante porte sur des produits supérieurs à l'éthanol, dont de nouvelles molécules (biobutanol) pouvant être mélangées directement avec l'essence ou le gazole. La production de carburant pour le transport à partir d'algues fait aussi partie de cette technologie de troisième génération. Plusieurs grandes compagnies pétrolières s'intéressent à cette possibilité. En 2007, Royal Dutch Shell a annoncé la construction d'une usine pilote à Hawaï, et Chevron a lancé un partenariat pour étudier les algocarburants. L'été 2009, ExxonMobil a annoncé un partenariat avec une société créée par le généticien Craig

Venter. L'algue a pour avantage d'être cultivable dans des environnements arides utilisant de l'eau saumâtre, salée ou polluée. Mais, en dépit de l'enthousiasme suscité et des fonds avancés par les entreprises, nombre d'experts ne pensent pas que l'on puisse produire à court terme des algo-carburants compétitifs.

Néanmoins, quelle que soit la technologie ou la matière première, les lois de la physique limitent de toute façon l'efficacité énergétique de la fabrication de carburants liquides à partir de la biomasse, par rapport aux technologies de combustion avancées permettant de récupérer une plus grande part de l'énergie de la biomasse sous forme thermique ou électrique, grâce à des générateurs à la vapeur ou au gaz.

Employée comme combustible dans des cogénérateurs, la biomasse est une source d'énergie renouvelable moins chère que le solaire et à peine plus chère que l'éolien terrestre. Nombre d'experts estiment que, dans la plupart des cas, la biomasse est optimisée quand elle fournit un combustible servant à produire directement de l'énergie thermique pour le chauffage et le conditionnement des bâtiments, et de la vapeur pour les générateurs électriques. En outre, la bioénergie peut servir d'énergie à charge de base, contrairement à l'éolien et au solaire ; c'est donc un moyen efficace de réduire les quantités de charbon et de gaz naturel brûlées pour produire de l'électricité.

Le National Resources Defense Council concluait en 2004 : «Compte tenu du mélange actuel de combustibles servant à la production d'électricité aux États-Unis, utiliser une tonne de biomasse pour produire de l'électricité permettrait une plus forte réduction des gaz à effet de serre que toute autre option. Cette situation changera avec le temps, surtout si nous engageons un effort concerté pour réduire ces émissions.»

La biomasse utilisée pour produire électricité et énergie thermique vient principalement du bois – surtout de déchets forestiers. Un peu plus de 50 % de la bioénergie est consommé sous forme de bois, et 65 % du bois est consommé dans le secteur industriel, où il sert, sur site, à produire de la chaleur et un peu d'électricité ; l'usage domestique et commercial représente 25 %, et le secteur de l'électricité 9 % seulement. En 2006, l'électricité produite à partir de biomasse (centrales électriques et cogénération industrielle) a représenté environ 7 % de la production mondiale d'électricité renouvelable.

Les générateurs produisant à la fois chaleur et électricité peuvent fonctionner à petite échelle de façon décentralisée, ce qui permet d'éviter un cauchemar logistique : rassembler en un seul endroit d'énormes stocks de biomasse issus d'une même zone géographique pour rentabiliser les bioraffineries. Le bois ayant une densité énergétique plus faible que le charbon, la logistique nécessaire pour fournir de façon durable la quantité de matière première nécessaire à une centrale de grande taille est souvent un défi sérieux. Après tout, la forte densité énergétique du charbon et du pétrole est, avec leur grande disponibilité, la principale raison pour laquelle ils sont devenus les combustibles dominants.

Le bois destiné aux usines et aux centrales est souvent transformé en boulettes, plus faciles à transporter, à stocker et à «cobrûler» avec le charbon dans les chaudières existantes – ce qui remplace 20 % du charbon et réduit les émissions de CO_2. Selon une étude faite par le Worldwatch Institute en 2009, «de toutes les énergies renouvelables, la cocombustion est la mieux à même de réduire significativement à court terme les émissions». Les générateurs modernes adaptés aux boulettes de bois et capables de contrôler les émissions offrent une production d'électricité

ALGUES POUSSANT DANS DES SACS EN PLASTIQUE,
PROJET EXPÉRIMENTAL PRÈS DE PHOENIX
(ARIZONA). DANS DE BONNES CONDITIONS,
UNE ACRE D'ALGUES PEUT PRODUIRE
18 900 LITRES DE BIOCARBURANT PAR AN.

bien plus efficace que les générateurs de vapeur au charbon, et permettent de réduire de 94 % les émissions de CO_2. Ainsi, le Royaume-Uni vient d'annoncer la construction d'un biogénérateur avancé de 295 mégawatts, et des modèles encore plus puissants sont en projet. Le gouvernement britannique a aussi l'intention d'exiger des centrales à biomasse qu'elles capturent et séquestrent le carbone à partir de 2030.

L'industrie de la biomasse a entraîné le développement de bioraffineries intégrées qui utilisent diverses matières premières et technologies de conversion afin de produire des biocarburants, des biomatériaux, de l'énergie thermique et de l'électricité. Si ce concept permet aux bioraffineries d'être énergétiquement autonomes, la plupart des bioraffineries intégrées existantes produisent surtout de l'éthanol ou du biodiesel.

À présent, le principal marché pour la production d'électricité et de chaleur à partir de boulettes de bois est l'Europe, les boulettes venant surtout des forêts du nord-ouest de l'Amérique du Nord, *via* le canal de Panamá. Le second fournisseur de boulettes de bois à l'Europe est l'Australie, mais le sud-est des États-Unis prend une place de plus en plus grande.

Dans l'Union européenne, la combustion de biomasse – bois et déchets de bois – représente les deux tiers de l'énergie renouvelable produite, mais le solaire, l'éolien et le géothermique devraient croître rapidement. Selon le consultant New Energy Finance, il y a aujourd'hui 3,2 gigawatts de bioénergie produite annoncée, autorisée, financée ou commandée en Europe, au Moyen-Orient et en Afrique. Beaucoup d'autres générateurs de biomasse sont en construction ou programmés.

Aux États-Unis, le marché de l'électricité et du thermique à partir de boulettes de bois devrait croître rapidement après l'adoption du *Renewable Electricity Standard* – qui conduira au développement d'échanges commerciaux interrégionaux de biomasse, à l'apparition de nouveaux fournisseurs de logistique de biomasse et à des innovations dans la chaîne de fourniture. Ainsi, le processus de la torréfaction, utilisé dans l'industrie du café, a été introduit dans l'industrie de la biomasse pour chauffer et sécher les boulettes de bois de sorte qu'elles puissent être stockées sans absorber d'eau de pluie. On s'intéresse aussi de plus en plus, chez les agriculteurs, à un procédé par lequel la biomasse peut être brûlée en l'absence d'oxygène (principe de la pyrolyse) afin de fabriquer du « biochar », lequel, nous le verrons au chapitre 10, est un moyen très efficace de restaurer la fertilité des sols tout en séquestrant de grandes quantités de charbon dans les terres agricoles.

À l'été 2008, une remarquable étude, publiée dans *Science* par onze experts en politique énergétique et biocarburants – dont des critiques et des défenseurs de cette forme d'énergie –, a proposé une méthodologie permettant de résoudre les controverses à partir de « deux principes simples » : « Dans un monde cherchant des solutions aux défis énergétiques, écologiques et alimentaires, la société ne peut se passer de la réduction des émissions de gaz à effet de serre et des bénéfices locaux, environnementaux et sociaux issus de bons bio-

carburants. Mais elle ne peut non plus accepter les effets indésirables des mauvais biocarburants. »

Ces chercheurs concluent que « le récent débat politique sur les biocarburants aux États-Unis est troublant. Il est de plus en plus polarisé, et la ligne politique semble prévaloir sur la science ». Ils réclament l'adoption de « principes de sauvegarde environnementale basés sur la science », un soutien fédéral à une « solide industrie de biocarburants », et des « aides » pour les investisseurs dans les biocarburants de première génération.

La création aux États-Unis, il y a deux ans, du Council of Sustainable Biomass Production est un signe positif du développement d'une politique publique cohérente en matière de biomasse. Composé d'agriculteurs, de producteurs, de raffineurs, de pétroliers, d'entreprises biotech, de hauts fonctionnaires et de chercheurs, cet organe a su, en peu de temps, se gagner un respect général. Il a lancé un programme de certification volontaire et des programmes de formation, fondés sur des normes visant à « pleinement répondre aux questions de développement durable à travers des principes, des critères et des indicateurs applicables à la fois à l'agriculture et à la sylviculture ». Il prévoit de mettre en œuvre ses programmes au printemps 2010, « bien avant que la production de bioénergie cellulosique se fasse à grande échelle ».

Au niveau étatique, l'Union européenne a pris la tête du mouvement en fixant des normes de durabilité en matière de biomasse. Le Royaume-Uni exige ainsi que les producteurs remplissent des « certificats d'obligation renouvelable » qui, dans le cas de l'électricité issue de la biomasse, prévoient des mesures de contrôle des méthodes de production et de l'origine des matières premières utilisées.

LE PETIT VILLAGE ALLEMAND DE JÜHNDE
PRODUIT SON CHAUFFAGE ET SON ÉLECTRICITÉ
À PARTIR DE BIOMASSE : COPEAUX DE BOIS
ET DÉCHETS ANIMALIERS.

CHAPITRE SEPT

CAPTURER ET SÉQUESTRER LE CARBONE

LE PROJET CCS D'IN SALAH (ALGÉRIE)
INJECTE CHAQUE ANNÉE PRÈS DE
1 MILLION DE TONNES DE CO_2 SOUS TERRE.

La « capture et séquestration du carbone » (CCS) est une idée géniale. En théorie, nous pourrions capturer tout le CO_2 actuellement émis dans l'atmosphère par les centrales électriques à combustibles fossiles et le séquestrer dans des réservoirs enfouis sous terre ou sous le fond des océans. Nous pourrions alors continuer à utiliser le charbon comme principale source d'électricité sans pour autant altérer l'environnement. En réalité, des décennies après que la CCS a été proposée, aucun gouvernement ni aucune entreprise n'a construit un seul projet à dimension commerciale pour capturer et séquestrer les quantités considérables de CO_2 émises par une centrale.

Les technologies de capture, de compression, de transport et de séquestration du CO_2 ont été développées et testées à petite échelle. Toutes fonctionnent. Mais les éléments n'ont jamais été intégrés et mis en place à une échelle suffisante pour susciter la confiance nécessaire aux investissements massifs à entreprendre si cette option était retenue aux fins de résoudre la crise du climat.

Pourquoi ? T.S. Eliot a écrit : « Entre l'idée et la réalité, entre l'envie et l'acte, l'ombre se glisse. »

L'ombre de l'irréalité qui se glisse entre l'idée de CCS et le passage à l'acte provient de deux formidables obstacles dressés à l'horizon. D'abord, le besoin en énergie nécessaire pour capturer le CO_2 exigerait de l'industrie du charbon d'accroître de 25 à 35 % la quantité de charbon utilisée pour produire la même quantité d'électricité qu'aujourd'hui. Si de nouvelles centrales à charbon ne sont pas construites, l'industrie produira alors de 25 à 35 % d'électricité en moins tout en brûlant autant de charbon. Ensuite, les questions du choix du site, de la taille des réservoirs souterrains – et de la quantité de CO_2 que l'on pourra y stocker – demeurent sans réponse.

Le simple volume de CO_2 actuellement émis par les générateurs à charbon et au gaz suffit à ce que nombre d'experts considèrent la CCS comme une idée intéressante mais encore peu crédible. Si tout le CO_2 aujourd'hui émis dans l'atmosphère par les centrales à charbon aux États-Unis était capturé et converti sous forme liquide, cela représenterait 30 millions de barils de pétrole par jour – trois fois le volume de pétrole importé quotidiennement par ce pays. Si le CO_2 était transporté par pipeline jusqu'aux sites de stockage, cela reviendrait à transporter, en volume, un tiers du gaz naturel sillonnant actuellement les États-Unis en pipeline.

Il n'existe aucune solution simple pour stocker en toute sécurité d'énormes quantités de CO_2, et on ne sait pas quelle quantité pourrait être enfouie sous terre sans risque, même si la science nous donne des raisons d'espérer. Le stockage géologique souterrain est potentiellement envisageable, et les géologues connaissent déjà les zones susceptibles d'accueillir ces sites. Mais alors que l'on a commencé à localiser et caractériser ces sites potentiels, beaucoup d'experts restent sceptiques quant à la possibilité pratique de brûler un tiers de plus de charbon pour produire la même quantité d'électricité. Selon l'Union of Concerned Scientists, «ce serait comme construire une nouvelle centrale à charbon juste pour capturer le carbone de trois ou quatre autres centrales».

Le Massachusetts Institute of Technology (MIT), dans une étude récente intitulée «The Future of Coal», concluait que «si la capture et la séquestration du carbone sont entreprises avec succès, l'utilisation du charbon se développera même si les émissions de CO_2 se stabilisent».

lée «exploitation des sommets» – impliquant le rejet des déchets toxiques dans les rivières des vallées en contrebas – est une atrocité écologique. Non seulement les sommets montagneux sont transformés en plateaux lunaires dénudés, mais les déchets contiennent de l'arsenic, du plomb, du cadmium et d'autres métaux lourds polluants, tous infiltrant les ressources en eau.

Des progrès considérables ont été enregistrés depuis vingt ans dans la réduction de la quantité d'oxydes de soufre, d'oxydes nitrogènes et d'autres

> « Ce serait comme construire une nouvelle centrale à charbon juste pour capturer le carbone de trois ou quatre autres centrales. »
>
> UNION OF CONCERNED SCIENTISTS

Howard Herzog, du MIT, estime toutefois que parce que la CCS ferait partie d'une politique climatique et augmenterait le prix de l'électricité-charbon, il en résulterait une baisse du nombre de centrales à charbon.

Le CO_2 supplémentaire lié à une augmentation de la production et du transport de davantage de charbon ne serait ni capturé ni séquestré. Pas plus que le CO_2 issu du transport, de l'injection et de la séquestration.

Les coûts environnementaux de tout essor de la production et de la combustion de charbon seraient aussi significatifs. L'exploitation minière détruit l'environnement. Ainsi, la pratique appe-

particules issues du brûlage du charbon. Les premières mesures, imposées par la loi, ont diminué la gravité des pluies acides, même si celles-ci restent un problème, qui s'accentuerait en cas d'expansion de la combustion de charbon : c'est la deuxième source d'oxyde nitrogène, l'un des composants du *smog* et des pluies acides.

Les récentes réglementations pour limiter les émissions de mercure des centrales à charbon sont insuffisantes. Certains États américains – Pennsylvanie en tête – ont réduit leurs émissions de mercure, mais la combustion du charbon reste, à travers le monde, la cause humaine la plus importante de pollution au mercure.

Les 130 millions de tonnes de cendres et de boues de charbon produites aux États-Unis chaque année sont l'une des principales sources de déchets industriels du pays. En 2008, à Harriman (Tennessee), trois jours avant Noël, 3,8 milliards de litres de cette boue toxique se sont échappés de leur confinement et ont détruit les maisons voisines.

Néanmoins, beaucoup pensent que les enjeux sont trop élevés pour que l'on puisse négliger aucune option de solution à la crise du climat. Le coût et le risque de la CCS sont finalement faibles par rapport à ce qu'il va se passer si nous continuons à rejeter tout ce CO_2 dans l'atmosphère. Il est impératif de trouver rapidement des alternatives pour arrêter la destruction de l'habitabilité de la planète. En outre, la CCS doit, en théorie, permettre au monde d'éviter les coûts très élevés de l'abandon avant terme de l'exploitation d'une large partie des centrales à combustibles fossiles.

Il serait en revanche illusoire de s'imaginer que la CCS sera bientôt disponible et sur une échelle telle qu'elle seule suffirait à réduire nos émissions de CO_2. Il faudra encore des années pour répondre aux questions non résolues et pour que la CCS devienne une solution viable au réchauffement climatique.

Ce dernier point est crucial car certains exploitants de mines et de centrales à charbon tentent de faire croire que la CCS est à portée de main. Cette stratégie sert leurs intérêts puisque, en assurant au public et aux décideurs politiques que la CCS sera prête dans un avenir proche, il est aisé de les convaincre qu'il faut continuer à construire des centrales à charbon en se contentant de planter sur un terrain voisin un écriteau portant ces mots : « Site futur de CCS ».

Malheureusement, si l'industrie du charbon est ainsi incitée à nourrir une telle illusion, aucune incitation n'existe pour que de substantiels inves-

tissements en fassent une réalité – à moins que les États décident de donner un prix élevé au CO_2 (dont on ne pourra s'affranchir que si l'on capture et séquestre le CO_2). La plupart des entreprises de charbon, bien sûr, s'y opposent, car cela ouvrirait des parts de marché aux autres technologies de production d'électricité – gaz naturel, nucléaire, éolien, solaire. Elles entretiennent donc l'illusion selon laquelle la CCS sera bientôt au point pour pouvoir continuer à vendre du charbon à des centrales polluantes.

Beaucoup d'entreprises ont recours à la CCS comme prétexte à l'inaction. Certaines affirment qu'il faut les autoriser à construire de nouvelles centrales à charbon qui seraient « prêtes à la capture ». Elles sous-entendent qu'elles peuvent construire ces centrales de manière à les convertir à la technologie CCS lorsque celle-ci sera commercialisée.

L'étude du MIT montre toutefois que l'idée de centrale à charbon « prête à la capture » reste « non prouvée et sans doute improductive ». Ses experts ajoutent : « Le préinvestissement dans des centrales à charbon "prêtes à la capture" conçues pour fonctionner d'abord sans CCS a peu de chance d'être économiquement attractif. »

On estime que 75 % du coût de la CCS vient de l'énergie requise pour capturer le CO_2 émis par les centrales existantes. Cela représente un défi pratique énorme. La faible pression du gaz rejeté par la centrale – et la faible part carbone de ce mélange gazeux – implique de traiter un énorme volume de gaz pour en retirer l'essentiel du CO_2.

99 % des centrales à charbon aux États-Unis brûlent du charbon pulvérisé (mélangé à l'air) et émettent d'énormes volumes de gaz d'échappement, contenant 10 à 15 % de CO_2. La plupart des centrales existantes exploitent une technologie ancienne et inefficace qui n'utilise en moyenne

L'EXPLOITATION DES SOMMETS, QUI REMPLIT DE DÉCHETS VALLÉES ET COURS D'EAU, FAIT PARTIE DU COÛT ÉCOLOGIQUE DE LA COMBUSTION DE CHARBON.

que 32 % de la chaleur contenue dans le charbon. Et continuer simplement à faire fonctionner ces installations coûte extrêmement cher.

La plupart des experts jugent très improbable de pouvoir convertir à la CCS ces centrales à charbon anciennes et thermiquement inefficaces : le dommage subi serait trop grand. D'autres estiment que le monde aura du mal à atteindre les objectifs indispensables de réduction de CO_2 sans traiter d'une façon ou d'une autre les émissions de ces centrales – en particulier de celles, nombreuses, actuellement en activité en Chine. D'où l'immense intérêt d'un programme sino-américain pour explorer rapidement cette option.

d'autant plus élevées que les facteurs ayant entraîné une hausse intolérable du coût de construction des centrales nucléaires font aussi monter celui des centrales à charbon.

Une fois le CO_2 capturé, il est comprimé jusqu'à un stade « supercritique », où il n'est ni un gaz ni un liquide, mais a des propriétés des deux. Il peut alors être acheminé par pipeline jusqu'à un site adapté de séquestration. (Le CO_2 peut être transporté sous forme liquide ou sous sa forme supercritique.)

Si d'importantes quantités d'énergie sont nécessaires pour pressuriser le CO_2, le coût du transport du CO_2 par pipeline sur des distances

L'idée de centrale à charbon « prête à la capture » reste « non prouvée et sans doute improductive ».

MASSACHUSETTS INSTITUTE OF TECHNOLOGY

Les nouvelles centrales à charbon pulvérisé – selon des technologies supercritiques et ultra-supercritiques – utilisent jusqu'à 40 % de l'énergie du charbon. De son côté, la combustion à lit fluidifié permet de mélanger plusieurs types de charbon ou de biomasse, et produit moins de dioxyde de soufre et d'oxyde nitrogène. Cependant, quoique plus performantes, ces nouvelles centrales ne rendent pas la CCS plus accessible.

En fait, il faudrait que les centrales, anciennes ou nouvelles, convertissent leurs chaudières, leurs turbines, leurs systèmes d'épuration et d'autres équipements importants. Les dépenses seraient

raisonnables n'est pas prohibitif. En outre, ce coût pourrait être largement réduit grâce à des économies d'échelle, pour des volumes égaux ou supérieurs à 10 millions de tonnes par an. Si le choix de la CCS est adopté à grande échelle, le développement de réseaux de pipelines permettra de diminuer le nombre de pipelines coûteux à installer à chaque lieu de départ et d'arrivée.

Sur les plus de 6 270 kilomètres de pipelines de CO_2 que les États-Unis comptent aujourd'hui, il n'y a eu aucun problème de sécurité. Il est vrai que la libération soudaine de grandes quantités de CO_2 dans des zones peuplées serait dangereuse si la

COMMENT SÉQUESTRER LE CARBONE

Quand le charbon est gazéifié, le CO₂ peut être séparé du gaz avant que celui-ci soit brûlé. La technologie de CCS (capture et séquestration du carbone) postcombustion sépare le CO₂ des autres gaz émis par une centrale électrique – vapeur d'eau, oxyde de soufre et oxyde nitrogène. Un compresseur pousse le gaz carbonique capturé vers des pipelines à injection à des milliers de mètres sous terre. Le CO₂, pressurisé dans un état « supercritique » quasi liquide est stocké dans des formations rocheuses, dont les pores l'emprisonnent. La pression et la température élevées à cette profondeur maintiennent le gaz dans son état supercritique.

CENTRALE À CHARBON ÉQUIPÉE
POUR CAPTURER LE CO₂

COMPRESSEUR

PIPELINE À
INJECTION

CARBONE STOCKÉ

CO₂ EMPRISONNÉ SOUS FORME
DE FLUIDE SUPERCRITIQUE PAR
LES FORMATIONS ROCHEUSES

AQUIFÈRE SALIN

LE CO_2 LIQUIDE EST DÉJÀ TRANSPORTÉ
PAR PIPELINE ET UTILISÉ POUR STIMULER
LA RÉCUPÉRATION DE PÉTROLE (ICI, AU TEXAS).
LE CO_2 EST POMPÉ DANS LE SOL, OÙ IL
POUSSE LE PÉTROLE VERS LA SURFACE.

concentration de CO_2 dans l'air était supérieure à 7 % ; mais, jusqu'à présent, les pipelines à CO_2 n'ont posé aucune difficulté. La plupart des ingénieurs pensent que le risque est très faible. Et la longue expérience des pipelines de gaz a suscité au sein de l'opinion publique un niveau de confiance élevé dans la capacité des autorités à gérer ce type de risque.

Plus de la moitié des centrales électriques à charbon se situent dans des régions où les géologues ont repéré des zones souterraines adaptées à la séquestration du CO_2. Les scientifiques n'auront toutefois pas de certitude à cet égard sans recherches étendues sur ces sites potentiels. Par ailleurs, quelques centrales à charbon sont situées loin de zones considérées comme de bonnes candidates à la séquestration souterraine.

La dernière étape du processus de CCS est la séquestration du CO_2 capturé dans un lieu sûr, dont il ne pourra pas s'échapper vers l'atmosphère. Scientifiques et entreprises cherchent activement des innovations technologiques permettant de capturer, de stabiliser et d'« incarner » le CO_2 dans de nouveaux bâtiments et matériaux. Il pourrait s'agir d'emprisonner des quantités considérables de CO_2 dans la structure même des matériaux. Mais jusqu'à présent, les recherches se concentrent sur des sites de stockage enfouis profondément sous terre.

Les candidats les plus probables à la séquestration géologique sont les aquifères salins de roches assez perméables pour absorber le CO_2 et suffisamment stables et isolées pour garantir qu'il y restera en place indéfiniment. Les pores des roches de ces formations salines emprisonnent le CO_2 au moyen de « forces capillaires ». Sur de longs laps de temps, le CO_2 se dissout dans les liquides de la formation saline et les minéraux de la roche. Bien que le CO_2 soit actif et migre naturellement vers la surface quand il n'est pas tenu en place, s'il est injecté dans le bon environnement géochimique à une profondeur de 1 kilomètre ou plus, la pression et la chaleur du sous-sol le maintiennent sous une forme supercritique et quasi liquide qui devrait, selon les scientifiques, perdurer. Ces sites sont typiquement recouverts de couches imperméables de schiste ou de couches de minéraux et de sels, restes de l'évaporation de l'eau à une époque géologique antérieure.

L'expérience limitée que nous avons de ces formations salines est encourageante. Deux études importantes – l'une du Groupe intergouvernemental sur l'évolution du climat (GIEC), l'autre du MIT – montrent qu'une fois le CO_2 séquestré dans ces formations, la quasi-totalité y demeurera. Selon ces études, le risque le plus élevé de fuite se produit lors du processus d'injection, au début de la phase de stockage.

Même s'il reste des incertitudes quant aux processus géochimiques à l'œuvre dans ces sites, les géologues sont confiants dans le fait que le CO_2, une fois séquestré avec succès, non seulement demeurera sous terre, mais deviendra avec le temps de plus en plus inoffensif. On en sait suffisamment sur les forces géologiques et chimiques élémentaires au travail pour que le niveau de confiance dans la sûreté de cette technique soit élevé.

Toutefois, la nature géologique, géochimique, géophysique et géographique des sites potentiels diffère grandement d'un site à l'autre. En outre, il est difficile et long d'estimer le « volume par pore » des formations géologiques qui, tout en étant adaptées à la séquestration du CO_2, sont susceptibles de présenter des complications limitant les quantités de CO_2 pouvant y être stockées en sécurité.

Les scientifiques qualifient l'écorce terrestre de « système complexe, hétérogène et non linéaire ».

En d'autres termes, il y a un tel mélange de formations géologiques sous la surface qu'il est extrêmement difficile de dessiner les frontières précises des dépôts apparemment prometteurs, afin que le CO_2 ne soit pas injecté dans une zone ayant une « porte de sortie » vers une zone géologique adjacente, d'où il pourrait migrer vers la surface.

Ainsi, les géologues devront identifier et fermer les puits abandonnés qui auraient été creusés dans ces sites et depuis longtemps oubliés. Car de tels puits pourraient, dans certaines circonstances, servir de cheminées par où le CO_2 séquestré se fraierait un chemin vers le haut. Les géologues doivent aussi localiser tout aquifère potable susceptible d'être contaminé par de grands volumes de CO_2. De nouvelles techniques sismiques capables d'analyses en temps réel donnent l'espoir

de pouvoir surveiller le comportement du CO_2 injecté. Elles serviraient à détecter toute migration souterraine de CO_2 vers les zones où il serait impossible de le contenir en sécurité.

Plusieurs équipes travaillent à mieux comprendre ces risques, mais cela prend du temps. En outre, ce que l'on apprend dans l'étude d'un site potentiel peut ne pas présenter d'intérêt pour un autre. Les difficiles questions concernant l'assurance, la propriété des zones souterraines, le moyen approprié de contrôler la sûreté du site et le respect des normes de sécurité, entre autres, doivent aussi trouver réponse.

Malgré ces incertitudes, la plupart des experts estiment possible de stocker en sécurité de grandes quantités de CO_2 dans des aquifères salins. Ils soulignent également l'importance de mener

LA TRAGÉDIE DU LAC NYOS

Les experts estiment que la tragédie qu'a connue le lac Nyos, au nord-ouest du Cameroun, en 1986, n'est pas liée aux risques inhérents à la capture et à la séquestration du CO_2. Elle illustre toutefois l'une des raisons de l'inquiétude de l'opinion quant aux sites de stockage de CO_2.

La libération soudaine de grandes quantités de CO_2 enfouies sous le fond du lac a tué plus de 1 700 personnes et 3 000 têtes de bétail. La source originale du CO_2 était du magma en fusion, à 75 km sous le fond du lac. Le gaz s'est frayé un chemin par les fuites des roches souterraines et a saturé l'eau. Le mouvement naturel de l'eau, de la surface vers le fond, a provoqué un geyser explosif de CO_2. Plus lourd que l'air, le CO_2 s'est répandu sur les berges du lac, puis sur les collines et les vallées alentour, asphyxiant ceux qui s'y trouvaient.

Cet événement naturel mais très rare s'était déjà produit au lac Nyos, dans un autre lac camerounais et dans un lac du Congo voisin. Ces trois lacs ont été

Des scientifiques et des ouvriers lancent un radeau muni d'équipements de surveillance sur le lac Nyos, au Cameroun.

équipés de systèmes de surveillance peu coûteux, conçus pour alerter les populations d'une éventuelle montée de CO_2.

davantage d'études et d'entreprendre des expériences à grande échelle et pendant plusieurs années afin de vérifier la justesse de leurs conclusions.

L'opposition de l'opinion publique, comme pour tout projet concernant l'énergie, est également un facteur important dans le choix des sites. Un site de séquestration de CO_2 proposé aux Pays-Bas a ainsi été refusé – au moins temporairement – par les personnes vivant dans le voisinage. Royal Dutch Shell avait proposé d'installer ce site à 2 ou 3 kilomètres de profondeur près de Barendrecht, et comptait l'exploiter en partenariat avec Exxon-Mobil. La ville de Barendrecht a voté contre ce choix, estimant que le site est placé sous la zone la plus densément peuplée des Pays-Bas. Des groupes écologistes s'inquiètent de la garantie de sûreté des lieux de séquestration et de l'efficacité des contrôles à ce sujet. Le gouvernement néerlandais a toutefois fortement soutenu le choix du site. La décision de poursuivre ou non le projet dépendra des résultats d'une étude scientifique menée par une commission indépendante.

Certains scientifiques suggèrent que les profonds filons de charbon ne pouvant être exploités – également composés de minéraux organiques contenant de la saumure et des gaz – devraient aussi être explorés comme sites potentiels de stockage. Mais on en sait bien moins sur eux que sur les formations salines.

Jusqu'à présent, la séquestration a été réalisée pour de petits volumes, dans des lieux connus pour présenter des conditions idéales. La volonté de stocker des volumes de CO_2 plus importants pourrait révéler la faiblesse de certains sites pour cet usage. Ces masses de CO_2 seraient susceptibles d'exercer une pression excessive sur des formations stables et de provoquer des fissures par lesquelles il migrerait.

Les risques sismiques sont aussi un facteur de sécurité essentiel. Il ne s'agit pas seulement des tremblements de terre naturels, mais des événements sismiques induits par l'injection de gros volumes de CO_2 dans certaines formations géologiques. Selon le MIT, « l'injection rapide de larges volumes dans une roche à perméabilité faible ou modérée [...] est davantage susceptible de mener à un dépassement des seuils critiques ». La plupart des séismes ainsi induits sont restés limités ; mais, dans les années 1960, Denver en a connu de plus importants – le plus fort atteignit 5,3 sur l'échelle de Richter.

En général, le CO_2 en quantité relativement modeste est vendu à des sites de forage pétrolier, qui l'utilisent pour la récupération stimulée de pétrole. La pression de gaz ainsi injecté au fond d'un puits à maturité contraint le pétrole restant à monter à la surface. Aux États-Unis, on a recours à cette technique dans l'ouest du Texas, dans le sud de la Louisiane, dans le sud-ouest de l'Oklahoma et dans la région frontalière entre l'Utah, le Colorado et le Wyoming. Et dans le Dakota-du-Nord, le CO_2 d'une centrale au gaz synthétique sert à stimuler la récupération de pétrole dans la rivière Saskatchewan.

Les experts ès CCS sont unanimes à conclure que l'emploi de CO_2 pour stimuler la récupération de pétrole n'offre rien d'intéressant concernant le stockage à long terme des vastes quantités de CO_2 émises par les centrales électriques. La géologie souterraine des puits de pétrole ne cesse d'être fracturée et perturbée par le processus de forage, les quantités de CO_2 employées sont minimes par rapport à ce qu'il faudrait stocker dans des sites souterrains sûrs pour rendre la CCS possible, et une seule étude de faisabilité a été réalisée à ce jour, qui permet d'avoir des informations utiles sur les lieux de stimulation de récupération du pétrole.

Trois projets expérimentaux de CCS à grande échelle, impliquant la production de gaz naturel, sont actuellement en cours dans le monde. Deux ont choisi des formations salines comme sites de stockage. La Norvège séquestre le CO_2 sous le fond de la mer du Nord entre la Norvège et l'Écosse, au gisement de gaz de Sleipner. Statoil, la société norvégienne responsable de ce projet, s'est aussi associée à British Petroleum et à la Sonatrach pour expérimenter la séquestration du CO_2 dans des réservoirs de gaz naturel à In Salah, en Algérie. Le troisième projet de CCS a été lancé à Weyburn, dans le Saskatchewan (Canada), en liaison avec la gazéification du charbon. Le CO_2 est utilisé pour stimuler la récupération de pétrole. Ce projet privé a été désigné projet international d'étude de la CCS ; certains instruments y sont utilisés pour contrôler d'éventuelles fuites.

Jusqu'à présent, pour aucun de ces projets expérimentaux, il n'a été détecté de fuite de CO_2. En revanche, un rapport du MIT observe que les projets Sleipner, In Salah et Weyburn « ne posent pas toutes les bonnes questions [...]. Plusieurs paramètres qui devraient être mesurés pour circonscrire les questions scientifiques les plus pressantes n'ont pas encore été recueillis, dont la répartition de la saturation du CO_2, les changements de pression et la détection des fuites. [...] D'importantes réponses aléatoires, liées à la pression, au pH ou à un déplacement de volume, n'ont pas été apportées ».

Heureusement, d'autres projets permettront bientôt de répondre à certaines de ces questions. Statoil a récemment ouvert une deuxième opération de CCS, le Snøhvit Project, situé sous le fond de la mer de Barents, au nord du cercle Arctique. Un tel projet évite à Statoil de payer la taxe due sur chaque tonne de CO_2 non séquestrée en sécurité. Vattenfall, une société publique suédoise qui possède plusieurs centrales au charbon en Europe, a récemment annoncé le lancement du premier projet de centrale CCS à grande échelle en Europe, au Danemark. Si le projet réussit, Vattenfall en lancera un deuxième à la centrale électrique de Jänschwalde, en Allemagne.

Un vaste projet de séquestration de CO_2, associé à la production d'éthanol, est aussi en voie d'achèvement dans l'Illinois. Il prévoit d'injecter 1 million de tonnes de CO_2 dans une formation saline située à plus d'1,6 kilomètre sous terre. Plusieurs installations à rendement de 1 million de tonnes par an ont été proposées au Royaume-Uni, en Australie, en Allemagne, en Norvège, au Canada, en Chine et aux États-Unis. Des projets de capture du CO_2 sont également en cours au Brésil, en Inde, en Malaisie et en Allemagne, et des projets de stockage géologique en Australie.

Une centrale CCS innovante, en phase de planification, est proposée à Linden, dans le New Jersey. Elle combine la production d'électricité à partir du charbon et la production d'engrais. Le marché new-yorkais de l'électricité étant déjà abondant, la centrale espère gagner de l'argent en vendant de l'électricité aux périodes de pointe, puis produire de l'engrais entre deux périodes de pointe. La quasi-totalité du CO_2 serait capturée et transportée par pipeline à 110 kilomètres *offshore*, où elle serait injectée à 3 kilomètres sous le fond de l'océan Atlantique dans un site de séquestration ayant toutes les propriétés géologiques, géophysiques et géochimiques requises.

Le seul projet de CCS à grande échelle aux États-Unis – FutureGen – a été annoncé en 2003. Il a été annulé début 2008 en raison d'un dépassement de coûts et d'objectifs peu clairs. Les plus critiques en ont retenu un slogan : « Trop de "future", pas assez de "gen". » Le projet pourrait cependant être relancé, après l'attribution de nou-

PROJET CCS PILOTE DE VATTENFALL, ALLEMAGNE. LE CO_2 EST COMPRIMÉ DANS UN ÉTAT SUPERCRITIQUE AVANT SA SÉQUESTRATION SOUS TERRE.

veaux fonds par le Congrès. Pour justifier de dépenser une part considérable de l'argent du contribuable à faciliter l'usage du charbon comme principale source d'électricité aux États-Unis, l'argument se fonde principalement sur l'idée largement répandue que les États-Unis ont deux cent cinquante ans de réserves de charbon, et que les autres pays disposent aussi d'immenses réserves. Mais le National Research Council, se faisant l'écho d'autres experts, a affirmé voilà deux ans qu'il n'était pas possible de confirmer cette hypothèse.

La Chine, qui brûle deux fois plus de charbon que les États-Unis, connaît déjà des pénuries épisodiques et importe du charbon en grande quantité d'Australie et d'ailleurs. L'Inde connaît elle aussi des pénuries. Dans les deux pays, toutefois, celles-ci résultent souvent de problèmes dans la chaîne de distribution. Si les contraintes d'offre seront bien plus importantes à l'avenir, il faut d'ores et déjà les prendre en compte dans le processus de décision concernant la production d'électricité de demain. Une offre limitée fera monter les prix, même si les prix du photovoltaïque et d'autres sources renouvelables continuent à baisser.

L'échelle des opérations de CCS nécessaires pour traiter l'énorme volume de CO_2 émis par les centrales électriques existantes, et les difficultés attendues à intégrer l'ensemble des phases de l'opération tout en assurant la sûreté des sites de séquestration sur une période de temps plus longue que ce que les entreprises privées garantissent couramment, conduisent nombre d'experts, y compris ceux du MIT, à recommander la

création d'une entité gouvernementale fédérale afin de surveiller et de contrôler tous les aspects de la CCS. La législation en débat au Congrès en 2009 prévoit 10 milliards de dollars pour l'étude, l'expérimentation et le déploiement de la CCS aux États-Unis, outre les 6 milliards de subventions accordés les quatre années précédentes.

Nombre d'écologistes sont favorables à des recherches approfondies et soutenues pour déterminer si la CCS peut ou non devenir une option pratique dans la lutte contre la crise du climat. Nous avons besoin que des projets à grande échelle dans différentes géologies souterraines puissent montrer qu'il est réaliste de vouloir capturer et stocker à long terme et en sécurité d'énormes volumes de CO_2.

La plupart des experts ayant étudié l'option CCS concluent qu'elle restera sans doute impraticable pour les années à venir. En effet, la technologie de capture du CO_2 nécessite soit une augmentation très forte de l'usage de charbon et de gaz pour la même quantité d'électricité, soit une réduction drastique de la quantité d'électricité issue de la combustion du même volume de combustible. Enfin, chaque site de stockage potentiel représente un défi unique et extrême, qu'il s'agisse de définir sa profondeur ou d'évaluer sa capacité de stockage du CO_2 et sa sûreté.

Une solution assez simple permettrait de résoudre toutes les questions et les incertitudes quant à la crédibilité économique de la CCS et au choix des techniques les plus efficaces et les plus sûres : donner un prix au carbone. Quand la nécessité de réduire considérablement les émissions de CO_2 sera intégrée dans les calculs du marché – y compris les décisions des compagnies électriques et de leurs investisseurs –, les forces du marché nous conduiront alors rapidement vers les solutions dont nous avons besoin.

PREMIER PROJET CCS COMMERCIAL AU MONDE,
SUR LE GISEMENT DE GAZ DE SLEIPNER,
EN MER DU NORD, PRÈS DE LA NORVÈGE.

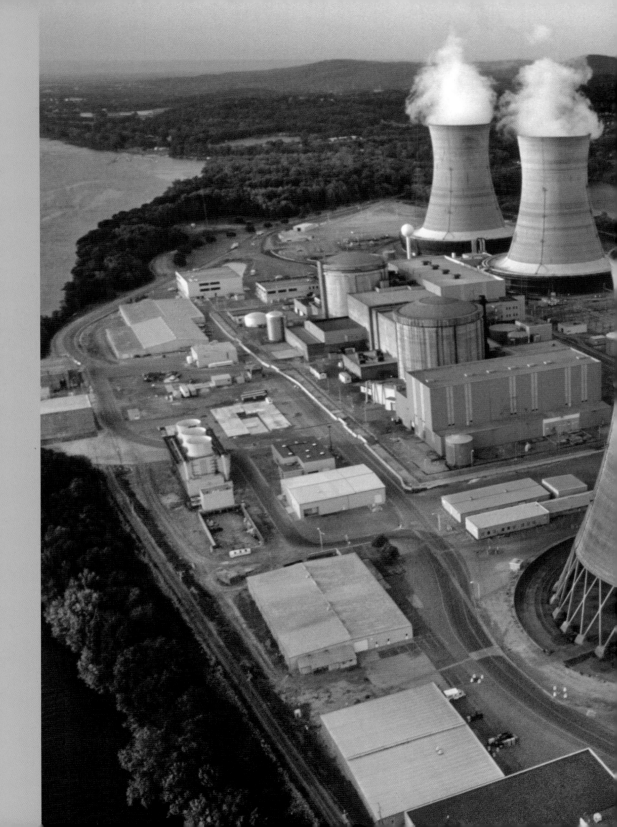

CHAPITRE HUIT

L'OPTION NUCLÉAIRE

LA CENTRALE NUCLÉAIRE DE THREE MILE ISLAND (PENNSYLVANIE). UN RÉACTEUR EST TOUJOURS ACTIF, L'AUTRE A EN PARTIE FONDU EN 1979.

Dans le débat mondial sur la meilleure façon de produire de l'électricité sans qu'il s'en dégage d'énormes quantités de gaz à effet de serre, le nucléaire fait figure d'éléphant radioactif dans un magasin de porcelaine. Le principe d'utiliser la fission nucléaire comme source de chaleur pour faire tourner des turbines électriques a suscité un grand enthousiasme dans les vingt-cinq ans qui ont suivi la Seconde Guerre mondiale. À la fin des années 1960, l'Atomic Energy Commission prévoyait que les États-Unis auraient construit plus de 1 000 centrales nucléaires d'ici l'an 2000. Un dixième seulement a été effectivement réalisé. Le nucléaire, supposé fournir des quantités illimitées d'énergie bon marché, est une source d'énergie en crise depuis trente ans.

En 2003, une vaste étude du Massachusetts Institute of Technology (MIT) sur l'avenir du nucléaire (mise à jour en 2009) concluait en ces termes : « L'énergie nucléaire aurait pu être une option pour réduire les émissions de carbone. Mais c'est peu probable à présent : le nucléaire connaît la stagnation et le déclin. »

Les arguments en faveur du nucléaire, jadis très convaincants, demeurent séduisants. Une livre d'uranium contient autant d'énergie que 3 millions de livres de charbon. La sûreté du fonctionnement des centrales s'est améliorée, et l'acceptation du nucléaire par l'opinion également. La durée de vie des centrales les plus anciennes est passée de quarante à soixante ans. La perspective d'un prix donné au CO_2 va accroître la compétitivité de l'électricité nucléaire par rapport à celle issue de combustibles fossiles. Sachant qu'une part considérable des automobiles aux États-Unis devra passer des hydrocarbures à l'électricité, les centrales nucléaires permettront de réduire quelque peu la dépendance aux sources d'énergie étrangères. Le « facteur capacité » moyen des centrales nucléaires dans ce pays est passé de

56 % dans les années 1980 à 90 % ces sept dernières années. De ce fait, la quantité d'électricité produite par les centrales américaines n'a cessé de croître depuis dix ans.

Néanmoins, l'industrie reste moribonde aux États-Unis et sa croissance dans le reste du monde s'est beaucoup ralentie : en 2008, aucune nouvelle centrale n'a été installée, et l'on constate une baisse de capacité et de production au niveau mondial. Les investissements privés dans de nouvelles centrales, décidés après 1972, sont arrivés à un palier au cours des années 1970, et la plupart des réacteurs en projet ont été annulés ou reportés *sine die*. Aux États-Unis, aucune centrale nucléaire décidée après 1972 n'a été achevée.

Les centrales nucléaires produisent de la chaleur par une réaction en chaîne de fission. L'uranium est l'élément naturel le plus lourd sur Terre ; de ce fait, la « puissante force » qui lie le noyau des atomes est plus faible, car le noyau tient ensemble quatre-vingt-douze protons (un seul pour le noyau de l'atome d'hydrogène). Cela permet à un atome d'uranium de se briser plus facilement lorsqu'il se heurte à un neutron.

DES EMPLOYÉS D'UNE CENTRALE NUCLÉAIRE
DE CAROLINE DU SUD SCELLENT UN FÛT
DE DÉCHETS RADIOACTIFS À FAIBLE ACTIVITÉ.

En se brisant, le noyau de l'atome d'uranium libère une grande quantité d'énergie sous forme de chaleur et de rayonnement. Il libère aussi cent quarante-trois neutrons, dont deux ou trois heurtent les noyaux d'atomes d'uranium voisins, provoquant une libération continue de chaleur, de rayonnement, et d'autres neutrons, dans le processus bien connu appelé « chaîne de réaction ». Ce processus est modulable et contrôlable au moyen de barres (faites en cadmium, bore, indium, argent ou hafnium), qui absorbent une partie des

neutrons volants afin d'éviter qu'ils cassent encore plus d'atomes d'uranium.

Grâce à ces barres de contrôle, les ingénieurs régulent les niveaux de chaleur au cœur du réacteur nucléaire. Cette chaleur est utilisée pour faire bouillir de l'eau, ce qui entraîne des turbines électriques à vapeur et produit de l'électricité. Nombre de réacteurs transfèrent d'abord la chaleur à de l'eau sous haute pression, puis transfèrent la chaleur de cette eau bouillante pressurisée à une seconde réserve d'eau, qui se change en vapeur

COMMENT FONCTIONNE UN RÉACTEUR NUCLÉAIRE

Dans le cœur du réacteur, les atomes d'uranium sont cassés au cours d'une réaction en chaîne, ralentie par des barres de contrôle. La réaction en chaîne libère des rayons gamma qui créent une chaleur hautement énergétique, laquelle chauffe de l'eau. L'eau chaude radioactive traverse de l'eau froide dans des tuyaux pour former de la vapeur qui entraîne une turbine, produisant de l'électricité. La chaleur résiduelle est libérée par la tour de refroidissement sous forme de vapeur.

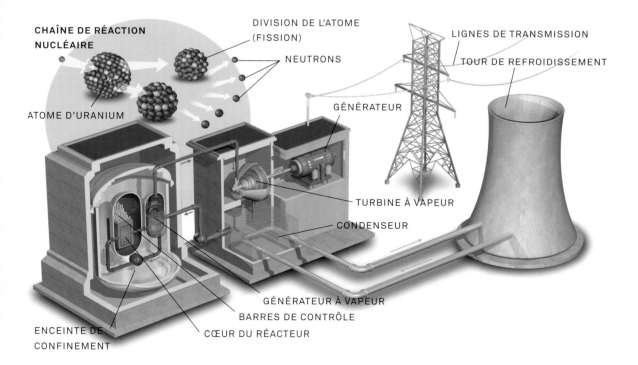

CHAÎNE DE RÉACTION NUCLÉAIRE

DIVISION DE L'ATOME (FISSION)

NEUTRONS

LIGNES DE TRANSMISSION

TOUR DE REFROIDISSEMENT

ATOME D'URANIUM

GÉNÉRATEUR

TURBINE À VAPEUR

CONDENSEUR

GÉNÉRATEUR À VAPEUR

BARRES DE CONTRÔLE

ENCEINTE DE CONFINEMENT

CŒUR DU RÉACTEUR

sans devenir radioactive. Cette seconde technologie (les réacteurs à eau pressurisée) est à la base des deux tiers des centrales nucléaires aux États-Unis et de plus de 60 % dans le monde. Les autres réacteurs aux États-Unis sont des réacteurs à « eau bouillante ». Il existe des variantes des premiers dans plusieurs pays, y compris des réacteurs à « eau lourde » et des réacteurs refroidis au gaz.

Ce que l'opinion publique reproche à l'industrie nucléaire est lié à deux facteurs principaux : le premier est l'effet combiné de l'accident connu de Three Mile Island, près de Harrisburg (Pennsylvanie), en mars 1979, et de celui, bien plus grave, de Tchernobyl, sept ans plus tard, à proximité de la frontière entre l'Ukraine et la Biélorussie. Le second est le débat éternel, et toujours latent, sur le stockage à long terme des déchets radioactifs, qui restent dangereux pendant des milliers d'années.

Ces deux problèmes sont bien réels et pourront sans doute un jour être résolus. Mais aucun n'est la véritable cause du déclin de l'industrie nucléaire, sur laquelle étaient placés tant d'espoirs. Celui-ci est dû en réalité à deux autres problèmes, qui pourraient ne pas trouver de solution.

Il y a d'abord l'économie inacceptable de l'actuelle génération de réacteurs, qui a transformé les rêves nucléaires jadis glorieux en cauchemars pour le secteur du nucléaire.

Le coût de construction des centrales s'est accru de façon rapide, au point que la plupart des compagnies ont depuis longtemps renoncé à commander de nouveaux réacteurs. En 1985, le magazine *Forbes* concluait : « L'échec du programme nucléaire américain est le plus gros désastre managérial dans l'histoire des affaires, un désastre monumental... Pour les États-Unis, l'énergie nucléaire est morte – morte à court terme comme remède aux prix élevés du pétrole, morte à long

terme comme source d'énergie future. Personne ne nie cela. »

Dans l'industrie nucléaire, certains contestent cette conclusion, relevant d'autres raisons à ce déclin. Le temps nécessaire à l'obtention d'une autorisation est souvent cité – même si les formalités réglementaires ont été réformées selon les souhaits de l'industrie. Des inquiétudes quant à la

En 1988, j'ai visité Tchernobyl et j'ai vu le réacteur qui avait fondu deux ans plus tôt. J'ai marché dans la tour fantôme voisine, Pripyat, toujours muette. Selon l'U.S. Nuclear Regulatory Commission et l'Association internationale de l'énergie atomique, 4 000 personnes auraient perdu la vie à cause de l'accident, qui a libéré cent fois plus de radiations que les bombes atomiques sur Nagasaki et Hiroshima. 50 000 personnes ont dû être déplacées. À plus de 2 000 km, le Pays de Galles a subi les effets de l'accident. Un quart de siècle plus tard, il n'est toujours pas sain de manger du mouton élevé dans certaines régions galloises.

sécurité (compliquées par la perte d'expertise au sein des entreprises construisant les centrales) maintiennent la pression sur les autorités pour que soit évité tout accident.

Longtemps, les partisans du nucléaire ont souligné les succès enregistrés en France, en Corée-du-Sud et dans d'autres pays pour montrer que la technologie demeurait intéressante et devait être considérée comme une option de choix aux États-Unis et ailleurs dans le monde.

La France, qui tire plus des trois quarts de son électricité du nucléaire, est souvent citée comme exemple de réussite. On sait moins que le programme français est presque entièrement aux mains de l'État, qui achète l'essentiel de son électricité ainsi produite. Le niveau de subvention publique est difficile à déterminer en raison du manque de transparence du financement du secteur. La France devance les États-Unis quant aux solutions apportées au problème du stockage des déchets – même si elle recourt au processus coûteux et controversé de transformation – et affiche jusqu'à présent de bons résultats en termes de sécurité et de fiabilité. Cependant, le pays fait aujourd'hui face à de sérieuses difficultés financières. En outre, le nouveau projet modulaire que la France réalise en Finlande, censé être moins coûteux à construire et fonctionner de façon plus sûre, dépasse largement les délais et les budgets prévus.

Le coût estimé de construction d'une centrale nucléaire est passé de 400 millions de dollars dans les années 1970 à 4 milliards dans les années 1990, et le temps de construction a doublé. On estime que, dès avant la crise économique mondiale commencée en 2008, le coût de construction des centrales nucléaires augmentait à un rythme de 15 % l'an (c'est-à-dire que le coût d'une nouvelle centrale au moment de son achèvement a été multiplié par dix en moins de dix-sept ans). Bien que cela semble incroyable, il est désormais difficile de trouver aux États-Unis ou en Europe une seule firme d'ingénierie réputée prête à dire combien peut coûter la construction d'une centrale nucléaire.

Comme Steve Kidd, le directeur de stratégie et de recherche de la World Nuclear Association, écrivait en 2008, dans *Nuclear Engineering International*, «qu'il est presque impossible de faire des estimations du coût d'une nouvelle centrale nucléaire». L'expérience a montré que chaque année de retard dans la construction augmente le coût de 1 milliard de dollars.

Jeune parlementaire du Tennessee à la fin des années 1970 et au début des années 1980, j'ai moi-même observé cette débâcle dans la zone couvrant sept États alimentée par la Tennessee Valley Authority (TVA). Présente à la naissance de l'industrie nucléaire dans les années 1940 (et ayant fourni toute l'électricité nécessaire à l'enrichissement de l'uranium à Oak Ridge, Tennessee), la TVA fut l'un des plus ardents partisans du nucléaire. Dans les années 1960 et au début des années 1970, à une époque où la consommation d'électricité augmentait de 7 % par an, la TVA a commandé dix-sept réacteurs nucléaires.

À l'automne 1973, l'embargo de l'OPEP a fait exploser les prix du pétrole, ce qui provoqua de fortes hausses du prix du charbon (du fait d'une demande accrue pour remplacer le pétrole) et donc de l'électricité. En réaction à ces hausses de coût, la consommation d'électricité a marqué le pas.

En outre, le «Project Independence» de Richard Nixon, et les politiques innovantes de Jimmy Carter en matière d'économies d'énergie, d'efficience énergétique et d'énergie renouvelable se sont inscrits dans un effort national pour réduire le rapport de la consommation d'énergie à l'énergie produite.

L'ESPAGNE A ARRÊTÉ DE CONSTRUIRE
DES CENTRALES NUCLÉAIRES EN 1984.
CETTE INSTALLATION, À ARMINTZA,
EST DEPUIS RESTÉE INACHEVÉE.

Une fois la crise passée, la demande d'électricité a pris un rythme de croissance de 1 à 2 % par an, contraignant la TVA à annuler huit commandes de réacteurs et à en différer trois autres. Le coût total de l'électricité produite par la TVA a continué à augmenter considérablement, en partie parce que le coût des réacteurs inachevés devait être inclus dans le prix de l'électricité des centrales existantes. D'autres compagnies ont connu la même chose. Au total, cent vingt-trois projets de réacteurs nucléaires ont été annulés, trois ont été ajournés *sine die* et treize ont été fermés aux États-Unis dans les années 1970 et 1980, même si quelques centrales commandées avant 1974 ont depuis été achevées, après une interruption de chantier.

Sur les deux cent cinquante-trois réacteurs commandés aux États-Unis entre 1953 et 2008, 48 % ont été annulés, 11 % ont été fermés prématurément, 14 % ont connu un arrêt de fonctionnement d'un an ou plus, et 27 % fonctionnent normalement. Un quart des réacteurs commandés, ou la moitié des réacteurs achevés, sont donc toujours en activité et se sont avérés relativement fiables.

La longue interruption de la construction nucléaire après l'accident de Three Mile Island a entraîné une perte de compétences et d'expertise. Les doutes des ingénieurs quant à l'avenir de l'industrie nucléaire les ont détournés de cette activité comme option de carrière possible – renforçant les doutes des compagnies quant à la possibilité de trouver du personnel compétent pour construire et gérer les centrales. Plus d'un tiers de la main-d'œuvre américaine qui travaille encore dans le nucléaire atteindra l'âge de la retraite dans les trois prochaines années. Il y a trente ans, on comptait soixante-cinq programmes universitaires d'ingénierie nucléaire aux États-Unis ; aujourd'hui, on en recense moins de trente.

Par ailleurs, l'avenir incertain de l'industrie nucléaire a aussi découragé les investissements qui lui auraient permis d'atteindre une taille critique. Actuellement, par exemple, une seule entreprise dans le monde est capable de construire la partie clé de l'enceinte de confinement du réacteur. Située au Japon, elle ne peut produire plus de quatre enceintes par an. Même si sa capacité va être doublée et qu'il se pourrait que d'autres entreprises bâtissent des fonderies spécialisées, cela représente un coût très élevé, tandis que plusieurs industries réclament des produits similaires auprès des mêmes fournisseurs. La construction de nouvelles fonderies n'étant pas certaine, les compagnies fournissant l'électricité doutent à leur tour de pouvoir se fier aux projections concernant les délais et l'argent nécessaires pour construire des réacteurs.

Presque chaque point de la chaîne connaît des goulots d'étranglement. Les fournisseurs d'éléments hésiteront à les fabriquer s'ils ne sont pas certains de recevoir des commandes, et les compagnies ne passeront pas commande si elles ne sont pas sûres d'avoir les financements. Les investisseurs n'apporteront pas les fonds tant que des goulots d'étranglement risquent d'accroître le coût et le temps de construction. La nécessité de commander des éléments à de nouveaux fabricants pose aussi des problèmes de qualité et d'assurance.

En plus de ces problèmes, chacun des quatre cent trente-six réacteurs fonctionnant à présent dans le monde est, à quelques exceptions près, son propre modèle. Ce manque de standardisation renchérit encore le coût d'ingénierie et de construction, tout en compliquant l'efficacité de la formation et de la maintenance des protocoles

de sécurité, qui doivent être abordés de façon différente pour chaque modèle. La nécessité d'une standardisation accrue a été reconnue comme une priorité depuis l'annulation de plusieurs projets de réacteurs au début des années 1980. La Corée-du-Sud en a tenu compte dans son programme national, tandis que les législateurs américains poussent dans la même direction. Mais, y compris en France, les efforts nationaux de standardisation et de contrôle n'ont pas protégé le programme nucléaire de l'escalade des coûts financiers et des délais de construction.

Il y a aussi des doutes quant à l'avenir de la demande d'électricité, dans une époque marquée par un regain d'intérêt pour l'efficience énergétique, la préservation de l'énergie et les énergies renouvelables. Cette incertitude décourage les compagnies disposant de budgets limités de parier sur le nucléaire. Cette réticence à engager des investissements considérables et aux retours incertains est encore compliquée par le fait que les centrales nucléaires ne peuvent être que d'une seule taille : très grandes.

Au début de l'industrie nucléaire, la plupart des réacteurs étaient plus petits que ceux d'aujourd'hui, gigantesques. Mais la difficulté de produire de l'électricité à un coût suffisamment bas pour concurrencer le charbon a conduit les entreprises à accroître la taille des centrales jusqu'à 1 000 mégawatts (et même 1 600 mégawatts), afin de réduire les coûts en maximisant les économies d'échelle. Malheureusement, les compagnies ont sous-estimé la dépense supplémentaire nécessaire pour maîtriser la complexité de ces installations de très grande taille.

Quand les producteurs d'électricité ont pris la gestion de la construction des centrales aux sous-traitants spécialisés qui avaient, au début, construit les réacteurs clefs en main, ils n'étaient

L'ÉNERGIE NUCLÉAIRE DANS LE MONDE

Il y a 436 réacteurs nucléaires en activité dans le monde, qui ont la capacité de produire 372 GW d'électricité.
Au total, trente pays ont au moins un réacteur nucléaire. Les États-Unis, avec 104 réacteurs en activité, en ont deux fois
plus que la France (59) et le Japon (53). La Russie en a 31, et les autres pays de l'ex-URSS 35 (dont 15 en Ukraine).
La Corée-du-Sud en a 20, le Royaume-Uni 19, suivi du Canada (18), de l'Allemagne et de l'Inde (17 chacune).

Aux États-Unis, trente et un États sur cinquante ont des centrales nucléaires. L'Illinois est celui qui produit le plus
d'électricité de cette façon, suivi par la Pennsylvanie, la Caroline-du-Sud, New York, le Texas et la Caroline-du-Nord.
Le nucléaire américain représente environ 31 % de l'électricité nucléaire produite dans le monde.

Aujourd'hui, 52 centrales sont en construction dans quatorze pays, dont 16 en Chine, 9 en Russie, 6 en Inde
et 5 en Corée-du-Sud.

SUÈDE 10
FINLANDE 4
LITUANIE 1
ALLEMAGNE 17
PAYS-BAS 1
ROYAUME-UNI 19
BELGIQUE 7
FRANCE 59
ESPAGNE 8
SUISSE 5
RÉPUBLIQUE TCHÈQUE 6
SLOVÉNIE 1
HONGRIE 4
BULGARIE 2
SLOVAQUIE 4
UKRAINE 15
ARMÉNIE 1
ROUMANIE 2
RUSSIE 31
JAPON 53
CHINE (ET TAIWAN) 17
CORÉE-DU-SUD 20
INDE 17
PAKISTAN 2
CANADA 18
ÉTATS-UNIS 104
MEXIQUE 2
BRÉSIL 2
ARGENTINE 2
AFRIQUE DU SUD 2

■ ÉNERGIE NUCLÉAIRE
(en nombre de réacteurs)

■ ÉNERGIE NUCLÉAIRE
ET ARMES NUCLÉAIRES
(en nombre de réacteurs)

SOURCE : World Nuclear Association ; Federation of American Scientists

LE NUCLÉAIRE DE NOUVELLE GÉNÉRATION

Certains experts pensent que l'approche la plus prometteuse est le réacteur « à lit de galets », inspiré d'un modèle allemand des années 1960. Au lieu d'user des barres de contrôle, chaque jour, 3 000 galets d'oxyde d'uranium sont ajoutés aux 360 000 galets déjà au cœur du réacteur, remplaçant ceux, usagés, qui sont retirés du fond. Il y a dans chaque galet des milliers d'« amandes » de dioxyde d'uranium, chacune contenant du carbure de silicium et du carbone pyrolytique. Le galet, de la taille d'une boule de billard, est placé dans une coquille de graphite qui peut supporter des températures de 2 800 °C – bien supérieures à celle de la réaction.

En théorie, ce processus permettrait de recueillir la chaleur avec l'hélium fuyant par les espaces laissés entre les galets, comme des chewing-gums d'une gigantesque « machine à chewing-gums », selon un physicien. Cette combinaison élégante du métal naturel le plus lourd – l'uranium – et du gaz inerte le plus léger – l'hélium – pourrait rendre le processus bien plus sûr,

car l'hélium capte la chaleur sans devenir radioactif ; c'est l'hélium chauffé qui fait tourner la turbine.

Un des avantages de cette approche, c'est qu'il n'est plus nécessaire d'arrêter le réacteur pour le recharger en combustible. En outre, il y a moins de risque que les galets prennent feu et soient donc utilisés pour fabriquer des armes, de quoi satisfaire tous ceux qui s'inquiètent des accidents et de la prolifération. Enfin, le réacteur serait à l'épreuve de la fusion, car les galets absorbent les neutrons en excès si la température commence à dépasser les niveaux requis.

Il reste le problème des possibles pénuries d'hélium. Si l'on construisait beaucoup de réacteurs à lit de galets, les goulots d'étranglement dans l'approvisionnement en hélium limiteraient leur développement. La Chine dispose d'un petit modèle expérimental et l'Afrique du Sud pourrait bientôt construire un prototype. La plupart des experts estiment que, même en cas de réussite, cette option ne sera pas commercialisée avant vingt-cinq ans.

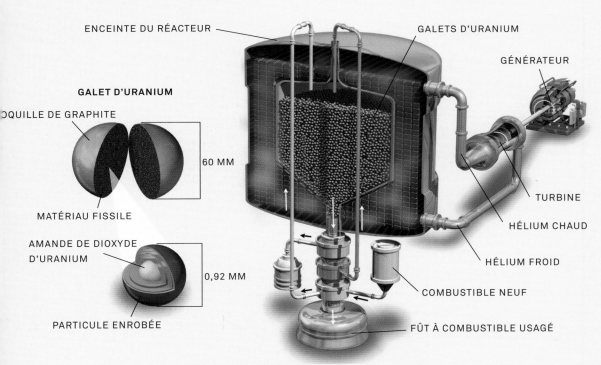

ENCEINTE DU RÉACTEUR

GALETS D'URANIUM

GÉNÉRATEUR

GALET D'URANIUM

COQUILLE DE GRAPHITE

60 MM

MATÉRIAU FISSILE

AMANDE DE DIOXYDE D'URANIUM

0,92 MM

PARTICULE ENROBÉE

TURBINE

HÉLIUM CHAUD

HÉLIUM FROID

COMBUSTIBLE NEUF

FÛT À COMBUSTIBLE USAGÉ

RÉACTEUR NUCLÉAIRE À LIT DE GALETS

pas préparés à faire face aux extraordinaires défis qui les attendaient. Un fossé énorme sépare la culture et la pratique de la physique nucléaire de la culture et de la pratique de la soudure. Il était plus facile de combler ce fossé au cours de la première période de construction des centrales, quand scientifiques et ingénieurs de l'armée et de l'Atomic Energy Commission contrôlaient toutes les étapes du processus. Lorsque les responsabilités ont été confiées à des sociétés privées, travaillant avec de multiples fournisseurs et sous-traitants, l'esprit d'entreprise et l'éthique relatifs à la conception et à la construction de centrales nucléaires ont connu bien des entorses.

Avec l'apparition des goulots d'étranglement inhérente à l'incertitude quant à l'échelle et à la continuité de la construction nucléaire, la recherche de nouveaux partenaires et de sous-traitants a un peu plus remis en cause l'intégrité et la fiabilité du processus.

L'évolution de l'environnement macroéconomique entraîna une hausse du prix des biens nécessaires à la réalisation de projets de grande taille, qu'il s'agisse de l'acier, du béton, des services d'ingénierie et de design, ou encore du capital. Quand la hausse des délais de construction et des coûts a miné la confiance dans la fiabilité des contrats, les entreprises ont commencé à se demander quel serait l'impact de nouveaux achats de réacteurs sur leur capacité d'emprunt et sur le coût du capital en général.

La deuxième cause de ralentissement de l'essor des centrales nucléaires dans le monde, ce sont les risques de prolifération des armes nucléaires. J'ai travaillé huit ans à la Maison Blanche : tous les problèmes de prolifération d'armes nucléaires étaient liés à un programme de réacteur. Cela aurait été surprenant pour les partisans du nucléaire des années 1950 et 1960. Ils pensaient

sincèrement que les défis scientifiques et d'ingénierie impliqués dans la construction d'armes nucléaires étaient si différents de ceux du nucléaire civil qu'il était relativement facile de construire des centrales nucléaires pour produire de l'électricité sans accroître le risque que l'arme nucléaire tombe en de mauvaises mains.

Mais ceux qui veulent se procurer des armes nucléaires trouveront, hélas, facilement leur mode d'emploi. Et si les outils nécessaires à la fabrication des éléments clés d'une arme nucléaire sont difficiles à se procurer et sont contrôlés aussi étroitement que possible, l'élément le plus important d'une bombe nucléaire, c'est le matériau fissile. Et, là encore, les idées de jadis ne sont plus à même de nous rassurer.

Le procédé d'enrichissement du matériau nucléaire est bien plus compliqué pour fabriquer une arme que pour alimenter un réacteur civil, mais les progrès dans la technologie de l'enrichissement rendent plus facile aux pays ayant à leur disposition du matériau fissile de l'enrichir en vue de l'utiliser pour une arme. Une équipe de scientifiques et d'ingénieurs capable de gérer un programme nucléaire et au moins une partie du cycle du carburant nucléaire pourrait être contrainte par un dictateur de travailler secrètement à un programme d'armes nucléaires. C'est principalement de cette façon que les armes nucléaires ont proliféré depuis vingt-cinq ans.

Le transfert de matériaux nucléaires peut également se faire du domaine militaire au domaine civil. En 1998, j'ai participé à la négociation d'un accord entre les États-Unis et la Russie visant à démanteler un grand nombre d'armes nucléaires des arsenaux des deux pays. Il en a résulté un surplus de matériau pouvant techniquement être converti en combustible pour des réacteurs civils. Malheureusement, cette conversion s'est avérée

UN RÉACTEUR DE « GÉNÉRATION III+ »
EST ACTUELLEMENT EN CONSTRUCTION
À FLAMANVILLE (FRANCE). LA CONSTRUCTION
DE LA PROCHAINE GÉNÉRATION DE RÉACTEURS
A ÉTÉ FREINÉE PAR DES RETARDS ET
DES DÉPASSEMENTS DE COÛT.

difficile en pratique, et l'augmentation soudaine de l'offre a déstabilisé le marché du combustible pour réacteur.

Nombre de chercheurs et de développeurs travaillent d'arrache-pied à essayer de résoudre les problèmes des réacteurs de première génération en mettant au point de nouveaux modèles. Ils espèrent que les prochains réacteurs seront moins coûteux à construire, fonctionneront de façon plus sûre et moins onéreuse, seront moins vulnérables aux accidents et au terrorisme, et qu'il pourra être rentable d'en construire de petite taille – ce qui est plus intéressant pour les investisseurs du fait de l'inconstance de la demande d'électricité.

Il existe plus de cent projets de réacteurs pour des centrales dites de « génération IV », dont des « réacteurs rapides au sodium » (ou « réacteurs rapides intégraux »), qui utilisent le sodium comme réfrigérant. En Afrique du Sud, l'Idaho National Laboratory en explore une variante, le réacteur à très haute température.

Quelle que soit la stratégie choisie par les États-Unis et d'autres pays développés afin de résoudre la crise du climat, celle-ci constituera un modèle pour toutes les autres nations. Cela étant, il est difficile d'imaginer que les pays développés puissent dire : « Nous choisissons le nucléaire, mais nous ne vous permettrons pas de l'utiliser en raison de nos craintes de prolifération. »

Pourtant, si le monde devait décider de placer le nucléaire au cœur de la production d'électricité de demain, il faudrait construire des milliers de nouveaux réacteurs. Et nombre d'entre eux seraient placés dans des pays dont la plupart des gens pensent qu'ils ne doivent pas posséder d'armes nucléaires.

Une des solutions souvent proposées est de créer, sous le contrôle des pays développés dotés du nucléaire, une autorité internationale qui fournirait du combustible nucléaire aux pays moins développés. Les termes de la transaction assureraient que le combustible reste sous le contrôle du pays développé fournisseur. Une fois consommé, le combustible serait remplacé de façon à ne jamais être sous le contrôle du pays en développement. Mais la plupart des pays en développement ont refusé ce dispositif, craignant que leurs programmes énergétiques soient ainsi contrôlés par d'autres pays.

Le choix du nucléaire induit un autre problème : la pression sur l'offre de combustible disponible qu'exercera la multiplication du nombre de réacteurs dans le monde. Cela ne concerne pas uniquement les réserves actuelles d'uranium, mais aussi la capacité de la planète à développer les activités d'exploitation et de transformation de l'uranium. Aujourd'hui, il faut du temps pour ouvrir de nouvelles mines d'uranium. Plus de la moitié des personnes travaillant dans ce domaine (la part d'actifs a baissé ces dernières années) sont occupées à des opérations de nettoyage destinées à prévenir les risques pour la santé et l'environnement qui peuvent en résulter.

Les défenseurs du nucléaire ont une réponse face à cette pénurie éventuelle d'uranium transformé : retraiter le combustible des réacteurs afin d'accroître sa durée de vie utile. En effet, les réacteurs actuels n'utilisent que 1 % de l'énergie présente dans le noyau d'uranium, et le retraitement est déjà mis en œuvre en Russie, en Europe et, depuis l'an dernier, au Japon. Il s'agit toutefois d'un processus qui sépare et recycle le plutonium, puis le transporte pour qu'il soit utilisé dans les réacteurs.

De nombreux partisans du nucléaire sont depuis longtemps favorables au retraitement du combustible usagé afin de créer de nouveaux stocks pour les réacteurs. Cette approche, appelée « recyclage », est parfois promue comme une alternative à l'utilisation de sites de stockage à long terme. L'argument est pourtant fallacieux car le recyclage accroît en réalité le volume total de déchets, même s'il réduit le volume de déchets ultimes. Certes, le recyclage augmenterait les ressources d'uranium disponibles dans le monde pour les centrales nucléaires et permettrait de mieux maîtriser les flux de déchets à stocker. Mais il génère une hausse du coût du cycle du combustible et ne règle pas le problème des déchets.

Par ailleurs, le retraitement produit du plutonium, qui peut être utilisé pour fabriquer des armes nucléaires. Cette option controversée pourrait faciliter l'accès un matériau nucléaire encore plus dangereux, ainsi qu'au savoir, aux compétences et à l'équipement convenant à un usage civil et militaire. Dans ces circonstances, il serait bien plus difficile de limiter la prolifération et d'éviter que des terroristes mettent la main sur des armes nucléaires en vue de commettre des attentats à grande échelle.

Il n'existe actuellement aucune mesure de contrôle adéquate des flux de plutonium. Matthew Bunn, professeur à Harvard et principal expert sur les mesures de sauvegarde existantes, estime que celles-ci sont totalement inadaptées. Il pense que les autorités internationales devraient accorder une large priorité au renforcement de la sécurité nucléaire mondiale. Le régime actuel, souligne-t-il, est « entièrement volontaire ».

Le risque est d'autant plus important que l'Iran, la Corée-du-Nord et Al-Qaida – et tous ceux que l'on a pu associer au réseau d'A. Q. Khan, au Pakistan – s'efforcent d'obtenir du plutonium. Graham Allison, professeur à Harvard, spécialiste de la prolifération nucléaire et du terrorisme, prédit que sans nouvelles mesures de sauvegarde, le risque qu'un groupe terroriste fasse exploser une arme nucléaire dans une ville américaine au cours des dix prochaines années est de 50 %.

Quoi qu'il en soit, un nombre croissant d'experts estiment que le retraitement est un choix dangereux et stérile. Comme le MIT l'a récemment souligné, « nous savons peu de chose de la sûreté du cycle du combustible, au-delà du fonctionnement du réacteur ».

À l'autre bout du cycle du combustible nucléaire, le problème du stockage des déchets produits par les réacteurs a paralysé pendant des décennies le processus politique aux États-Unis et dans plusieurs autres pays. Toute proposition de site de stockage rencontre comme sérieux obstacle le fameux « Pas dans mon jardin ! » Il y a un consensus international sur la possibilité de stocker des

L'EMPREINTE CO₂ DES DIFFÉRENTES SOURCES D'ÉLECTRICITÉ

L'enthousiasme pour le nucléaire est largement dû au fait qu'il produit de l'électricité sans émettre de CO_2. Mais ce n'est pas totalement vrai. Le cycle de vie d'une centrale nucléaire – de la construction de la centrale à l'exploitation et au traitement de l'uranium, en passant par le transport et le stockage des déchets nucléaires et le démantèlement de la centrale – émet beaucoup de CO_2. La répartition de ce CO_2 sur la quantité de kilowatts d'électricité produits par une centrale en activité donne un taux d'émission par heure bien moindre que la quantité émise pendant la production d'électricité à partir du charbon. Cependant, le CO_2 lié aux centrales nucléaires est largement supérieur à celui lié à la production d'électricité éolienne, solaire ou hydraulique, selon les mêmes analyses de cycle de vie.

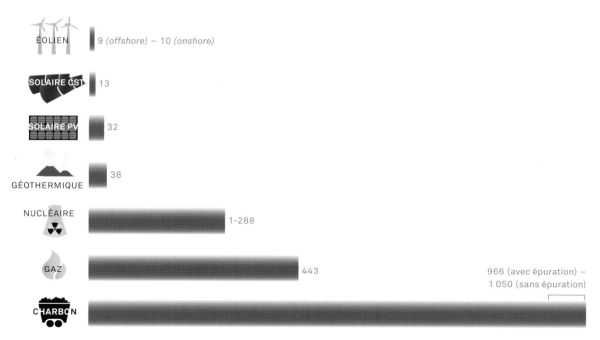

ÉOLIEN   9 *(offshore)* – 10 *(onshore)*

SOLAIRE CST   13

SOLAIRE PV   32

GÉOTHERMIQUE   38

NUCLÉAIRE   1-288

GAZ   443

CHARBON   966 (avec épuration) – 1 050 (sans épuration)

GRAMMES DE CO₂ PRODUITS PAR KWH D'ÉNERGIE

SOURCE : Benjamin K. Sovacool, *Energy Policy*, 36, 2008

déchets nucléaires dans des réservoirs souterrains, dans des lieux choisis pour leur stabilité géologique à long terme, leur sûreté, leur stabilité tectonique et l'absence de risque posé par la présence d'eau souterraine. Ces sites doivent être suffisamment profonds, assez éloignés des centres de population, mais accessibles aux transporteurs de déchets.

En dépit de ce consensus mondial sur la faisabilité technique du stockage, aucun pays n'a jusqu'à présent ouvert un tel site. Les déchets nucléaires les plus dangereux ayant une durée de vie de centaines de milliers d'années, le mot « long terme » a une signification tout autre lorsqu'il s'agit d'éva-luer chaque site envisagé. La Suède et la Finlande ont choisi des réservoirs géologiques qui semblent adaptés et ont réussi à obtenir l'accord de l'opinion publique. La France a également choisi un site, qui devrait ouvrir en 2025. Tous les autres pays sont derrière les États-Unis dans leur calendrier.

L'U.S Nuclear Regulatory Commission classe les déchets nucléaires en quatre catégories : les déchets « ultimes » ou « de haute activité » sont le combustible nucléaire usagé sortant des réacteurs. Un réacteur à eau légère de 1 000 mégawatts produit environ 27 tonnes de déchets ultimes chaque année. Les partisans de la solution nucléaire

VERS LA FUSION NUCLÉAIRE

Cela fait des années qu'une autre forme d'énergie attise tous les espoirs : la fusion. Si les réacteurs nucléaires classiques produisent de la chaleur en cassant des atomes lourds, la fusion dégage encore plus de chaleur en combinant des atomes légers. Les bombes atomiques construites durant la guerre froide reposaient sur la fusion, déclenchée par fission. La fusion est aussi le processus sous-jacent par lequel le soleil émet chaleur et lumière. Bien que des sommes énormes aient été dépensées pour mettre au point une forme pratique de fusion nucléaire, les espoirs ont cédé la place au constat que nous sommes encore loin d'arriver à un procédé utilisable.

Les chercheurs continuent à explorer deux pistes : le confinement magnétique des atomes destinés à fusionner, et le confinement inerte, qui utilise des lasers de haute intensité pour provoquer la fusion. Le projet Tokamak, du Princeton Plasma Physics Laboratory, fait depuis des décennies de lents progrès. La National Ignition Facility, au Lawrence Livermore National Laboratory, ouverte au printemps 2009, est le leader mondial des recherches sur le confinement inerte.

La National Ignition Facility, au Lawrence Livermore National Laboratory, commencera ses expériences en 2010. On voit, au centre, la chambre de 10 m de haut, où les scientifiques espèrent provoquer la fusion à l'aide de lasers.

soulignent qu'il faut comparer ce chiffre aux 400 000 tonnes de cendre de charbon toxique produites chaque année par une centrale à charbon. L'industrie nucléaire produit environ 10 000 m³ de déchets ultimes par an. S'ils ne représentent que 3 % du total des déchets des réacteurs, ces déchets portent 95 % de la radioactivité. Et ils sont les responsables de la paralysie politique aux États-Unis.

La deuxième catégorie, les « déchets de basse activité », est produite en quantité beaucoup plus importante mais bien moins radioactive. Elle inclut les vêtements contaminés, les filtres, les tuyaux, les outils, etc. Dans certains cas, cette catégorie comprend des éléments très radioactifs de l'enceinte de confinement.

La troisième catégorie, les « déchets du retraitement », a été créée par le ministère de l'Énergie pour les sous-produits liés au traitement du combustible nucléaire usagé.

La dernière catégorie, les « déchets radifères », englobe des déchets issus de la transformation du minerai d'uranium en combustible. Ils contiennent du radium, qui a une vie de plus de 1 000 ans. L'uranium-238, la forme la plus courante d'uranium dans la nature, contient trois neutrons supplémentaires dans chaque atome avant d'être séparé de l'uranium-235, forme plus rare utilisée comme combustible pour la plupart des réacteurs.

Si l'essentiel de la controverse sur les déchets nucléaires porte sur le choix de sites de stockage à long terme, il existe aussi le risque, à court terme, du transport de grandes quantités de déchets depuis les réacteurs vers les sites de stockage.

Quand le gouvernement américain, afin de remédier à l'inutilité de ses efforts pour décider d'un site de stockage à long terme, a tenté de créer un site de court terme où les déchets pourraient être stockés jusqu'à la construction du site de long terme, une autre controverse est apparue. Cela a

L'EAU ET LA PRODUCTION D'ÉNERGIE

La plupart des centrales nucléaires ont besoin de grands volumes d'eau, surtout pour le refroidissement. De 94 000 à 227 000 litres d'eau sont nécessaires pour chaque mégawattheure d'électricité produit par une centrale à système de refroidissement en « boucle ouverte », mais seuls 1 684 à 3 292 litres sont consommés dans le processus, selon le type de centrale. Les centrales à « boucle fermée » nécessitent moins d'eau mais en consomment autant. Cette eau ne devient pas radioactive ; en revanche, bien plus chaude, elle repart dans les fleuves, les lacs et les mers d'où elle a été retirée, tuant parfois les poissons et créant d'autres problèmes. Certains proposent de capturer cette eau usée.

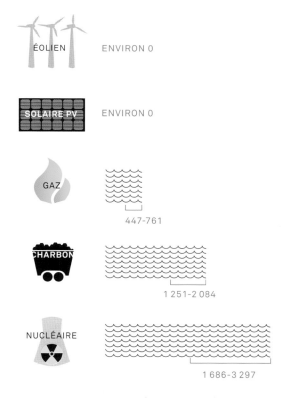

ÉOLIEN   ENVIRON 0

SOLAIRE PV   ENVIRON 0

GAZ

447-761

CHARBON

1 251-2 084

NUCLÉAIRE

1 686-3 297

LITRES D'EAU CONSOMMÉS PAR MWH D'ÉLECTRICITÉ

SOURCE : U.S. Department of Energy

suscité une opposition supplémentaire y compris à l'égard des sites de court terme. Les critiques ont observé que l'architecture du projet doublerait le risque en faisant transporter deux fois les déchets : d'abord vers le site de court terme, puis vers le second site. Pour cette raison, le combustible usagé aux États-Unis est désormais stocké sous terre dans des fûts, sous chaque réacteur.

Le choix de la Yucca Mountain, au Nevada, comme site de stockage à long terme a naturellement produit une opposition farouche dans cet État. Mais ce sont les controverses sur la sûreté géologique du site qui ont été les plus violentes. Après un nouvel examen, les experts ont découvert que le site était tectoniquement actif et que son environnement géochimique produisait des oxydes, ce qui est contraire aux critères retenus pour ce type de stockage. Les populations habitant le long des voies de transport des déchets se sont elles aussi fortement opposées au projet.

Bien que la construction de centrales nucléaires ait cessé aux États-Unis, la Tennessee Valley Authority a rénové et redémarré un des réacteurs qu'elle avait fermés plus de vingt ans auparavant. Elle a aussi repris la construction d'un autre réacteur qu'elle avait commandé puis ajourné. Hormis ces deux cas, aucune commande de réacteur n'a été lancée aux États-Unis depuis 1978.

Même les nouvelles subventions, très importantes, et les garanties du gouvernement n'ont pas réussi à attirer l'investissement privé vers le nucléaire. Ces subventions sont estimées par Amory Lovins, cofondateur du Rocky Mountain Institute, à un total de plus de 500 milliards de dollars. Elles comprennent : des garanties d'emprunt à la construction, une surtaxation de l'électricité pour financer les recherches sur le stockage à long terme, des garanties publiques pour les assurances contre les catastrophes, une assurance financée par l'impôt contre les retards dus à la législation, le partage des coûts avec les contribuables durant le processus d'autorisation, des dépenses fédérales en recherche et développement (plus de 150 milliards de dollars), et des garanties publiques pour couvrir certains coûts comme les créances non recouvertes lors de la construction des vieux réacteurs. De ce fait, certaines entreprises ont néanmoins consenti à s'intéresser de nouveau à l'option nucléaire. Dix-sept nouvelles demandes pour vingt-six réacteurs ont été soumises à la Nuclear Regulatory Commission, mais aucune ne s'est accompagnée d'un engagement de financement et pas une construction n'a commencé.

Sur les cent quatre réacteurs fonctionnant aux États-Unis, vingt-quatre sont dans des zones qui subissent de graves sécheresses (surtout dans le sud-est du pays). Ces zones font partie de celles où l'on pense qu'en raison du réchauffement climatique, les sécheresses seront à la fois plus graves et plus fréquentes. Déjà, un réacteur de la TVA, dans l'Alabama, a dû être stoppé parce que des températures trop élevées réduisaient les courants et les niveaux d'eau, limitaient la possibilité de puiser de l'eau et ne permettaient plus de rejeter de l'eau chaude sans tuer de poissons.

Lors de la vague historique de chaleur en Europe, en 2003, la France, l'Espagne et l'Allemagne ont été contraintes de fermer plusieurs centrales nucléaires et de réduire la production d'électricité des autres en raison de faibles niveaux d'eau. Si, comme le prévoient les scientifiques, le réchauffement a un impact encore plus fort sur les niveaux d'eau dans les années à venir et sur les conditions de sécheresse, d'autres centrales nucléaires situées sur les berges des fleuves et des lacs pourraient faire face à des fermetures périodiques coûteuses, ce qui rendrait l'électricité nucléaire encore moins compétitive qu'elle ne l'est déjà.

CHACUN DE CES FÛTS EN BÉTON CONTIENT DU COMBUSTIBLE NUCLÉAIRE USAGÉ. LES FÛTS ATTENDENT TOUJOURS UN LIEU DE STOCKAGE PERMANENT, APRÈS L'ANNULATION DU PROJET DE SITE DE LA YUCCA MOUNTAIN, DANS LE NEVADA.

CHAPITRE NEUF

LES FORÊTS

L'AMAZONIE EST LA PLUS GRANDE FORÊT
DE PLUIE DE LA TERRE. CHAQUE ANNÉE, PLUS DE
10 000 KM² EN SONT POURTANT DÉTRUITS.

Les émissions de CO_2 issues de la déforestation sont la deuxième cause de réchauffement climatique après l'emploi de combustibles fossiles pour produire de l'électricité et de la chaleur. On estime qu'entre 20 et 23 % des émissions de CO_2 annuelles – davantage que celles des voitures et des camions – viennent de la destruction et du brûlage des forêts.

La principale cause directe de déforestation, c'est la technique du brûlis, utilisée pour substituer aux forêts une agriculture de subsistance ou de plantation, ou de l'élevage, en particulier dans les pays tropicaux et subtropicaux. L'éminent écologiste Norman Myers a récemment estimé que la déforestation actuelle est due pour 54 % à l'agriculture sur brûlis, 22 % au développement des plantations de palmier à huile, 19 % au bûcheronnage et 5 % à l'élevage.

Heureusement, les gouvernements de la planète sont d'accord pour tenter de réduire la déforestation. Mais y parvenir implique de s'attaquer aux causes sous-jacentes de la déforestation, à savoir :

▶ la pauvreté et la croissance démographique dans les pays pauvres ; l'appétit vorace du marché mondial pour des sources bon marché de bois, d'huile de palme, de bœuf, de soja, de canne à sucre et d'autres marchandises produites sur une terre nettoyée de ses arbres ;

▶ l'incapacité de l'économie de marché à accorder aux forêts une valeur autre que celle consistant à tirer des revenus de leur destruction ;

▶ l'échec de la communauté internationale à s'entendre pour fixer un prix au carbone et aider les pays tropicaux à monétiser la véritable valeur de leurs forêts pour l'ensemble de la planète ;

▶ la corruption qui sape l'efficacité des lois et réglementations existantes visant à prévenir les déforestations irresponsables.

Selon Myers, le plus grand changement dans les schémas de déforestation des dernières années, c'est une progression significative de l'agriculture sur brûlis. Alors qu'auparavant, les mêmes groupes de personnes se déplaçaient d'une forêt à l'autre, il y a aujourd'hui de plus en plus de migrants pauvres, en particulier dans l'Amazonie brésilienne et dans le bassin du Congo.

Un peu plus de 0,4 hectare de forêt disparaît ainsi chaque seconde. Cela représente environ 38 000 hectares quotidiens et plus de 13,7 millions d'hectares par an, soit la superficie de la Grèce. Ces pertes étant partiellement compensées par des programmes organisés de plantation d'arbres et par de nouvelles croissances naturelles, la perte nette de forêts est de 7,3 millions d'hectares chaque année.

Cette destruction frénétique des forêts a un double impact sur la crise du climat : d'abord, la majorité du carbone contenu dans les arbres détruits est émis dans l'atmosphère ; ensuite, la planète perd une partie de sa capacité à réabsorber le CO_2 car les forêts, une fois détruites, n'aspirent évidemment plus le CO_2 présent dans l'air.

LA PRODUCTION DE CHARBON DE BOIS EST
UNE CAUSE DE LA DÉFORESTATION DANS
LES PAYS EN DÉVELOPPEMENT, OÙ ON L'UTILISE
POUR LA CUISINE. CELA PRODUIT DU CO_2 ET
DU CARBONE NOIR. ICI AU LIAONING, EN CHINE.

Nous savons que les plus grands contributeurs au réchauffement climatique sont la Chine et les États-Unis, mais beaucoup seront peut-être surpris d'apprendre que viennent ensuite l'Indonésie et le Brésil, où le CO_2 émis vient principalement de la déforestation. Les données satellites analysées par le World Resources Institute montrent qu'aujourd'hui, plus de 60 % de la déforestation dans le monde a lieu dans ces deux pays, en particulier dans l'État du Mato Grosso, en Amazonie, et dans la province de Riau et les zones voisines, en Indonésie, où se trouvent de grandes forêts de tourbe.

L'Organisation des Nations unies pour l'alimentation et l'agriculture, qui exerce un suivi statistique sur le sujet, observe que les pays en tête de la déforestation, ces dernières années, après le Brésil et l'Indonésie, sont le Soudan, la Birmanie, la Tanzanie, le Nigeria, la République démocratique du Congo, le Zimbabwe et le Venezuela. En Amérique latine, les pertes d'arbres sont majoritairement dues à la déforestation ; viennent ensuite l'Afrique, l'Asie du Sud-Est et, plus loin, l'Amérique du Nord.

En Asie et en Amérique latine, la plus grande cause de déforestation est la conversion des terres forestières en faveur d'un usage agricole à grande échelle. En Afrique, c'est la conversion des forêts en exploitations de petite taille, même si l'agriculture de grande exploitation y progresse à mesure que des investisseurs chinois achètent des terres pour produire de la nourriture et l'importer en Chine.

Au Brésil, pays responsable de 48 % de la déforestation mondiale, la pratique s'est encore accrue en 2008. Presque 20 % de la forêt amazonienne a déjà été détruite (le chiffre officiel au Brésil est de 17 %). Une fois le meilleur bois emporté, le reste est brûlé pour céder la place au bétail et aux cultures. Selon un récent rapport de Greenpeace, publié lors du Forum mondial social de Belém au Brésil, « 80 % de la terre déboisée en Amazonie entre 1996 et 2006 est utilisée comme pâturage pour le bétail ». Historiquement, le Brésil a toujours rejeté la demande que lui fait la communauté internationale d'accepter un accord qui donnerait au reste du monde son mot à dire dans l'avenir de l'Amazonie. Toutefois, le Brésil s'est engagé sur un objectif national de réduction de la déforestation de 70 % d'ici 2017. En août 2008, le président Luiz Inácio Lula da Silva a annoncé la création d'un fonds et un ensemble de nouvelles réglementations pour protéger l'Amazonie. Ces réglementations ne sont pas encore appliquées. Carlos Minc, le ministre de l'Environnement, a reconnu cet échec : « Nous ne sommes pas contents. La déforestation doit reculer davantage, et les conditions d'un développement durable s'améliorer. »

Paradoxalement, pendant que le Brésil détruit chaque année deux fois plus de forêts que l'Indonésie, celle-ci émet deux fois plus de CO_2 issu de la déforestation que le Brésil. Cela vient du fait que les tourbières, riches en CO_2, où est menée la déforestation sèchent quand elles sont privées de cou-

DÉFORESTATION : LE TOP 10

C'est dans les pays tropicaux en développement que le problème de la déforestation est le plus grave.
La carte ci-dessous montre les dix pays perdant chaque année le plus de forêt, mesuré en acres (0,4 ha).

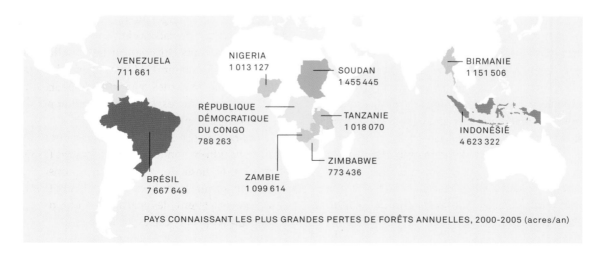

VENEZUELA
711 661

NIGERIA
1 013 127

SOUDAN
1 455 445

BIRMANIE
1 151 506

RÉPUBLIQUE
DÉMOCRATIQUE
DU CONGO
788 263

TANZANIE
1 018 070

INDONÉSIE
4 623 322

ZIMBABWE
773 436

BRÉSIL
7 667 649

ZAMBIE
1 099 614

PAYS CONNAISSANT LES PLUS GRANDES PERTES DE FORÊTS ANNUELLES, 2000-2005 (acres/an)

SOURCE : United Nations Food and Agriculture Organization, *State of the World's Forests*, 2007

verture forestière, brûlent beaucoup plus long-temps quand on y met le feu et rejettent de bien plus grandes quantités de CO_2 dans l'atmosphère.

Plus de 80 % de l'huile de palme mondiale vient d'Indonésie et de son voisin, la Malaisie. (Ces dix dernières années, l'Indonésie est devenu le premier producteur d'huile de palme devant la Malaisie.) Dans les deux pays, les grandes forêts de tourbe ont été déboisées au profit de plantations de palmier à huile. Pour accélérer le processus d'assèchement, les planteurs brûlent les tourbières. C'est pourquoi d'énormes nuages de fumée et de suie recouvrent de larges parties de l'archipel du Sud-Est asiatique pendant la saison du brûlage.

Les deux pays ont adopté des subventions et autres mesures incitatives pour favoriser l'expansion rapide des plantations de palmier à huile. L'Indonésie entend les tripler d'ici 2020. Cette politique gouvernementale a permis à des entreprises de bûcheronnage de s'abriter derrière le prétexte du palmier à huile pour détruire des forêts qui seraient sans cela protégées.

L'Indonésie et la Malaisie se partagent (avec le royaume de Brunéi) l'île de Bornéo. Willie Smits, un défenseur de la nature vivant à Bornéo et qui s'efforce de sauver l'orang-outang, espèce en voie de disparition, a étendu son action à la restauration de l'habitat de ce grand singe et des peuples indigènes de la forêt. Selon lui, « tout ce qu'ils [les planteurs] veulent, c'est voler le bois, parce qu'il faut le couper avant de planter. Mais ce n'est que le bois qu'ils veulent : ils le coupent et s'en vont. C'est un complot ».

L'essentiel de la déforestation actuelle vient cependant de l'implantation de palmiers à huile. Cet arbre peut donner des fruits pendant trente ans, fournit des emplois et produit plus d'huile à l'hectare que n'importe quelle autre plante.

L'huile de palme n'est pas seulement l'une des huiles les plus vendues dans le monde ; mélangée avec du gazole, elle peut aussi constituer l'une des principales formes de biodiesel. Ses soi-disant bénéfices écologiques sont basés sur la théorie selon laquelle le composant organique du carburant est recyclé quand le CO_2 émis lors de la combustion est réabsorbé par la croissance d'encore plus de palmiers à huile. Mais une étude effectuée sur plusieurs années du cycle de vie de cet arbre montre que la plantation de palmiers à huile réabsorbe bien moins de CO_2 que le déboisement et le brûlage n'en émettent dans l'atmosphère. Cette analyse du cycle de vie est l'un des principaux facteurs qui ont conduit à reconsidérer l'impact environnemental net du biodiesel, de l'éthanol et d'autres biocarburants.

L'Indonésie a adopté une loi subventionnant l'usage de l'huile de palme pour les voitures. Mais l'essentiel de l'huile de palme fabriquée en Indonésie et en Malaisie est exporté en Europe et en Amérique du Nord pour satisfaire la demande de biocarburants. Ironiquement, une incitation fiscale visant à promouvoir les biocarburants aux États-Unis a significativement contribué au déboisement des forêts vierges au profit de plantations de palmiers. Elle a permis aux importateurs d'huile de palme aux États-Unis de toucher 1 dollar par gallon s'ils y ajoutaient du biodiesel puis réexportaient le mélange sur les marchés européens, où ils recevaient d'autres aides gouvernementales visant à favoriser les biocarburants.

Résultat : les contribuables européens et américains ont subventionné la destruction des forêts tropicales au nom de ce que l'on a considéré comme un bénéfice environnemental. Aux États-Unis, heureusement, les législateurs ont réussi, fin 2008, à supprimer cette aide fiscale.

VASTES JAVELLES DE LA DERNIÈRE FORÊT
DE TOURBE DE SUMATRA (INDONÉSIE),
COUPÉE, BRÛLÉE ET IRRIGUÉE POUR CULTIVER
DES PALMIERS À HUILE.

LE BOIS DES FORÊTS DE TOURBE DE SUMATRA
EST TRANSPORTÉ SUR DES PÉNICHES
AVANT D'ÊTRE MIS SUR LE MARCHÉ.

« Tout ce qu'ils veulent, c'est voler le bois, parce qu'il faut le couper avant de planter. Mais ce n'est que le bois qu'ils veulent : ils le coupent et s'en vont. »

WILLIE SMITS

WILLIE SMITS : LA RESTAURATION DES ÉCOSYSTÈMES

En 1989, Willie Smits, scientifique hollandais spécialiste des forêts, trouve un orang-outang femelle agonisant dans une petite décharge de Balikpapan (Indonésie). Il le sauve et lui redonne la santé. Deux ans plus tard, Smits crée la Fondation pour la survie de l'orang-outang de Bornéo, aujourd'hui plus grand projet mondial de lutte contre l'extinction de l'espèce. Il a permis la survie de 1 000 jeunes orangs-outangs.

Smits venait d'arriver des Pays-Bas pour faire de la recherche sur la forêt tropicale quand l'orang-outang est entré dans sa vie. Il estime que la déforestation, surtout au profit du palmier à huile, est une menace pour l'espèce. C'est aussi l'une des principales raisons pour lesquelles l'Indonésie est l'un des plus grands pays émetteurs de gaz à effet de serre. Les forêts de pluie perpétuent d'elles-mêmes le cycle de l'eau : l'eau transpire des arbres et de la végétation, se condense en nuages, puis retombe en pluie. Quand ce cycle est brisé par la déforestation, les températures montent, les pluies diminuent et deviennent irrégulières. Les données recueillies par Smits pendant sept ans montrent que l'inverse est aussi vrai : la reforestation permet de restaurer le cycle naturel de l'eau.

Depuis, la Fondation de Smits s'attache autant à protéger et à restaurer la forêt indonésienne qu'à sauver l'orang-outang. Il sait que s'il veut sauver celui-ci, il doit lui trouver un habitat suffisamment vaste et dense, éloigné des braconniers. Pour protéger les forêts, Smits s'appuie sur leurs habitants, en construisant une zone de préservation dans un système économique dépendant d'une forêt saine.

En 2002, avec la Fondation Masarang, Smits a créé Samboja Lestari (« Forêt éternelle »), réserve de 2 500 ha, à 35 km au nord-est de Balikpapan, une des zones les plus pauvres de la région. Il mêle la reforestation intensive et la culture des acacias, de l'ananas, de la papaye et du haricot. Cultiver entre les arbres diminue la compétition entre ceux-ci et aide l'écosystème à se régénérer plus vite. Le centre de réhabilitation de l'orang-outang se trouve au cœur de la zone reboisée, loin des humains.

La zone reboisée est entourée d'un anneau de 100 m de palmiers à sucre, résistants au feu et aux inondations. Ces arbres servent de tampon écologique

Willie Smits, avec des orangs-outangs de sa Fondation pour la survie de l'orang-outang de Bornéo.

et de source de revenus. On prélève leur sève deux fois par jour, avant de la traiter à l'usine de sucre de Masarang. 3 000 emplois ont été créés sur place.

Aujourd'hui, Samboja Lestari abrite plus de 200 orangs-outangs. Et la reforestation semble avoir inversé, au moins temporairement, certaines tendances climatiques. Sur place, la température moyenne de l'air a baissé de 3 à 5 °C, la couverture nuageuse a augmenté de 11 % et les pluies de 20 %. La terre, qui était à l'état de quasi-désert, abrite désormais 1 800 espèces d'arbres, 137 espèces d'oiseaux et 30 sortes de reptiles.

L'objectif de Smits est de donner aux écosystèmes un prix suffisant pour les protéger. Afin d'aider l'orang-outang, il s'assure que les forêts et les habitants en tireront profit.

Toute solution au réchauffement global est difficile à mettre en œuvre parce que les causes de la crise sont profondément enracinées dans nos habitudes comportementales, commerciales et culturelles, développées au fil du temps. Chaque solution est rendue plus complexe par les complications politiques et géopolitiques qui ont longtemps empêché toute action constructive. Dans le cas de la déforestation, une des principales difficultés vient des divisions profondes du monde moderne entre les pays riches, industrialisés, essentiellement dans l'hémisphère Nord, et les pays plus pauvres, en développement, surtout dans

plus de 40 % des excédents de CO_2 qui se sont accumulés dans l'atmosphère viennent de la déforestation des siècles passés. Et ce n'est pas avant les années 1970, selon certains calculs, que l'usage de combustibles fossiles a dépassé la déforestation comme principale cause du réchauffement.

La surface forestière totale de la Terre est d'un peu moins de 4 milliards d'hectares et couvre un tiers de la masse terrestre. La déforestation existe depuis des milliers d'années, mais autrefois à un degré bien moindre qu'à présent. Selon le World Resources Institute, la couverture forestière a diminué de moitié par rapport à ce qu'elle était il y

Les scientifiques estiment que plus de 40 % de l'excès de CO_2 qui s'est accumulé dans l'atmosphère vient de la déforestation des siècles passés.

les tropiques. Les raisons de ces disparités de richesses sont, bien sûr, ancrées dans l'histoire et la géographie, et marquées par le cruel héritage du colonialisme.

Les pays moins développés évoquent souvent la déforestation commise en Amérique du Nord et en Europe il y a plusieurs siècles pour dénoncer l'hypocrisie des pays riches qui condamnent la destruction actuelle des forêts dans les pays pauvres. Et ils n'ont pas tort. Avant l'essor considérable de l'emploi du pétrole et du charbon dans la seconde moitié du XXe siècle, la déforestation était la première source d'émissions de CO_2 de la planète. Même aujourd'hui, les scientifiques estiment que

a trois cents ans. Les plus grandes zones de forêt se trouvent en Russie, au Brésil, au Canada, aux États-Unis, en Chine, en Australie, en République démocratique du Congo, en Indonésie, au Pérou et en Inde. Ces pays rassemblent les deux tiers des forêts de la planète.

Un tiers de ces forêts sont des « forêts primaires », où l'intervention humaine n'a pas encore eu d'impact. Si la surface forestière totale continue à diminuer, le rythme de perte nette commence néanmoins à ralentir. Selon l'Organisation des Nations unies pour l'alimentation et l'agriculture, « 80 % des forêts de la planète sont de propriété publique, mais la propriété privée progresse. Un

Ironiquement, une incitation fiscale visant à promouvoir les biocarburants aux États-Unis a fortement contribué au déboisement des forêts vierges au profit du palmier à huile.

CETTE ANCIENNE FORÊT DE TOURBE, À BORNÉO (INDONÉSIE), EST AUJOURD'HUI UNE IMMENSE PLANTATION DE PALMIERS À HUILE.

tiers des forêts de la planète sert à produire du bois et des produits forestiers dérivés du bois ».

Les forêts tempérées de l'hémisphère Nord sont toutefois très différentes des forêts tropicales situées de part et d'autre de l'équateur, qui ont une densité en carbone bien plus élevée que tout autre écosystème de la planète, soit 120 tonnes de CO_2 à l'hectare contre 64 tonnes pour les forêts tempérées. Les forêts de pluie sont un cas particulier : bien qu'elles ne couvrent que 7 % de la surface terrestre, elles rassemblent la moitié de tous les arbres de la Terre.

De plus, la plupart des sols tropicaux sous ces forêts de pluie sont étonnamment minces et pauvres. Même si les sols volcaniques et ceux des plaines inondées sont, en général, plus riches, la

Cette berge érodée de l'Amazone montre la minceur du sol tropical, également très pauvre. Les éléments nutritifs d'une forêt de pluie sont concentrés dans la biomasse vivante et dans une couche de matière organique en décomposition.

quasi-totalité du contenu nutritif des forêts de pluie ne se trouve pas dans le sol mais dans ces cathédrales vertes que sont les arbres et les plantes, et dans le lit de matières en décomposition reposant sur celui-ci.

L'impact sur la biodiversité est d'autant plus grave dans les forêts de pluie tropicales que celles-ci recèlent une part énorme de la biodiversité de la Terre. On estime que 50 à 90 % de toutes les espèces de la planète sont dans les forêts, le chiffre haut de la fourchette venant du fait que les biologistes pensent que de nombreuses espèces, encore inconnues, vivent dans les forêts tropicales. Ces réserves incroyablement riches de biodiversité se voient détruites avec leur habitat. Parmi les espèces en danger les plus connues, on recense l'orang-outang de Bornéo, le tigre de Sumatra, l'éléphant d'Asie, certains des grands primates d'Afrique (nos plus proches parents). Sans compter les innombrables ressources potentielles de nouveaux médicaments ni les cousins sauvages de nos cultures vivrières – la survie de ces dernières dépend d'un renouvellement de leur matériau génétique (grâce à leurs lointains cousins sauvages) pour les rendre résistants aux maladies et aux insectes.

L'impact cumulé de la destruction des habitats naturels sur la planète nous conduit à ce que certains biologistes appellent la sixième grande extinction (voir l'encart sur ce sujet p. 186).

Dans un discours à la conférence sur les forêts d'Asie-Pacifique, au Vietnam, en 2008, Norman Myers a déclaré : « Je vais vous dire tout de suite le fond de ma pensée. Nous faisons face à une super-crise, une crise accablante, l'une des pires crises depuis que nous sommes sortis de nos cavernes, il y a 10 000 ans. Je parle bien sûr de l'élimination des forêts tropicales et de leurs millions d'espèces. »

Les cinq précédentes extinctions se sont produites : il y a 65 millions d'années, quand ont dis-

LE RÔLE DES FORÊTS DANS LE CYCLE DU CARBONE

Les forêts jouent un double rôle dans le mouvement du carbone au sein de l'écosystème : en l'absorbant dans l'atmosphère, puis en le stockant dans les arbres et le sol. Par le processus naturel de la photosynthèse, le CO_2 atmosphérique est absorbé par les minuscules pores des feuilles et incorporé dans l'arbre ou la plante. Ce carbone « fixé » reste intact jusqu'à ce que plantes et sols soient perturbés, par exemple si les arbres sont brûlés ou le sol labouré. Ce processus d'« inhalation » de CO_2 et d'« exhalation » d'oxygène – n'appelle-t-on pas les forêts les poumons de la Terre ? – se produit à un niveau microscopique. La photosynthèse a lieu dans les chloroplastes, qui peuvent être au nombre de 50 par cellule. Les chloroplastes contiennent des structures appelées granas, entourées d'un fluide aqueux, le stroma. Le grana est le lieu de la photolyse, processus qui sépare l'eau en hydrogène et oxygène. L'oxygène est libéré par la plante, tandis que l'hydrogène passe par un second processus, le cycle de Calvin, qui utilise l'énergie produite par la photolyse pour combiner l'hydrogène avec le CO_2 afin de créer des sucres. Ces sucres fabriquent ensuite les cellules plus complexes des plantes, où le carbone est stocké à long terme.

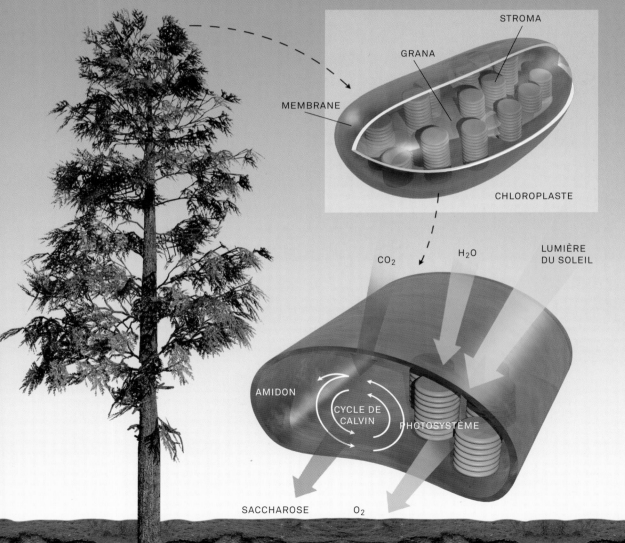

paru les dinosaures ; il y a 200 millions d'années, quand, pour des raisons encore en partie inconnues, ont disparu 76 % des espèces ; il y a 250 millions d'années, quand se sont éteints 96 % des espèces océaniques et les deux tiers des reptiles et des amphibiens terrestres. Cette extinction, la plus importante de toutes, coïncida avec la convergence de l'ensemble des continents en une seule masse terrestre appelée Pangée. Les deux autres extinctions de masse – dont aucune n'est comprise des scientifiques – ont eu lieu il y a 364 millions d'années et il y a 440 à 450 millions d'années.

La sous-évaluation de la biodiversité et de la couverture forestière, par rapport à la valeur économique du bois et de l'agriculture de subsistance, a provoqué de graves erreurs de calcul de l'impact économique net de la déforestation. L'échec de l'économie de marché à prendre en compte les facteurs environnementaux est particulièrement probant s'agissant de la valorisation des arbres et des forêts. Tant que ne sera pas fixé un prix du carbone, le marché continuera à encourager le rejet massif de CO_2 dans l'atmosphère et la destruction des forêts de la planète. Une fois le carbone pris en

LA SIXIÈME GRANDE EXTINCTION

La plupart des biologistes estiment que nous vivons la sixième grande extinction de masse dans l'histoire de la planète. Les espèces disparaissent à une vitesse dépassant largement le rythme naturel, en particulier à cause de la destruction rapide des forêts de pluie et des écosystèmes uniques où vivent jusqu'à 90 % des espèces de la Terre. L'éminent biologiste Edward O. Wilson a affirmé en 1986 : « La quasi-totalité de ceux qui étudient le processus d'extinction pensent que

la diversité biologique connaît sa sixième grande crise, cette fois précipitée entièrement par l'homme. »

Ce que l'expert de la biodiversité Tom Lovejoy a confirmé : « Tout le monde est d'accord sur la proportion d'espèces destinées à disparaître si les tendances actuelles persistent – à savoir, près de la moitié. » Au rythme actuel, les biologistes estiment que cela se produira dans ce siècle, à moins que ne soit stoppée la destruction des forêts et d'autres écosystèmes.

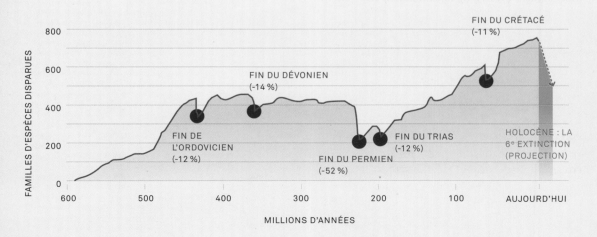

SOURCE : David Raup et John Sepkoski, *Science*, 19 mars 1982

compte, la valeur des arbres, qui absorbent de grandes quantités de CO_2, dépassera bien souvent leur valeur en bois.

Larry Linden, expert renommé de l'économie forestière, propose d'illustrer par l'exemple suivant l'absurdité qu'il y a à ignorer le coût du carbone : 1 hectare d'arbres déboisé et vendu comme pâturage rapporte, en moyenne, 300 dollars. Mais cette déforestation émet l'équivalent de 15 000 dollars de carbone dans l'atmosphère (ce qui suppose un prix du carbone de 30 dollars la tonne, soit 500 tonnes de CO_2 séquestrées dans ces arbres). Selon les calculs de Linden, un prix de 30 dollars la tonne de CO_2 entraînerait au niveau mondial une réduction de 80 % de la déforestation. Un prix de 20 dollars ne se traduirait que par une réduction de 60 %. (Les contrats de cinq ans négociés dans le cadre de l'European Climate Exchange vendent aujourd'hui le carbone à 26 dollars la tonne ; on pense que ce prix augmentera si un traité international est finalisé à Copenhague.)

Dans les pays riches, les pratiques courantes de gestion de la forêt ignorent aussi la valeur économique du rôle des arbres dans la séquestration du CO_2. Larry Schweiger, auteur du très intéressant *Last Chance : Preserving Life on Earth,* cite l'exemple du chêne blanc, coupé lorsqu'il atteint, à hauteur de poitrine, un diamètre de 30 centimètres. Mais le schéma de croissance du chêne blanc n'est pas sans ressembler à celui d'autres arbres caducs des zones tempérées de l'hémisphère Nord : il dessine une courbe en cloche. Pendant ses premières années, l'arbre séquestre relativement peu de carbone ; puis, à mesure qu'il grandit, la quantité de carbone s'ajoutant chaque année à sa masse va croissant, jusqu'à ce que l'arbre atteigne 120 ans ; après quoi, cette quantité décline lentement jusqu'à sa mort.

Si la courbe de séquestration de carbone de l'arbre était reconnue et valorisée par le marché, on pourrait continuer à couper l'arbre, mais à un âge plus avancé, quand il aurait séquestré davantage de carbone. Tant que cette valeur ajoutée est ignorée dans le prix payé par le marché pour le bois de coupe, nous perdons la possibilité d'emprisonner plus de CO_2 grâce aux forêts.

Alors même que le monde tente de faire de la restauration de la santé et de l'intégrité des forêts une stratégie prioritaire pour résoudre la crise du

FIXATION DU CARBONE DANS LES ARBRES

Le taux de fixation du carbone dans un arbre au cours de sa vie ressemble à une courbe en cloche, avec un lent départ dans les premières décennies, puis un pic, enfin une baisse. Connaître la croissance des arbres et leur rythme de fixation du CO_2 permet de savoir quand il faut les couper pour maximiser la quantité de CO_2 séquestré. Cette courbe vaut pour les arbres en général ; elle varie selon les espèces.

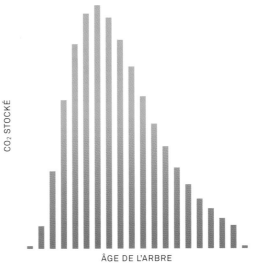

TAUX RELATIF DE FIXATION DE CO_2 D'UN ARBRE
AU FIL DU TEMPS

CO_2 STOCKÉ

ÂGE DE L'ARBRE

SOURCE : Börje Kyrklund, *Unasylva*, 163, 1990

très variable selon la manière dont la reforestation est réalisée. Si tous les arbres sont de la même espèce, le manque de diversité les rend plus vulnérables à la multiplication future des sécheresses, des feux et des insectes, en particulier dans les forêts de pluie ; il les rend aussi moins susceptibles d'accueillir la riche biodiversité propre aux forêts matures. En outre, il faut plusieurs décennies pour que les nouveaux arbres atteignent un stade de leur courbe de croissance qui leur permette de séquestrer de grandes quantités de CO_2.

D'un autre côté, les forêts matures comptent tant d'arbres ayant dépassé leur pic de croissance que leur bilan carbone est souvent près d'être neutre. Elles contiennent une énorme quantité de carbone séquestré, mais la séquestration nette du nouveau CO_2 est bien moindre que dans une forêt plus jeune et en croissance rapide. De ce fait, quand la totalité du CO_2 est dégorgé avec la destruction des forêts matures, il faut plus de temps pour que le CO_2 revienne dans les arbres plantés pour remplacer la forêt ancienne.

La séquestration de CO_2 et la préservation de la biodiversité de la Terre ne sont que deux des bénéfices environnementaux – parfois appelés «services d'écosystèmes» – fournis par les forêts. Ces écosystèmes réduisent les températures extrêmes, sont une source de revenus quand ils sont bien gérés, réduisent l'érosion des sols, augmentent les ressources en eau potable, empêchent la désertification, limitent l'érosion des côtes, contrôlent les avalanches, offrent un habitat à la vie sauvage dont a besoin la société, et servent de foyer à 90 % des espèces connues sur les terres de la planète. Ils accroissent aussi la productivité de l'agriculture durable dans et autour des forêts.

Les forêts apportent également beaucoup plus de pluie qu'il n'en tomberait en leur absence : elles sèment dans les nuages les nuées de bactéries

échappées des arbres, qui servent de «nucléateurs» dans la formation des cristaux de glace, première étape de la formation de la pluie. Dans l'atmosphère, les gouttes de vapeur d'eau ne se rassemblent en cristaux qu'à des températures inférieures à zéro. Cette cristallisation peut se faire à des températures moins basses grâce aux bactéries des arbres, car leur structure protéinique permet l'agglomération de la vapeur d'eau dans l'air qui déclenche la pluie. Selon les recherches conduites par Brent Christner, microbiologiste à la Louisiane State University, cet «ensemencement» des nuages par les arbres est bien plus important qu'on ne l'avait cru quand le phénomène a été découvert, dans les années 1970.

Les forêts modulent aussi le cycle hydrologique en absorbant les lourdes pluies, favorisant l'infiltration de l'eau dans le sol, où elle est retenue par

L'étude fondamentale de Charles David Keeling sur les niveaux de CO_2, effectuée avec Roger Revelle à l'observatoire Mauna Loa, à Hawaï, a révélé le cycle saisonnier du dioxyde de carbone atmosphérique et montré que la quantité de CO_2 dans l'atmosphère augmente avec le temps.

LES HIVERS NE SONT PLUS ASSEZ FROIDS POUR TUER LES LARVES DU DENDROCTONE DU PIN. PLUS DE 240 000 HA DE FORÊTS SONT TOUCHÉS PAR CET INSECTE.

par 50 % d'éclairs en plus, accroissant encore la quantité de feux de forêt.

Certains arbres et plantes croissent d'autant plus vite que les niveaux de CO_2 augmentent. Mais, si certaines zones sont susceptibles de connaître un développement plus rapide de la forêt, jusqu'à ce que la chaleur et la sécheresse excèdent l'effet de fertilisation du CO_2, il n'en sera rien pour beaucoup d'autres, sinon pour la plupart, à moins que le niveau d'autres éléments – eau, azote – n'augmente aussi. Il a en outre été montré qu'une élévation de la température moyenne du sol peut affecter sa fertilité en interférant avec la disponibilité des composants moléculaires volatils dont l'arbre a besoin pour grandir (tel l'azote). Enfin, selon de récentes études, le stress de chaleur, les infestations accrues d'insectes, des sécheresses plus graves et un nombre croissant de feux concourent à accélérer la perte en arbres.

Une croissance plus importante de la forêt secondaire a été observée dans les zones déboisées de pays comme le Panamá ou le Costa Rica, où la relative prospérité des villes a conduit les migrants à quitter les zones rurales et a réduit la pression de la pauvreté et de la croissance démographique sur la forêt. Mais, dans la plupart des pays tropicaux, ce phénomène ne s'est pas produit, et la pression sur la terre ne faiblit pas. Ce même phénomène démographique est partiellement responsable de la « recroissance » naturelle, au XXe siècle, de larges zones déboisées d'Amérique du Nord et d'Europe. Ces régions restaurent depuis longtemps leur couverture forestière, et la Chine le fait aujourd'hui bien plus efficacement que tout autre pays dans le monde.

Cette nouvelle croissance ne suffit toutefois pas à restituer la fonction d'écosystème qui a disparu avec la destruction des forêts. Le résultat est très variable selon la manière dont la reforestation est réalisée. Si tous les arbres sont de la même espèce, le manque de diversité les rend plus vulnérables à la multiplication future des sécheresses, des feux et des insectes, en particulier dans les forêts de pluie ; il les rend aussi moins susceptibles d'accueillir la riche biodiversité propre aux forêts matures. En outre, il faut plusieurs décennies pour que les nouveaux arbres atteignent un stade de leur courbe de croissance qui leur permette de séquestrer de grandes quantités de CO_2.

D'un autre côté, les forêts matures comptent tant d'arbres ayant dépassé leur pic de croissance que leur bilan carbone est souvent près d'être neutre. Elles contiennent une énorme quantité de carbone séquestré, mais la séquestration nette du nouveau CO_2 est bien moindre que dans une forêt plus jeune et en croissance rapide. De ce fait, quand la totalité du CO_2 est dégorgé avec la destruction des forêts matures, il faut plus de temps pour que le CO_2 revienne dans les arbres plantés pour remplacer la forêt ancienne.

La séquestration de CO_2 et la préservation de la biodiversité de la Terre ne sont que deux des bénéfices environnementaux – parfois appelés « services d'écosystèmes » – fournis par les forêts. Ces écosystèmes réduisent les températures extrêmes, sont une source de revenus quand ils sont bien gérés, réduisent l'érosion des sols, augmentent les ressources en eau potable, empêchent la désertification, limitent l'érosion des côtes, contrôlent les avalanches, offrent un habitat à la vie sauvage dont a besoin la société, et servent de foyer à 90 % des espèces connues sur les terres de la planète. Ils accroissent aussi la productivité de l'agriculture durable dans et autour des forêts.

Les forêts apportent également beaucoup plus de pluie qu'il n'en tomberait en leur absence : elles sèment dans les nuages les nuées de bactéries échappées des arbres, qui servent de « nucléateurs » dans la formation des cristaux de glace, première étape de la formation de la pluie. Dans l'atmosphère, les gouttes de vapeur d'eau ne se rassemblent en cristaux qu'à des températures inférieures à zéro. Cette cristallisation peut se faire à des températures moins basses grâce aux bactéries des arbres, car leur structure protéinique permet l'agglomération de la vapeur d'eau dans l'air qui déclenche la pluie. Selon les recherches conduites par Brent Christner, microbiologiste à la Louisiana State University, cet « ensemencement » des nuages par les arbres est bien plus important qu'on ne l'avait cru quand le phénomène a été découvert, dans les années 1970.

Les forêts modulent aussi le cycle hydrologique en absorbant les lourdes pluies, favorisant l'infiltration de l'eau dans le sol, où elle est retenue par

L'étude fondamentale de Charles David Keeling sur les niveaux de CO_2, effectuée avec Roger Revelle à l'observatoire Mauna Loa, à Hawaï, a révélé le cycle saisonnier du dioxyde de carbone atmosphérique et montré que la quantité de CO_2 dans l'atmosphère augmente avec le temps.

les racines, et réduisant les écoulements de surface. À cet égard, elles répartissent la disponibilité de l'eau tout au long de l'année, comme la neige et la glace dans les montagnes. Dans les forêts de pluie telles que l'Amazonie, l'évaporation de l'humidité dans l'air permet à celle-ci de retomber en vagues de vapeur qui nourrissent toute la forêt. Tom Lovejoy, un des grands experts mondiaux de la forêt amazonienne, affirme que celle-ci produit la moitié de ses pluies et fournit de l'humidité à d'autres régions du Brésil, au sud-ouest.

Pour toutes ces raisons, le monde a intérêt à donner un prix suffisamment élevé au carbone afin d'encourager la préservation de la capacité de la Terre à réabsorber plus rapidement le CO_2 émis par l'homme dans l'atmosphère, et d'éviter

LA COURBE DE KEELING

Le rôle immense joué par les forêts dans la séquestration du CO_2 est visible dans la célèbre courbe de Keeling, qui mesure la rapide accumulation de CO_2 dans l'atmosphère depuis 1958. L'évolution par paliers reflète l'orientation annuelle de l'hémisphère Nord vers le soleil en été (et inversement l'hiver). Quand les arbres caducs de l'hémisphère Nord (bien plus grand que l'hémisphère Sud) perdent leurs feuilles, l'exhalaison de CO_2 dans l'atmosphère provoque un bond du CO_2. Quand les mêmes arbres reverdissent au printemps et à l'été suivants, la quantité de CO_2 dans l'atmosphère retombe. Le fait que ces concentrations d'émissions continuent à croître d'année en année reflète la combustion intensive de charbon, de pétrole et de gaz naturel, et l'ampleur énorme de la déforestation.

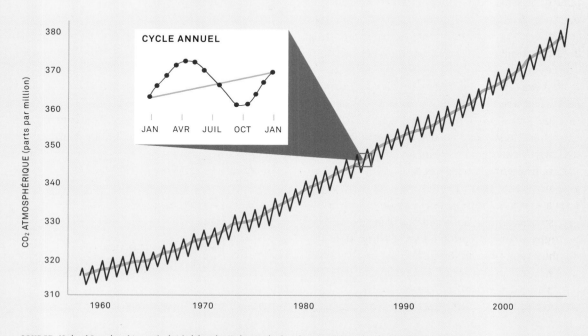

SOURCE : National Oceanic and Atmospheric Administration/Scripps Institution of Oceanography, University of California, San Diego

d'accentuer le niveau de CO_2 en continuant à détruire les forêts.

La plupart des solutions internationales aux émissions de CO_2 incluent, sous une forme ou une autre, un vaste échange entre le Nord et le Sud, l'accroissement des flux d'aide des pays plus riches vers les pays moins développés servant à financer les changements nécessaires à la lutte contre la pauvreté et à l'arrêt de la déforestation. À cette fin, la communauté internationale s'intéresse aux moyens d'aider les pays tropicaux à modifier les schémas dominants de déforestation.

Le Protocole de Kyoto de 1997 évoquait, dans son article 3.3, la nécessité de contrôler la déforestation et de préserver les forêts dans le monde par le biais de l'aforestation et de la reforestation. Mais le traité ne prévoyait pas de mécanisme permettant d'atteindre cet objectif, en raison de la crainte des pays en développement qu'aucun système de mesure fiable puisse déterminer quelles forêts auraient été préservées y compris en l'absence de traité, ou détecter les « fuites », c'est-à-dire la déforestation non signalée par les pays eux-mêmes.

Depuis, les techniques de mesure par satellite ont fait de grands progrès, de sorte que les scientifiques pensent pouvoir surveiller avec exactitude ce qui se passe au niveau du sol partout dans le monde – dans certaines régions, presque arbre par arbre. Il est désormais possible d'établir des « références nationales » fiables susceptibles de résoudre le problème des fuites. En outre, la croissance explosive des ONG environnementales dans tous les pays au cours des dix dernières années a grandement amélioré les connaissances sur les politiques d'utilisation du sol et les projets en ce domaine pour presque toutes les forêts du monde.

En conséquence, les négociateurs réunis à Bali en décembre 2007 ont pu coupler des objectifs de déforestation et de réduction des émissions dues à l'industrie et au transport. Même si ce cadre conceptuel doit être accepté et ratifié lors des négociations de Copenhague, il a déjà servi de base à un véritable plan mondial de réduction des émissions de CO_2 et d'autres gaz à effet de serre, qui inclut pour la première fois l'exploitation de la terre et la combustion des carburants fossiles.

Plusieurs systèmes de certification internationale ont été créés afin d'identifier les forêts gérées de façon durable, permettant aux acheteurs d'éviter de contribuer à la déforestation. Ces efforts pour influer sur la demande de produits cultivés de façon durable, associés à des mesures drastiques contre les pratiques forestières illégales – et, il faut l'espérer, la fixation d'un prix du carbone –, sont un élément clé de la solution à la déforestation.

La Banque mondiale, le World Business Council for Sustainable Development et le World Resources Institute sont à l'origine du lancement, en 1999, d'une seconde initiative, le Forests Dialogue. Sa mission est de favoriser un dialogue constructif entre tous ceux qui ont un intérêt à de bonnes pratiques forestières, et d'aborder les questions ne pouvant être résolues que par des accords multipartites, avec différentes priorités et incitations. Il s'agit d'apporter un financement substantiel supplémentaire pour développer, dans les pays forestiers, des institutions à même de contrer les responsables de la déforestation, de soutenir le développement durable et de répondre de leur gouvernance forestière.

Dans maintes régions, cela implique de s'en prendre à la corruption publique au niveau local, régional et national, qui se traduit par la non-application des lois visant à mettre fin aux pratiques dévastatrices de déforestation et d'abattage. L'absence de législation claire sur les droits de propriété des peuples indigènes et des habitants des forêts, notamment en Amazonie et dans

EN CHINE, LE GOUVERNEMENT A PLANTÉ
DES MILLIONS D'ARBRES, Y COMPRIS CES
CEINTURES VERTES AUTOUR DE PÉKIN,
DANS LE CADRE D'UN EFFORT POUR « VERDIR »
LA VILLE ET REBOISER LA TERRE ABÎMÉE.

le bassin du Congo, est également une cause des ravages actuels.

Comme l'ont souligné nombre d'experts, il n'y a pas de solution unique. En préparation de l'effort mondial qui doit résulter d'un traité général sur le climat, de nombreuses organisations travaillent à la création de bases de référence étatiques, censées inclure des systèmes de comptabilité et de surveillance nationale. La clé du succès dans la lutte contre la déforestation passera, de toute évidence, par la fixation d'un prix pour le carbone.

Certains pays, sans attendre de traité international, ont adopté des programmes de reforestation et d'aforestation. La Chine arrive en tête en matière de plantation d'arbres : son programme de reforestation et d'aforestation permettra de planter, chacune des années à venir, deux fois et demie plus d'arbres que tous les autres pays de la planète. La Chine plante même chaque année un tiers de plus d'arbres que le Brésil n'en coupe. Notons néanmoins que, tout en protégeant et en étendant ses forêts, la Chine contribue largement à la demande de bois tropicaux. Elle vient d'acheter 2,8 millions d'hectares de terre dans le bassin du Congo, qui devraient être convertis en plantations de palmiers à huile.

La Chine a arrêté la déforestation il y a plus de dix ans et, en 1981, le Congrès national du peuple a déclaré que tous les citoyens de Chine âgés de plus de 11 ans (et jusqu'à 60 ans) avaient le devoir de planter au moins trois arbres chaque année. Ce programme de reboisement est dirigé par le gouvernement central, à Pékin, avec la coopération des régions. En 2008, le peuple chinois a planté 4,77 millions d'hectares de forêts, soit 22 % de plus qu'en 2007, selon les statistiques du Comité national chinois à la forêt. Les écoles chinoises exigent de chaque étudiant de planter au moins un arbre avant d'être diplômé et la plupart consacrent du

temps à un programme d'« éducation verte ». Le pays a annoncé un budget de 9 milliards de dollars en 2008 pour ce programme et s'est fixé l'objectif de couvrir 20 % du territoire par des forêts d'ici fin 2009. Hu Jintao, le président chinois, a personnellement pris part à cette action pour en souligner la priorité.

Wangari Maathai, prix Nobel de la paix en 2004 et créateur du Green Belt Movement, au Kenya, est responsable, sur les trente dernières années, de la plantation de 30 millions d'arbres dans ce pays et dans onze autres pays d'Afrique. Elle a aussi réussi à convaincre le Programme des Nations unies pour l'environnement de lancer une grande initiative, « Plant for the Planet : Billion Tree Campaign », par laquelle plus de 3 milliards d'arbres ont déjà été plantés et dont l'objectif est d'en planter encore 7 milliards.

Outre le programme chinois, les plus grands programmes de reforestation sont en Espagne, au Vietnam, aux États-Unis, en Italie, au Chili, à Cuba, en Bulgarie, en France et au Portugal. Récemment, le Brésil a proposé un programme consistant à payer les petits paysans afin qu'ils plantent des arbres dans les zones déboisées de l'Amazonie, sans encore beaucoup d'impact.

Le World Agroforestry Center recommande de planter des arbres caducs dans les régions où les ressources en eau sont un problème, parce qu'ils exigent moins d'eau que les arbres persistants et s'adaptent mieux aux périodes de pénurie d'eau. Si chaque personne sur Terre plantait et s'occupait d'au moins deux arbres chaque année, le monde compenserait en dix ans les pertes liées à la déforestation des dix dernières années. La coopération internationale pourrait financer des emplois dans les pays tropicaux qui plantent des arbres, luttant ainsi à la fois contre la pauvreté et la crise du climat. Et également contre le drame de l'extinction.

DES VILLAGEOIS DU BURKINA FASO (AFRIQUE)
MONTRENT UNE PHOTO DE LEUR TERRE,
DATANT DE 1986, AVANT QUE NE COMMENCE
LA REFORESTATION.

CHAPITRE DIX

LES SOLS

LE SOL EST LA PEAU VIVANTE DE LA TERRE.
UN SCIENTIFIQUE ÉTUDIE L'HISTOIRE DES TYPES
DE SOL DANS LE BASSIN DE PALOUSE RIVER (ÉTAT
DE WASHINGTON), QUI A SOUFFERT DE L'ÉROSION

Ayant passé les étés de mon enfance dans notre ferme familiale du Tennessee, j'ai appris de mon père comment reconnaître un sol riche et productif : c'est, en un mot, un sol noir. Il est aussi humide et poreux. Mais, plus tard dans ma vie, j'ai appris pourquoi un sol fertile est noir : grâce au carbone.

Les sols terrestres contiennent entre trois et quatre fois et demie plus de carbone – rien que dans le premier mètre – que les plantes et les arbres, et plus de deux fois plus que l'atmosphère. Grâce à l'amélioration des pratiques d'agriculture et de gestion des terres, nous pouvons accroître significativement la quantité de CO_2 atmosphérique absorbée par la végétation et qui reste séquestrée dans le sol, tout en augmentant la productivité agricole et la sécurité alimentaire, et en restaurant les terres dégradées. De même que pour d'autres solutions climatiques, le succès de cette stratégie prometteuse dépend d'un changement à grande échelle de schémas depuis longtemps établis.

Quand mon père était jeune, l'érosion du sol était la plus forte menace pour la productivité de la terre aux États-Unis. Les agriculteurs et les propriétaires fonciers de sa génération ont été enrôlés par Franklin Delano Roosevelt afin de stopper l'érosion du sol qui avait provoqué la Tempête de poussière des années 1930 et laissé dans la terre des ravines par où les meilleurs sols se voyaient entraînés et perdus. Je me souviens encore des leçons paternelles. Par exemple, quand on marche dans une exploitation, il faut surveiller les premiers signes d'érosion et arrêter le ravinement avant qu'il ne soit trop profond.

La lutte contre l'érosion et la dégradation des sols agricoles aux États-Unis a été un succès. En freinant cette érosion, le pays a pu commencer à restaurer le contenu en carbone du sol. La couche, fondamentale, d'humus des sols sains contient en moyenne 58 % de carbone. Mais de nouvelles menaces pèsent aujourd'hui sur la qualité des sols, tandis que nous avons d'autres opportunités d'y séquestrer davantage de carbone.

Surtout, la dégradation de la qualité des sols dans la plupart des pays en développement, en particulier en Afrique subsaharienne, a atteint des niveaux qui menacent la sécurité alimentaire de millions de personnes. Les pertes en carbone des terres arables dégradées y sont de loin supérieures à ce qu'ont connu les États-Unis il y a quatre-vingts ans, juste avant la Tempête de poussière. Répondre à cette menace permettra non seulement aux sols africains d'être plus fertiles et plus productifs, mais aussi que les sols restaurés absorbent de grandes quantités de CO_2 atmosphérique et les séquestrent.

La mince couche de sol qui couvre la partie externe de l'écorce terrestre peut être qualifiée de « peau » de la Terre. Elle est vivante, à savoir remplie de microbes, de vers, de champignons, de minéraux et de nutriments qui, ensemble, rendent

LE CARBONE DANS NOTRE SOL

Le sol joue un rôle actif dans le cycle du carbone de la Terre : il stocke de 3 à 4,5 fois la quantité de carbone contenue dans la matière végétale de la planète. Le carbone passe dans le sol par les racines de la plante et la matière organique en décomposition (feuilles, branches...). Si une part de ce carbone est recyclée dans l'atmosphère, les moisissures et micro-organismes, jouant un rôle dans la décomposition de la matière végétale, permettent au sol de stocker le carbone.

MOISISSURES

HUMUS

MICRO-ORGANISMES

possible la croissance des plantes et des arbres. Ceux-ci utilisent la photosynthèse pour combiner le CO_2 de l'air avec de l'eau, de l'azote, du carbone organique et d'autres minéraux et nutriments du sol. Le complexe processus biogéochimique de la croissance des plantes repose largement sur les relations symbiotiques entre la végétation et les microbes. Ce sont elles qui régulent les échanges de molécules entre les racines des plantes et le sol.

Quand ces processus sont perturbés par des méthodes abusives d'utilisation de la terre, par la coupe et le brûlage des arbres et de la végétation, ou par l'emploi excessif de produits chimiques synthétiques, l'augmentation à court terme des rendements qui peuvent en résulter se fait aux dépens de la fertilité à long terme du sol. Et la moindre fertilité de celui-ci produit d'importants déficits de ce carbone que stockent normalement les sols sains.

La révolution agricole a commencé peu après la fin de l'âge de glace, il y a plus de 10 000 ans, à la fois dans le Croissant fertile, entre l'Égypte et la Mésopotamie, et dans l'Inde et le sud de la Chine. La première charrue, apparue assez tôt dans l'histoire de l'agriculture, était une pièce de bois verticale, tirée par deux hommes à la surface du sol. Quand, 2 000 ans plus tard, le bœuf a été domestiqué en Mésopotamie, la charrue est devenue plus efficace. Plus tard encore, vers 3500 avant notre ère, est apparu le soc, une lame de fer ayant été ajoutée à la pièce de bois pour mieux casser la terre. La charrue en fer romaine, datée de l'an 1, améliora encore cette technologie et servit pendant 1 000 ans, jusqu'à l'invention du versoir, qui retourne le sol labouré.

En 1837, un forgeron du Midwest, John Deere, développa et commercialisa une charrue en fer perfectionnée ; les colons l'utilisèrent tout au long de la conquête de l'Ouest. Lorsque l'on accrocha

CE PLATEAU DE LŒSS DE LA PROVINCE
DU SHAANXI (CHINE) ILLUSTRE L'ÉROSION
DES SOLS DE LA PLANÈTE. À MESURE QUE
LA TERRE EST EMPORTÉE, IL NE RESTE PLUS QUE
DE PETITES PARCELLES DE TERRES ARABLES.

LES TECHNIQUES CLASSIQUES DE LABOUR
ACCÉLÈRENT LES PERTES EN SOL
ET DIMINUENT LES QUANTITÉS DE CARBONE
QUI Y SONT STOCKÉES.

les premiers tracteurs à la charrue John Deere, dans les années 1910, les prairies du Midwest furent littéralement éventrées, libérant d'énormes quantités de carbone ; ainsi commença la désastreuse érosion qui aboutit à la Tempête de poussière des années 1930. Celle-ci fit naître un intérêt pour la conservation du sol – et les leçons que mon père m'apprit quand j'étais enfant.

Entre la fin du XIXᵉ siècle et le début de la Seconde Guerre mondiale, le contenu en carbone du sol américain a diminué de plus de 50 %. Des réformateurs agricoles se sont mis à prôner l'abandon de la charrue après la publication, en 1943, par Edward Faulkner, de *Plowman's Folly*. Mais le mouvement pour le « non-labour » et le « labour de préservation » n'a connu un réel essor qu'avec l'introduction des herbicides, après 1945, issue de la conversion des stocks d'armes chimiques.

Le principal objet du labour est de faciliter l'introduction de semences dans le sol et de contrôler la pousse des mauvaises herbes. Le relâchement du sol le rend aussi plus poreux mais, au cours du XXᵉ siècle, ces pratiques ont montré que tout bénéfice résultant d'une absorption plus rapide d'eau et d'engrais s'est souvent traduit par un sol rendu plus vulnérable à l'érosion.

La combinaison des herbicides et du semoir mécanique a rendu le labourage désormais inutile. Les herbicides posent cependant eux-mêmes problème : les plus puissants sont une source de risques pour la santé, et chaque 1/2 kilo d'herbicide libère presque 3 kilos de carbone (10 kilos de CO_2) au cours de sa fabrication. En outre, les semoirs modernes nécessitent des tracteurs plus gros, dotés de moteurs plus puissants (et consommant plus de gazole) – à comparer aux charrues des pays moins développés.

La gestion des résidus végétaux est aussi un facteur important de préservation du sol et de son carbone. Si ces résidus sont arrachés à la terre pour nourrir le bétail ou fabriquer des biocarburants, une des meilleures protections contre l'érosion par l'eau et le vent disparaît. Ces résidus constituent une source importante de régénération de la fertilité du sol, dont ils nourrissent les microorganismes. C'est d'ailleurs là un des arguments en faveur de la culture sans labour, qui rend le sol moins vulnérable à l'érosion.

Sur 1,51 milliard d'hectares cultivés dans le monde aujourd'hui, seuls moins de 100 millions ne sont pas labourés, principalement aux États-Unis, au Brésil, en Argentine, au Canada et en Australie. C'est l'une des raisons pour lesquelles le carbone et la fertilité du sol se dégradent plus rapidement dans les pays en développement. Par ailleurs, nombre d'agriculteurs africains ne peuvent cultiver la terre qu'une fois par an, ce qui les incite à récupérer les résidus végétaux pour se procurer un revenu supplémentaire, plutôt que de les laisser sur le sol afin qu'ils le protègent et le régénèrent l'année suivante.

Même si l'on date le début de la crise du climat du commencement de la seconde révolution industrielle, il y a cent cinquante ans, les changements majeurs dans l'utilisation de la terre au moment de la révolution agricole, quand on a déboisé les forêts, ont entraîné un rejet dans l'atmosphère de quantités importantes de carbone issu de l'activité humaine. Plus tard, le recours intensif au labour a fait fuir de grandes quantités de CO_2 de la végétation et des sols.

Des scientifiques ont calculé que la combustion de carburants fossiles n'est devenue la principale source de pollution et de réchauffement qu'à partir des années 1970, devant la combinaison de l'agriculture et de la déforestation. Rattan Lal, de l'Ohio State University, estime que, durant les 10 000 dernières années, l'abattage et le brûlage des arbres et la dégradation des sols ont généré environ 470 gigatonnes de carbone (4 gigatonnes = une part par million de CO_2 dans l'atmosphère), tandis que la combustion des carburants fossiles n'en a produit « que » 300 gigatonnes.

Bien entendu, ce ratio a totalement changé au cours du dernier demi-siècle, la combustion fossile ayant largement pris les devants en matière d'émissions de CO_2. Les calculs de Lal montrent qu'elle provoque une pollution quatre fois plus importante que celle due aux changements de modes de culture de la terre. En outre, une large part du CO_2 libéré dans les premières phases de la révolution agricole a depuis longtemps été recyclée dans la terre et sa végétation. Charlotte Streck, cofondatrice de Climate Focus, affirmait récemment : « Les échanges de carbone organique du sol entre la terre et l'atmosphère sont parmi les plus importants échanges de carbone sur la planète. » William H. Schlesinger, président du Cary Institute of Ecosystem Studies, a calculé qu'environ 10 % du CO_2 atmosphérique passe chaque année à travers le sol (7,5 % selon Lal).

Néanmoins, le schéma actuel de l'agriculture et de la dégradation des sols demeure responsable d'une énorme quantité de pollution. En dépit du succès des États-Unis dans la lutte contre l'érosion, la mécanisation, le quadruplement de la population du globe, l'évolution des régimes alimentaires, l'abondance des ressources de pétrole et l'emploi d'engrais azotés synthétiques ont fait de l'agriculture du XXe siècle l'une des principales causes du réchauffement du climat.

Selon le Groupe intergouvernemental sur l'évolution du climat (GIEC), l'utilisation des terres agricoles contribue à 12 % des émissions mondiales de gaz à effet de serre (méthane et oxyde d'azote, qui sont bien plus efficaces que le CO_2 – molécule par molécule – pour piéger la chaleur). Aux États-Unis, la recherche au niveau fédéral montre que l'agriculture, avec un usage intensif d'engrais chimiques et de carburants fossiles, contribue à près de 20 % des émissions de CO_2 du pays. En outre, la dégradation des sols et l'usage répandu du brûlis dans les pays moins développés contribuent très fortement à l'impact destructeur du système agricole actuel sur le climat de la planète.

En modifiant ce schéma, nous pourrions à la fois réduire les émissions de CO_2, de méthane et d'oxyde d'azote, mais aussi permettre qu'une part considérable du CO_2 accumulé dans l'atmosphère soit absorbée dans les sols, qui la stockeront pendant des milliers d'années. Et, comme c'est le cas de la plupart des autres solutions à la crise du climat, les bénéfices seront immenses pour la civilisation humaine.

Ironiquement, les terres dégradées recèlent les meilleures opportunités de séquestration de CO_2 dans le sol. Ainsi, la restauration des prairies dans le monde est une occasion sans équivalent d'extraire le CO_2 de l'atmosphère pour le mettre dans le sol. Les prairies, du fait du fort potentiel en carbone des racines des hautes herbes, sont particulièrement efficaces pour séquestrer le carbone.

En Afrique, les sols dégradés et la forte croissance des populations vont vraisemblablement aggraver la pénurie de nourriture. Selon Hans van Ginkel, ancien sous-secrétaire général des Nations unies, « la faible fertilité des sols africains est l'obstacle le plus considérable au développement économique de la région. Nous ne pourrons faire de réels progrès dans la lutte contre la pauvreté et la malnutrition en Afrique tant que ce problème ne sera pas résolu ». Lal estime qu'en Afrique subsaharienne, « la plupart des sols agricoles ont perdu de 50 à 70 % de leurs réserves en carbone organique, et cette perte est exacerbée par la dégradation des sols et la désertification actuelle ». Et il précise

L'agriculture moderne est l'une des premières causes de la pollution entraînant le réchauffement climatique.

DES PESTICIDES SONT RÉPANDUS SUR
CE CHAMP DU TENNESSEE, PRÈS DE MEMPHIS.

«en Afrique de l'Ouest, les pratiques extractives, le surpâturage et la demande de bois de combustion ont conduit à une grave dégradation».

Streck a récemment souligné que «la terre agricole en Afrique subsaharienne est affectée à plus de 80 % par la dégradation due à la croissance de la population, à la cherté des engrais, à la déforestation et à l'usage de terres marginales». Les plus grandes quantités de CO_2 séquestrées dans le sol se trouvent dans les marais, y compris les tourbières. Nombre d'experts avancent qu'il sera nécessaire, pour réduire le réchauffement climatique, d'interdire le déboisement, l'assèchement et le brûlage

bent l'activité microbienne qui libère le carbone. Si le réchauffement mondial continue à dégeler les sols gelés du Grand Nord, de grandes quantités de CO_2 et de méthane seront émises dans l'atmosphère assez rapidement. Le seul moyen d'empêcher la catastrophe consiste à ralentir puis à inverser l'accumulation de pollution qui fait monter les températures sur la planète.

Tandis que les scientifiques cherchent les moyens d'améliorer les techniques agricoles afin de séquestrer plus de CO_2 dans le sol, la crise du climat menace également la productivité agricole mondiale. Avec un impact différent d'une région à

« Nous ne pourrons faire de réels progrès dans la lutte contre la pauvreté et la malnutrition en Afrique tant que subsistera le problème de la dégradation des sols. »

HANS VAN GINKEL

des tourbières. Thomas Lovejoy, professeur de biodiversité au Heinz Center, a proposé que les tourbières exposées, dont la couverture arboricole a été enlevée, soient «réhumidifiées» pour les empêcher de s'assécher et de relâcher leur CO_2.

Le second gisement de carbone séquestré dans les sols se trouve dans la terre froide et gelée du Grand Nord : la toundra et les sols boréaux de l'Arctique et du sub-Arctique. Bien que la végétation y soit moindre, ces sols contiennent des quantités considérables de carbone, accumulées au fil du temps ; les températures basses, en effet, inhi-

une autre, celle-ci va subir un sérieux déclin. Il sera plus grave dans les pays moins développés des zones tropicales et subtropicales, où les températures ont déjà atteint au moins le niveau de tolérance des cultures.

Les plantes auront besoin de plus d'eau pour conserver leur fraîcheur face à des températures plus élevées, et certaines, au-delà de températures limites, mourront. Une menace d'autant plus sérieuse si l'élévation des températures correspond à ce qui est prévu dans le cadre du scénario *« business as usual »*, soit 6 °C au cours de ce siècle.

À KEITA (NIGER), DES VILLAGEOIS FONT 10 KM À PIED POUR TROUVER DU BOIS. LES FORÊTS LOCALES ONT ÉTÉ DÉTRUITES IL Y A DES ANNÉES, ACCÉLÉRANT LA DÉGRADATION DU SOL.

EN AUSTRALIE, LA SÉCHERESSE ET LA CHALEUR
RECORDS ONT ÉTÉ CATASTROPHIQUES POUR
L'AGRICULTURE DU PAYS. DANS L'ÉTAT DU VICTORIA,
LES POMMES ONT BRÛLÉ SUR LES ARBRES.

En Inde, l'impact sur l'agriculture sera considérable : selon les scientifiques, le pays pourrait subir une baisse de 30 à 40 % de sa productivité agricole au cours de ce siècle dans le cadre du scénario « business as usual », y compris s'il dépasse la Chine en nombre d'habitants. Pire encore, le Soudan pourrait subir une baisse de 50 % de sa production agricole et le Sénégal de 52 %. La productivité agricole du Mexique pourrait baisser d'un tiers.

La nature erratique de l'évolution de schémas climatiques séculaires complique aussi la capacité des agriculteurs à prévoir le moment des semailles. Jerry L. Hatfield, directeur du National Soil Tilth Laboratory, a affirmé en 2008 que « les événements locaux extrêmes, comme les vagues de chaleur et les sécheresses, sont devenus plus intenses et plus fréquents dans les cinquante dernières années et qu'ils affectent les activités agricoles et la prise de décision en ce domaine ».

Arthur Yap, le ministre de l'Agriculture des Philippines, m'a expliqué l'an passé que, jusqu'à présent, les agriculteurs avaient toujours su prévoir l'arrivée des pluies saisonnières, les deux premières semaines de juin ; mais, aujourd'hui, ce schéma ancestral est perturbé et il n'est plus en mesure de leur dire à quoi s'attendre et quand planter. L'incertitude des saisons pose un problème particulier aux plantes qui, du fait de printemps plus chauds et plus précoces, bourgeonnent plus tôt et sont donc plus vulnérables aux coups de froid.

Le GIEC estime que des changements dans la disponibilité de l'eau – les bonnes quantités au bon moment – auront un impact ravageur dans de nombreuses régions. Les averses extrêmes, avec les inondations et l'érosion qui les accompagnent, devraient être de plus en plus fréquentes. De même, les sécheresses devraient s'accroître et s'aggraver dans la plupart des régions continentales. L'association d'averses plus lourdes et de sécheresses plus graves aurait pour effet une diminution conséquente des rendements agricoles à l'échelle de la planète. L'agriculture américaine dépendant de la pluie à 95 % (et non de l'irrigation), l'alternance de plus en plus imprévisible d'averses et de sécheresses devrait avoir un fort impact. Selon la Federal Emergency Management Agency, les États-Unis perdent actuellement, du fait des sécheresses, de 6 à 8 milliards de dollars par an, l'essentiel résultant de pertes de récoltes.

Pour les zones situées à l'ouest du pays et qui dépendent de la fonte saisonnière des neiges de montagne, le recul des glaciers et du manteau neigeux, la précocité accrue du dégel printanier et la diminution des précipitations posent déjà de sérieuses difficultés, qui devraient s'aggraver avec la poursuite du réchauffement climatique.

C'est dans le sud-est des États-Unis et les plaines du sud-ouest que celui-ci devrait avoir ses pires effets : on y prévoit une baisse de la productivité agricole de 25 à 35 %. Ces prévisions n'incluent pas l'impact du nombre croissant d'insectes ni des sécheresses plus fréquentes. À l'inverse, certains États du Midwest septentrional pourraient connaître une hausse de la productivité agricole, selon ce qu'il advient des précipitations dans cette région.

La dépendance accrue de l'agriculture moderne à quelques variétés hybrides de cultures a pour conséquence que celles-ci ne sont adaptées qu'à un petit nombre de conditions écologiques dans les zones où elles sont cultivées. Cette spécialisation les rend plus vulnérables à l'augmentation des événements climatiques extrêmes, en particulier les fortes températures pendant plusieurs jours consécutifs. Les périodes prolongées de températures nocturnes élevées, accélérant le rythme de développement et la reproduction des plantes qui y sont particulièrement sensibles, raccourcissent en réalité la période de croissance et diminuent la productivité de ces plantes.

La fréquence accrue des averses et des périodes de sécheresse a pour autre conséquence de retarder les semailles de printemps, ce qui aura un impact sévère sur les agriculteurs qui dépendent de la prime liée à la production précoce de cultures très demandées. De même, les inondations en période de récolte provoquent de lourdes pertes.

La hausse des températures a également un effet prononcé sur le rythme d'évaporation de l'humidité du sol, qui s'ajoute à l'impact de sécheresses plus fréquentes. L'élévation des températures moyennes – notamment les mois d'été – sera d'autant plus ressentie dans les zones où les températures déjà hautes limitent la production agricole. Dans les zones plus sèches, la perte accrue de l'humidité du sol peut aussi provoquer des tempêtes de poussière. En 2009, celles-ci ont été anormalement fréquentes dans l'ouest des États-Unis. Enfin, ces vagues de chaleur plus fortes et plus longues oppressent le bétail et se sont déjà traduites par une mortalité accrue.

Rattan Lal résume tout cela par la quatrième de ses « Lois pour la gestion durable du sol » : « Le rythme et la susceptibilité du sol à se dégrader s'accroissent avec la température annuelle moyenne et décroissent avec les précipitations annuelles moyennes. »

La menace pour l'agriculture que représentent les insectes devrait également s'aggraver dans un monde plus chaud, en raison de périodes plus longues de croissance, qui augmentent leur nombre et favorisent leur reproduction.

Comme nous l'avons vu au chapitre 9, des niveaux accrus de CO_2 stimulent la croissance des plantes, mais seulement si l'eau et d'autres nutriments (surtout l'azote) ne viennent pas à manquer. En outre, les plantes bénéficiant de niveaux de CO_2 plus élevés deviennent certes plus grosses, mais sont moins nourrissantes du fait d'une diminution de leur contenu en azote et en protéines. Cela vaut notamment pour l'herbe, et les animaux mis au pré doivent manger davantage pour obtenir la même quantité de protéines.

En outre, des niveaux de CO_2 accrus stimulent davantage la croissance des mauvaises herbes que des cultures vivrières, et les rendent plus résistantes aux herbicides. L'une des mauvaises herbes qui prospèrent dans les environnements riches en CO_2 est l'herbe à puce : le CO_2 la rend plus grosse et lui fait produire une forme plus forte d'urushiol,

un poison auquel 80 % des gens sont sensibles. Selon le U.S. Global Change Research Program, « compte tenu de l'augmentation des émissions de dioxyde de carbone, l'herbe à puce devrait devenir à la fois plus abondante et plus toxique ». On prévoit aussi une expansion vers le nord de mauvaises herbes qui restaient jusqu'alors confinées à des latitudes plus basses.

Les feux de forêt plus fréquents et les vents plus forts auront également un impact aigu sur l'agriculture. Dans certaines zones, une présence accrue d'ozone près du sol, qui freine la croissance, annulera l'éventuel effet positif d'un enrichissement en CO_2.

Parmi les leçons que j'ai retenues de mon père, figure la nécessité de la rotation des terres pour la culture du maïs. Le champ où a été récolté du maïs un été doit, l'année suivante, être recouvert

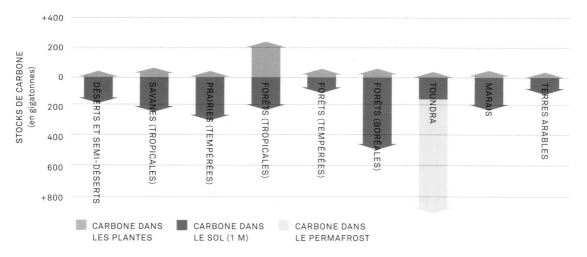

LE CARBONE DANS L'ÉCOSYSTÈME

La végétation et le sol sont d'énormes réservoirs à carbone. Il y a même davantage de carbone dans les sols que dans les arbres et les autres plantes. Les scientifiques ont découvert que les réservoirs de carbone les plus importants sont les tourbières, les marais et les prairies. Certaines méthodes de gestion du sol peuvent accroître la quantité de carbone dans le sol, mais la plupart la réduisent.

SOURCE : GIEC

LA CULTURE BIOLOGIQUE, SOUVENT PRATIQUÉE
À PETITE ÉCHELLE, S'AVÈRE ACCROÎTRE
LE CONTENU EN CARBONE DU SOL. UN EXPLOITANT
ET SON FILS À L'OUVRAGE, À WHATCOM COUNTY
(ÉTAT DE WASHINGTON).

d'engrais animal ou semé de trèfle, de luzerne et d'autres plantes qui réintroduisent de l'azote dans le sol, afin que celui-ci refasse le plein de nutriments. La rotation des cultures et l'usage d'engrais animal sont des moyens anciens pour nourrir en azote des sols épuisés par le maïs ou par d'autres cultures qui en puisent de grandes quantités lors de leur croissance. Mais l'agriculture industrielle moderne a détruit l'équilibre écologique ancestral entre les animaux et les plantes. La plupart des bêtes ont été retirées des fermes et concentrées dans de grands hangars à mangeoires ; le fumier n'est plus considéré comme un engrais bénéfique et devient une source importante de pollution. L'alimentation imposée aux bêtes, dont le système digestif avait évolué pour manger de l'herbe, a rendu leur digestion – et leur fumier – plus acide.

Par conséquent, il n'est pas possible d'utiliser le fumier des élevages industriels comme engrais : sa toxicité, créée par l'homme, inhibe la croissance des plantes et nuit gravement à la fertilité du sol.

Avant la découverte, en 1909, en Allemagne, d'un procédé de fabrication de l'azote synthétique, les paysans se servaient du fumier et de techniques de rotation des cultures pour redonner périodiquement de l'azote à leurs sols afin de maintenir leur productivité. Après 1945, cependant, la dépendance aux engrais azotés synthétiques s'est fortement accrue, notamment lorsque l'on appliqua la technologie allemande de synthèse de l'azote aux énormes stocks de nitrate d'ammonium amassés dans les arsenaux pendant la guerre. Le pétrole bon marché du Moyen-Orient, puis la découverte d'importantes réserves de gaz naturel ont ensuite fourni l'énergie et l'hydrogène nécessaires à la production de quantités considérables d'engrais synthétique azoté.

Comme le montre Michael Pollan dans *The Omnivore's Dilemma,* cet essor soudain de l'offre d'engrais synthétiques a coïncidé avec l'introduction de nouvelles variétés de maïs hybride et avec une évolution de la politique agricole, laquelle se mit à subventionner la surproduction de céréales. Depuis le début des années 1970, les États-Unis consacrent d'importantes subventions à une production de nourriture en très grande quantité, afin de maintenir des prix aussi bas que possible et de stimuler les exportations agricoles. L'agriculture à grande échelle perdrait aujourd'hui beaucoup d'argent sans les subventions du contribuable, qui encouragent la poursuite de pratiques néfastes : il faut à l'agriculture industrielle 10 calories d'énergie issue des carburants fossiles pour produire 1 calorie de nourriture.

Ce que l'on n'a pas compris lorsque ce nouveau schéma de production a été adopté, c'est que l'application d'engrais azotés ne stimule pas seulement la croissance des plantes, mais aussi celle des bactéries gourmandes en carbone et présentes dans le sol. Le gaz naturel brûlé pour produire chaque tonne d'engrais synthétique libère 4,6 tonnes de CO_2 dans l'atmosphère.

Quand l'engrais est répandu sur le sol, chaque tonne consommée par les bactéries du sol leur fait aussi consommer près de 40 tonnes de CO_2. Plus rapidement l'engrais est répandu, plus rapidement les bactéries se multiplient et vident le sol de son carbone. Ce processus est cependant complexe : tandis que d'importantes quantités de carbone sont extraites du sol, l'azote (et d'autres éléments) sont nécessaires pour convertir le carbone de la biomasse en humus.

L'emploi massif d'engrais azotés provoque un excès de nutriments dans l'eau où ils sont entraînés, ce qui stimule la croissance d'algues dans les régions maritimes – comme le golfe du Mexique – où cette eau finit par arriver. Quand ces algues meurent, leur décomposition vide l'eau de son oxygène, tue les poissons et crée ce que les scientifiques appellent des « zones mortes ». Le nombre et l'étendue de ces zones dans l'océan croissent rapidement.

Beaucoup qualifient notre dépendance aux engrais azotés synthétiques de pacte faustien : ils assurent une abondance à court terme, au prix de l'épuisement des sols en carbone à long terme. L'emploi d'engrais synthétiques s'apparente à l'usage de stéroïdes pour les athlètes : leurs muscles croissent à un rythme exceptionnel, mais la santé et l'intégrité de leurs corps se dégradent, imperceptiblement au début, puis de façon sérieuse et irréversible.

Actuellement, le gaz naturel est la principale source d'énergie et d'hydrogène pour la fabrication d'ammonium synthétique – la source de l'engrais synthétique azoté. Selon Ford B. West, président du Fertilizer Institute, aux États-Unis, « 90 % du coût de production d'une tonne d'ammoniac, base de tous les engrais azotés, est directement lié au prix du gaz naturel. Cela fait de la production d'azote l'un des processus industriels les plus intensifs en énergie qui existent aujourd'hui ».

Jusqu'en 2000, les producteurs américains fournissaient 85 % des besoins en azote des agriculteurs. Depuis, vingt-six usines ont fermé, « principalement à cause du prix élevé du gaz naturel », selon West. Plus de la moitié des engrais azotés synthétiques utilisés aux États-Unis sont désormais importés.

Notons toutefois que certaines régions du monde, dont les terres sont gravement endommagées, ont besoin de davantage d'engrais. L'impact de l'engrais azoté n'est pas le même dans tous les

L'agriculture industrielle utilise 10 calories d'énergie fossile pour produire 1 calorie de nourriture.

CES CAMIONS ET ÉLÉVATEURS DIESELS DÉPLACENT DE GROS TAS DE LUZERNE AFIN DE NOURRIR LES VACHES LAITIÈRES DU NORD DE LA CALIFORNIE.

Il faut plus de
3 kilos de protéines
végétales pour
produire 1/2 kilo de
bœuf – et plus de
22 000 litres d'eau !

DANS L'ÉLEVAGE INDUSTRIEL, LE FUMIER ANIMAL
EST UN DÉCHET, SON ACIDITÉ EMPÊCHANT
DE L'UTILISER COMME ENGRAIS.

sols ni dans tous les pays. Ainsi, les agriculteurs qui mettent de la paille sur leur terre devraient ajouter de l'engrais azoté pour accroître les bénéfices de la paille. D'autres engrais, dont le phosphore et le soufre, sont aussi bénéfiques.

En Afrique subsaharienne, le contenu en carbone des sols dégradés est, en moyenne, de 10 à 20 % inférieur à ce qu'il devrait être pour obtenir des rendements adéquats. En ajoutant seulement 3,5 kilos d'engrais à l'hectare (moins de 2 % de ce que l'on utilise dans le Midwest et moins de 0,5 % de ce qui est employé dans le nord de la Chine), ces pays ne produisent en moyenne que 1 tonne de céréale à l'hectare, contre une moyenne de 10 tonnes par hectare dans le Midwest et de 5 à 6 tonnes en Asie.

Une évolution du régime alimentaire a aussi renforcé l'impact de l'agriculture moderne sur la crise du climat. La plupart des êtres humains mangent plus de viande que ne le faisaient leurs parents ou grands-parents. En moyenne, il faut plus de 3 kilos de protéines végétales pour produire 1/2 kilo de bœuf – et plus de 22 000 litres d'eau ! L'accroissement exponentiel du nombre de vaches, de cochons, de poulets a entraîné une forte augmentation des émissions de méthane de l'agriculture (*Science Daily* a récemment publié une étude montrant que 72 % des émissions de méthane au Canada viennent du bétail). Des chercheurs ont récemment découvert des moyens de changer le régime des animaux afin de réduire la quantité de méthane qu'ils rejettent sans que la qualité de la viande soit altérée.

La consommation de viande par habitant dans les pays développés a augmenté de 50 % au cours des cinquante dernières années, mais de 200 % dans les pays en développement. Les conséquences pour la santé d'un régime plus intensif en viande (maladies cardiaques, hypertension, cancer,

obésité), d'abord apparues dans les pays riches, s'étendent rapidement aux pays plus pauvres.

La dépendance vis-à-vis d'une agriculture industrielle à grande échelle – plutôt que de petites exploitations situées près des villes – accroît la quantité de carburant nécessaire pour transporter la viande du champ ou de l'élevage à la table. Et les quantités considérables d'énergie fossile requises pour faire rouler les tracteurs et les camions, fabriquer les engrais et les herbicides, et livrer la nourriture – souvent d'un continent à un autre – se traduisent par de fortes émissions de gaz à effet de serre dans l'atmosphère.

Il est heureusement possible de changer cette situation de manière à faire de la gestion des sols et de l'agriculture une des solutions à la crise du climat. Rattan Lal estime qu'une meilleure gestion des sols permettrait d'y séquestrer jusqu'à 50 % des émissions de combustibles fossiles annuelles mondiales. Recarboniser la planète en séquestrant le carbone dans les sols et les arbres pourrait retirer jusqu'à 50 parts par million de CO_2 atmosphérique au cours des cinquante prochaines années.

Timothy LaSalle, directeur général du Rodale Institute, a proposé un changement radical des pratiques et des politiques agricoles : celles-ci devraient ainsi s'attacher à produire de la matière organique et à restaurer le carbone dans le sol, afin de gérer et d'enrichir organiquement celui-ci. LaSalle souligne que l'application d'engrais azotés solubles stimule « une décomposition plus rapide et totale de la matière organique, en envoyant le carbone dans l'atmosphère au lieu de le retenir dans le sol comme le font les systèmes organiques ». En ayant recours à des cultures sans labour et en enrichissant les sols avec des nutriments naturels, les agriculteurs pourraient réduire leurs coûts tout en améliorant la productivité et la profitabilité.

« La mise en place de pratiques de régénération organique dépend de deux facteurs, affirme LaSalle : une forte demande de changement de la part de la base, et une évolution des politiques locales ou nationales pour aider les agriculteurs à faire la transition. [...] Ceux-ci doivent être rémunérés sur la base du carbone qu'ils peuvent garder ou mettre dans le sol, et non sur celle des quantités produites. Il faut encourager la préservation des ressources et des moyens de production riches en carbone pour les cultures vivrières et le bétail. »

LaSalle est plus optimiste que la plupart des autres analystes quant à l'échelle de ce que l'on peut accomplir en transformant ainsi l'agriculture. Il croit qu'une agriculture régénérative, si elle était pratiquée sur toutes les terres arables de la planète, « pourrait séquestrer près de 40 % des émissions actuelles de CO_2 ». Certains pensent que LaSalle et Lal sont trop optimistes. William Schlesinger, grand expert du contenu en carbone des sols, estime ainsi qu'« il faudrait planter l'équivalent de la superficie du Texas pour accumuler dans les arbres et les sols 10 % des émissions annuelles de CO_2 du pays issues de combustibles fossiles ». Schlesinger reconnaît toutefois que, « si nous pouvions recapturer ne fût-ce qu'une petite part des pertes historiques en carbone du sol, une quantité importante de CO_2 atmosphérique pourrait y rester séquestrée ».

Cette différence de projections en matière de science des sols vient en partie de perceptions variées des possibilités qu'offrent les techniques récemment découvertes en vue d'accroître rapidement le contenu carbonique d'un sol. L'une des stratégies les plus prometteuses pour restaurer le carbone dans les sols épuisés et l'y séquestrer pendant 1 000 ans ou plus, c'est l'usage du biochar.

Le biochar est une forme de charbon de bois poreux, très résistant à la décomposition dans la plupart des sols. Il est produit naturellement, mais peut être manufacturé à faible coût et en grandes quantités par la combustion de bois, de panic érigé, de fumier ou d'autres formes de biomasse dans un environnement peu ou pas oxygéné qui transforme cette matière en un charbon composé à 80 % de carbone pur.

Ce processus peut aussi être utilisé pour produire du gaz ou du carburant liquide en vue de générer de l'électricité, ou peut servir de source d'énergie destinée à fabriquer encore plus de biochar. En outre, un nouveau modèle de four proposé aux populations des pays pauvres qui cuisinent au bois ou au fumier permet de ne brûler que les huiles et les gaz présents dans le bois, ce qui réduit la pollution de l'air tout en produisant du biochar.

Enfouir du biochar dans le sol restaure le contenu de celui-ci, y protège des microbes qui ont un rôle important et l'aide à retenir eau et nutriments. C'est aussi un moyen de réduire l'accumulation de gaz à effet de serre en évitant les émissions qu'engendrerait le pourrissement de la biomasse en surface, en séquestrant le CO_2 contenu dans le biochar et en soutenant le processus (la photosynthèse) par lequel les plantes poussant dans le sol puisent le CO_2 présent dans l'air.

La santé organique du sol s'en trouve également améliorée, grâce à la stimulation de la croissance des bactéries du genre rhizobium et des mycorhizes. David Shearer, entrepreneur en biochar ayant de solides connaissances scientifiques, affirme que « si l'on met du biochar dans le sol, il y restera des siècles voire des millénaires. C'est un treillage de carbone qui crée un habitat pour les moisissures et les bactéries, lequel produit une forte conductivité en matière de capacité d'échange ».

Ces dernières décennies, des scientifiques du sol ont découvert que les Indiens d'Amazonie

DEPUIS TRENTE ANS, LE RODALE INSTITUTE
(PENNSYLVANIE) EXPLORE DES MÉTHODES
D'ÉLEVAGE BIOLOGIQUE POUR RÉGÉNÉRER
LA PRODUCTIVITÉ DU SOL.

DANS L'OUEST DE LA VIRGINIE, UN ÉLEVEUR
DE VOLAILLES PRODUIT, À PARTIR D'EXCRÉMENTS
DE POULES ET DE COPEAUX DE BOIS,
DU BIOCHAR, UNE RESSOURCE PRÉCIEUSE
POUR RECARBONISER LES SOLS.

utilisaient le biochar depuis au moins un millénaire pour créer des sols noirs fertiles, bien plus productifs que les sols alentour, alors même que ce biochar y a été enfoui il y a 1 000 ans. Ces sols, appelés *terra preta* («terre noire» en portugais), sont un moyen unique d'assurer la longévité des bénéfices conférés aux sols par le biochar. Il semble, par ailleurs, qu'ils aient la capacité de se régénérer eux-mêmes.

Les experts du climat – dont Tim Flannery, en Australie, et James Lovelock, au Royaume-Uni – pensent que le biochar peut être la base d'une

système seraient ainsi déplacées et cela ferait tomber assez vite le CO_2... C'est une des choses qui pourraient faire la différence, mais je parie que l'on ne le fera pas. »

Dans une lettre ouverte, Flannery écrivait en 2008 : « Le biochar pourrait constituer l'initiative la plus importante pour l'avenir environnemental de l'humanité. Il nous permet d'assurer la sécurité alimentaire et de répondre à la crise des carburants et du climat, et ce d'une manière infiniment commode. Le biochar est à la fois un concept très ancien et une idée tout à fait neuve. » Flannery qualifie la

> « Le biochar pourrait constituer l'initiative la plus importante pour l'avenir environnemental de l'humanité. »
>
> TIM FLANNERY

stratégie agricole mondiale. Johannes Lehmann, de la Cornell University, estime que «toute matière organique retirée du cycle rapide de la photosynthèse [...] et placée dans le cycle, bien plus lent, du biochar permet de diminuer de façon efficace le dioxyde de carbone dans l'atmosphère ».

Lovelock, l'expert le plus pessimiste quant à l'évolution future de la crise du climat, a affirmé cette année : «Il n'y a qu'un moyen de nous sauver nous-mêmes, l'enfouissement massif de biochar. Il faut pour cela que tous les agriculteurs transforment leurs déchets agricoles – contenant le carbone que les plantes ont passé l'été à séquestrer – en biochar non biodégradable et l'enfouissent dans le sol. De bonnes quantités de carbone du

stratégie du biochar de «moyen le plus puissant que nous ayons pour nettoyer l'atmosphère ».

Face à un tel enthousiasme affiché par de nombreux spécialistes du sol et du climat, quelques militants écologistes craignent qu'une stratégie du biochar au niveau mondial, si elle était mal conçue, ne reproduise le boom de l'huile de palme qui a entraîné la destruction des forêts tropicales au profit des plantations de palmier en Asie du Sud-Est. Leur vision cauchemardesque de «plantations de biochar » part de l'hypothèse que les forêts vierges seront coupées, puis replantées d'arbres mieux adaptés au processus de fabrication du biochar.

Ces craintes sont compréhensibles. Les subventions à la production d'éthanol – que j'ai

mutuellement bénéfique favorise la productivité et accroît, dans le sol, nutriments et carbone. Le labourage moderne, entre autres effets dévastateurs, détruit ces délicats réseaux mycorhiziens.

Si nous pensons qu'il est urgent de sauver l'environnement de la planète – et de résoudre la crise du climat –, nous devons changer les bases des subventions agricoles : cesser de financer la surproduction pour, à l'inverse, récompenser

▶ remettre les bêtes au sein des exploitations et utiliser leur fumier comme engrais ;

▶ manger moins de viande ;

▶ manger le plus possible « local » ;

▶ soutenir les marchés « fermiers » ;

▶ laisser les résidus de culture sur la terre ;

▶ utiliser le biochar selon des programmes mondiaux subventionnés (en prenant garde de recourir aux bonnes ressources pour le fabriquer,

Au lieu de récompenser la surproduction, les subventions agricoles doivent récompenser l'accumulation de carbone dans les sols et la restauration de la productivité de la terre.

l'accumulation de carbone dans le sol et la restauration de la productivité de la terre.

Un plan visant, à l'échelle internationale, à séquestrer davantage de carbone dans le sol comprend plusieurs axes :

▶ restaurer les marais et interdire le drainage et la culture des tourbières ;

▶ réduire considérablement la pratique du labour, convertir autant de terre que possible à la culture sans labour et favoriser l'emploi de paillis ;

▶ alterner chaque année cultures et plantes de couverture, dans un cycle complexe de rotation ;

▶ planter des arbres légumineux tous les 10 mètres pour former des haies ou des tampons afin d'éviter l'érosion et d'azoter le sol ;

à savoir ni les épis de maïs ni un autre résidu qui doit rester sur le sol afin de le protéger et d'en régénérer la couverture) ;

▶ ajouter dans les sols des bactéries du genre rhizobium et des mycorhizes pour accélérer la restauration de la fertilité et la séquestration du carbone ;

▶ préserver, récupérer et recycler l'eau dans des réservoirs.

Un plan efficace nécessiterait de mettre en œuvre des budgets positifs en carbone et nutriments pour les agro-écosystèmes, budgets où les ressources en carbone excéderaient largement les émissions. Une gestion intégrée des nutriments, associée à un usage intelligent de la terre, pourrait, de l'opinion de maints experts, réduire sensible-ment les quantités de CO_2 émises dans l'atmos-phère. En outre, cette stratégie aurait pour bénéfices collatéraux d'accroître la productivité des sols et de mieux lutter contre la pauvreté, la malnutrition et la faim.

La clef d'une telle stratégie, c'est la fixation d'un prix du carbone et la prise en compte des flux rentrants et sortants de carbone des sols au sein d'un traité planétaire. Plusieurs années ont été nécessaires pour que les forêts fassent partie du cadre d'un traité international sur la réduction des émissions de carbone – un travail qui doit être complété par le texte du traité de Copenhague.

Malheureusement, les négociateurs des pays développés affirment que les difficultés à mesurer la quantité de carbone présent dans le sol (mesure qui serait à la base des critères nationaux et de la surveillance des pertes et gains en carbone) sont encore trop grandes pour permettre d'inclure le carbone du sol dans un tel traité.

Aujourd'hui, le Système d'échange d'émis-sions de gaz à effet de serre de l'Union européenne (ETS, le plus grand au monde) exclut à la fois les forêts et le carbone du sol. Seul le Chicago Climate Exchange (CCX) reconnaît les réductions d'émissions certifiées de carbone du sol. Il nous faut étendre de telles normes à l'échelle de la planète.

Le potentiel formidable de séquestration du carbone qu'offrent les sols devrait orienter les négociateurs vers les solutions aux problèmes qu'ils considèrent comme des obstacles au traité. L'Afrique subsaharienne serait d'ailleurs la grande perdante si le nouvel accord ne reconnaissait pas la séquestration du carbone du sol. Celle-ci consti-tuerait en effet une opportunité sans précédent de diminuer le carbone dans l'atmosphère et de res-taurer la fertilité des terres africaines.

En 2009, grâce à l'argent de la Bill and Melinda Gates Foundation, un groupe de scientifiques spécialistes du sol a lancé un projet ambitieux de création d'une carte numérique des sols de la pla-nète. Cette initiative, nommée GlobalSoilMap.net et conduite par Alfred Hartemink, de l'Interna-tional Soil Reference and Information Centre, fait de l'Afrique sa priorité. «Les gens comprennent que la nourriture vient de la terre et, si on veut arrêter la famine, il faut connaître le sol et celui-ci doit être en bon état», explique Hartemink.

Quant à la difficulté de mesurer le carbone du sol, les grands experts dans ce domaine sont en désaccord avec les négociateurs des pays déve-loppés, dont les idées, estiment-ils, sont scienti-fiquement obsolètes. De nouveaux travaux ont en effet donné confiance aux experts dans sa faisabilité.

Le Brookhaven National Laboratory développe une technologie innovante appelée la dispersion de neutron inélastique, qui permet de mesurer le contenu carbone d'un sol à une profondeur de 60 centimètres quand un tracteur passe dessus. Celui-ci peut aussi être contrôlé grâce à la spec-troscopie infrarouge par satellite. Le Los Alamos National Laboratory développe une spectroscopie à rayon laser capable d'analyser le contenu en car-bone d'échantillons représentatifs du sol.

Associées à une modélisation sophistiquée des différents types de sol, ces techniques sont à même de fournir une mesure précise de la quantité de car-bone dans chaque pays et de faciliter le contrôle, fiable, dans le temps, des gains et des pertes.

Les avantages qui en résulteraient pour l'envi-ronnement, ainsi que pour la conclusion d'un accord entre pays riches et pays pauvres, font de ce défi l'enjeu numéro un.

BASSIN DE LA PALOUSE RIVER (ÉTAT DE WASHINGTON). LES PRAIRIES SONT PARTICULIÈREMENT EFFICACES POUR LA SÉQUESTRATION DU CARBONE.

CHAPITRE ONZE

LA POPULATION

MARCHÉ D'OSHODI, LAGOS (NIGERIA). PLUS
DE 90 % DE LA CROISSANCE DÉMOGRAPHIQUE
URBAINE MONDIALE DEVRAIT CONCERNER
DANS LES PAYS EN DÉVELOPPEMENT.

La croissance spectaculaire de la population mondiale depuis le XVIIIᵉ siècle – et surtout au XXᵉ siècle, où elle a presque quadruplé – est assurément l'une des principales causes du changement radical de relation entre la civilisation humaine et le système écologique de la Terre. L'impact du nombre croissant d'êtres humains serait bien sûr moindre si la consommation moyenne de ressources naturelles était réduite et si les technologies utilisées pour exploiter la Terre devenaient plus efficaces, tout en minimisant les dommages que nous infligeons à l'environnement.

Alors que la planète est passée de 1,6 milliard d'habitants en 1900 à presque 6,8 milliards aujourd'hui, de nouvelles technologies se sont diffusées encore plus vite, en particulier à partir de 1950. Elles ont alimenté un formidable essor de l'activité économique, qui s'est accélérée au moment du boom de l'après-guerre. La mondialisation de l'industrie et du commerce s'est accompagnée d'une hausse considérable des quantités de charbon et de pétrole utilisées – donc de CO_2 produit – ainsi que d'une hausse comparable de la production de méthane et d'autres gaz à effet de serre. D'ici 2025 va s'ajouter à la population mondiale, principalement dans les pays en développement, l'équivalent d'une Chine, essentiellement pauvre. Mais, dans tous ces pays, l'accès croissant aux technologies amplifie les dommages causés à l'environnement.

Pour toutes ces raisons, trouver une solution à la crise du climat implique de relever un défi de taille : stabiliser la population mondiale aussi vite que possible. Pourtant, la plupart des débats sur le climat abordent rarement ce sujet, ce qui conduit certains observateurs à se demander s'il ne s'agirait pas là d'un tabou. Et il est vrai que l'on me demande souvent pourquoi la population n'est guère mentionnée dans les débats sur l'équilibre climatique de la planète.

En réalité, les efforts pour stabiliser la croissance de la population sont déjà couronnés de réussite, même si leurs effets sont lents. La question de la stabilisation est même l'une des rares autour de laquelle il existe un consensus mondial et une série reconnue de récents succès.

Au cours du dernier quart de siècle, les démographes et autres experts ont fait de formidables progrès dans la compréhension des complexités de la croissance et de la stabilisation de la population. Et l'application de leurs découvertes dans l'ensemble des pays du monde a d'ores et déjà

1   50   100   150   200   250   300   350   400   450   500   550   600   650   700   750   800   850   900   950   1000

SOURCE : United States Census ; United Nations, *World Population to 2300*, 2004 ; Carbon Dioxide Information Analysis Center ; AAAS *Atlas of Population and Environment*

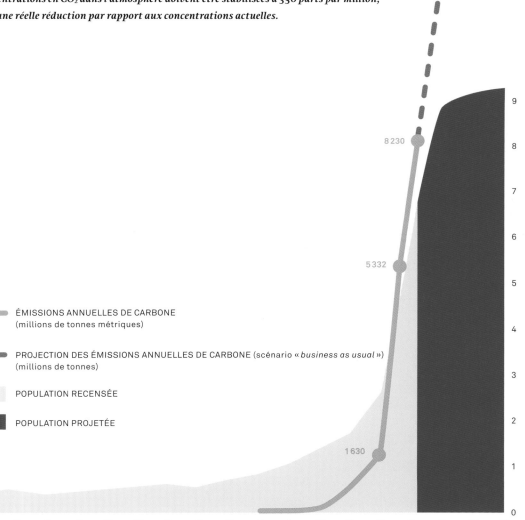

CROISSANCE DE LA POPULATION MONDIALE
ET ÉMISSIONS DE CARBONE

La population mondiale continue de croître, mais devrait stagner autour de 9,1 milliards d'habitants d'ici le milieu du siècle. Toutefois, la seule stabilisation de la population humaine ne suffira pas à interrompre l'augmentation des émissions de gaz à effet de serre. Les émissions annuelles de carbone ont quadruplé depuis 1950, et leur taux de croissance a fortement augmenté entre 2000 et 2008. Nombre de scientifiques estiment que les concentrations en CO_2 dans l'atmosphère doivent être stabilisées à 350 parts par million, soit une réelle réduction par rapport aux concentrations actuelles.

15 000

8 230

5 332

1 630

ÉMISSIONS ANNUELLES DE CARBONE
(millions de tonnes métriques)

PROJECTION DES ÉMISSIONS ANNUELLES DE CARBONE (scénario « *business as usual* »)
(millions de tonnes)

POPULATION RECENSÉE

POPULATION PROJETÉE

MILLIARDS D'HABITANTS

9

8

7

6

5

4

3

2

1

0

1200 1250 1300 1350 1400 1450 1500 1550 1600 1650 1700 1750 1800 1850 1900 1950 2000 2050 2100 2150

conduit à un net ralentissement du rythme de croissance démographique. Le monde peut donc, s'il continue sur cette voie, espérer stabiliser sa population à un peu plus de 9 milliards d'habitants d'ici le milieu du XXIᵉ siècle.

Cette projection est cependant très incertaine, et plusieurs experts doutent que les dirigeants politiques poursuivent les progrès nécessaires pour atteindre cet objectif. Et si le sujet de la population n'est assurément pas tabou dans les débats sur le climat, certaines questions qui lui sont attachées – contraception, statut de la femme – sont difficiles à aborder avec les responsables d'un grand nombre de pays.

Il y a plusieurs décennies, les démographes observaient que les pays ayant les niveaux de revenus les plus élevés avaient une croissance démographique moindre et un haut degré d'indus-

trialisation. Se fondant sur cette corrélation, ils pensaient que le meilleur moyen de freiner la croissance de la population était d'accélérer l'industrialisation des pays à bas revenus. Ils ont toutefois compris, des années plus tard, que le lien entre revenus plus élevés et croissance démographique moindre reposait sur d'autres phénomènes, à l'origine d'une évolution vers des familles plus petites.

À ce sujet, un nouveau consensus est apparu dans l'accord visionnaire signé au Caire en 1994, lors de la conférence internationale des Nations unies sur la population et le développement : la dynamique d'une population est un système complexe qui, au fil du temps, évolue d'un schéma à un autre. D'une situation dominée par des familles nombreuses, une forte mortalité infantile et une fécondité importante, on passe à un nouvel équi-

LES QUATRE FACTEURS DE STABILISATION DE LA POPULATION

ÉCOLE PRIMAIRE DU BALOUTCHISTAN, PAKISTAN

ÉLECTIONS À TÉHÉRAN, IRAN

1. La diffusion de l'éducation des filles.

2. L'amélioration des droits sociaux et politiques des femmes, dans les familles, communautés et nations.

libre, caractérisé par de petites familles, une faible mortalité infantile et une moindre fécondité.

Les démographes ont également isolé les quatre facteurs responsables du passage du premier au second schéma :

▸ l'éducation des filles ;

▸ la possibilité donnée aux femmes de participer aux décisions au sein de la famille, de la collectivité et de la nation ;

▸ une faible mortalité infantile, permettant aux parents de pouvoir espérer que leurs enfants survivront jusqu'à l'âge adulte ;

▸ la capacité des femmes à déterminer le nombre d'enfants qu'elles veulent mettre au monde.

Ces quatre facteurs sont liés et doivent être réunis pour que change la dynamique démographique. L'expérience montre heureusement que, lorsque ces quatre facteurs coexistent, le passage à des familles plus petites et à une croissance démographique moindre est inexorable. Cette transition – appelée « transition démographique » – est en cours dans presque tous les pays. Elle a été si rapide et si prégnante dans les pays les plus riches que les quarante-cinq pays développés comptant plus de 100 000 habitants ont un taux de fécondité inférieur à ce qui leur permettrait de maintenir leur population à sa taille actuelle.

Des analyses démographiques effectuées en 2009 indiquent l'amorce d'une nouvelle tendance : de nombreux pays avancés, une fois atteint leur plus haut niveau de développement, connaissent un essor de la fécondité. Tandis que les experts essaient de comprendre le sens de cette tendance nouvelle, celle-ci ne devrait pas altérer la croissance démographique mondiale car très peu de pays ont le niveau de développement requis.

VACCINATION CONTRE LA ROUGEOLE, TADJIKISTAN

3. Une mortalité infantile faible, donnant l'espoir que les enfants vivront jusqu'à l'âge adulte.

CENTRE DE PLANNING FAMILIAL, CÔTE D'IVOIRE

4. La capacité des femmes à choisir le nombre de leurs enfants et le rythme des grossesses.

CE PAYSAN CULTIVE UNE FORÊT RÉCEMMENT
BRÛLÉE PRÈS DE VILA CANOPUS, BRÉSIL.

Elle est bienvenue dans les pays riches à la population vieillissante, où le ratio actifs/retraités diminue considérablement. Jusqu'à présent toutefois, sans l'immigration, les pays développés auraient vu leur population décliner. (Aux États-Unis, la croissance démographique est l'une des raisons pour lesquelles les émissions de CO_2 y ont crû bien plus rapidement qu'en Europe, notamment.)

Bien que les mesures démographiques soient réunies en totaux nationaux, les statistiques de chaque pays révèlent la situation particulière de certains groupes de population par rapport à celle de la majorité. Les différences sont très prononcées pour les minorités à bas revenus, dotées de moins de droits et ayant un accès limité aux soins pédiatriques et maternels. Si les États-Unis connaissent une croissance démographique plus importante que les autres pays développés, c'est parce que la disparité entre riches et pauvres y est plus grande ; ayant un moindre accès à la santé et à l'éducation, les familles pauvres ont généralement un taux de fécondité plus élevé. Sur un plan global néanmoins, les différences entre pays riches et pays pauvres restent le facteur le plus pertinent, car les politiques nationales sont le mieux à même de participer d'un effort planétaire de stabilisation de la population.

La transition démographique a également commencé dans les pays moins développés, plus pauvres. Certes ces pays enregistrent toujours une forte croissance démographique et continueront à croître pendant au moins dix ans, mais à un rythme de croissance ralenti.

La poursuite actuelle de l'essor de la population dans les pays pauvres constitue une pression sans précédent sur l'environnement et sur le tissu social des familles et des communautés. Dans de nombreux pays moins développés, les paysans pauvres se déplacent vers des régions jadis couvertes de forêts, coupant et brûlant le bois pour survivre. Une grande partie des forêts – si précieuses pour la séquestration du CO_2 et la biodiversité – disparaît ainsi, en particulier dans les régions tropicales et subtropicales. Et, comme nous l'avons vu dans le chapitre 9, la conversion des forêts en terres à culture réduit aussi les précipitations.

Les pénuries d'eau potable menacent nombre de ces régions à mesure que des populations plus nombreuses dépendent des réserves en eau et que la croissance rapide des villes conduit à un engorgement des infrastructures de distribution. Dans plusieurs pays, les réservoirs et les nappes aquifères sont déjà vides. À Mexico, la plus grande ville de l'hémisphère Nord, le faible niveau des pluies en 2009, ajouté à une population en croissance rapide et à des infrastructures inadaptées, a contraint les autorités municipales à priver d'eau potable, à cinq reprises, des centaines de milliers de personnes. Sans parler des déchets non traités, qui ont un impact négatif sur la qualité de l'eau, aggravant la menace de maladies comme le choléra.

Le tissu social est lui aussi mis à mal, à la fois par l'augmentation de la population et par une tendance connexe : l'urbanisation. Depuis les origines de l'humanité, 15 % de la population tout au plus vivait dans les villes. Au siècle dernier, ce schéma a radicalement changé. En 2008, pour la première fois, plus de la moitié de la population mondiale vivait dans des villes. Au XXᵉ siècle, tandis que la population mondiale a quadruplé, la population *urbaine* mondiale a plus que décuplé. À l'échelle mondiale, dans un futur prévisible, toute croissance de la population concernera les zones urbaines, la population rurale devant quant à elle diminuer. Dans les pays en développement, de plus en plus de personnes quittent les campagnes pour les villes. Or, plus de 90 % de la croissance démographique mondiale devrait se

produire dans ces pays. En Chine, par exemple, au cours des trente dernières années, la population urbaine est passée de 200 à 600 millions de personnes. Dans les quinze prochaines années, on prévoit qu'elle croîtra encore de 350 millions de personnes, soit plus que la population des États-Unis. Quand Mao Zedong a pris le pouvoir, en 1949, 11 % seulement de la population chinoise vivait dans les villes. D'ici vingt ans, ce chiffre serait de 70 %.

Observons qu'une part significative de la nouvelle population urbaine mondiale s'est installée dans des zones côtières proches du niveau des océans, donc vulnérables à son élévation. Or celle-ci va malheureusement s'accélérer au cours du siècle en raison de la fonte des glaces du Groenland et de l'Antarctique, liée au réchauffement.

Le taux de croissance de la population urbaine mondiale a baissé. Toutefois, ce taux est, selon le Fonds pour la population des Nations unies, moins significatif que le nombre absolu d'habitants, en particulier en Asie et en Afrique. Quoi qu'il en soit, même un taux de croissance plus faible dans les zones nouvellement urbanisées représente un défi. En Afrique et en Asie, la population urbaine devrait croître de 100 % au cours des vingt prochaines années. Lagos, la ville la plus importante du Nigeria, est passée de 1,9 million d'habitants en 1975 à 9,5 millions en 2007 – et devrait atteindre 15,8 millions en 2025. Lagos, Dhaka (Bangladesh) et Kinshasa (République démocratique du Congo) sont les trois mégapoles mondiales enregistrant la croissance la plus forte.

Le rythme rapide de l'urbanisation constitue une opportunité de construire des immeubles et des systèmes de transport plus efficaces, et de développer des énergies plus économes et plus efficientes. Certaines solutions à la crise du climat impliquent des politiques qui tirent parti des

CES HABITANTS D'UN BIDONVILLE DE DELHI,
OÙ 4 000 ACTIFS VIVENT SANS EAU POTABLE,
VIENNENT CHERCHER DE L'EAU.

URBANISATION ET CROISSANCE DES MÉGAPOLES

Pour la première fois dans l'histoire de l'humanité, plus de la moitié de la population mondiale vit dans des villes.
La population de la Terre a quadruplé dans les cent dernières années, mais celle des villes a décuplé. D'ici 2025, il pourrait
y avoir vingt-sept mégapoles – des zones urbaines de plus de 10 millions d'habitants. La croissance rapide des mégapoles
offre la possibilité de réduire les émissions de gaz à effet de serre au niveau mondial. Des zones urbaines densément
peuplées, équipées d'infrastructures énergétiquement efficientes – quartiers compacts, distances domicile-lieu de travail
courtes, transports collectifs, bâtiments verticaux –, émettent moins de gaz à effet de serre par tête que les zones rurales
ou suburbaines. Les New-Yorkais ont une empreinte écologique inférieure d'un tiers à la moyenne américaine ;
les émissions de gaz à effet de serre des habitants de São Paulo sont inférieures de 18 % à celles du Brésilien moyen.

PARIS

LOS ANGELES

NEW YORK

MEXICO

LAGOS

KINSHASA

RIO DE JANEIRO

SÃO PAULO

BUENOS AIRES

SOURCE : United Nations Population Division ; CIA World Factbook

MOSCOU

ISTANBUL

LE CAIRE

KARACHI

LAHORE

DELHI

DHAKA

BOMBAY

CHENNAI

CALCUTTA

SHENZHEN

PÉKIN

SHANGHAI

TOKYO

OSAKA

MANILLE

CANTON

JAKARTA

POPULATION EN MILLIONS

2007

2025 (projection)

35+   30+   25+   20+   15+   10

possibilités qu'offre la nouvelle croissance urbaine mondiale en matière d'efficience énergétique. Mais l'urbanisation s'accompagne d'un changement de mode de vie des anciens habitants ruraux, qui se traduit, dans la plupart des pays en développement, par de fortes hausses de la consommation d'énergie fossile.

En outre, le schéma actuel d'urbanisation favorise bien davantage la voiture et le camion que les moyens modernes de transport collectif. Cela conduit à un besoin accru de béton et d'asphalte, à une augmentation des embouteillages, de la pollution de l'air et des émissions de CO_2. Un expert ès planification urbaine constate que la conception de la plupart des villes semble avoir pour principe sous-jacent de s'assurer que «les voitures seront heureuses».

Si l'augmentation de la population mondiale ne concerne aujourd'hui que la ville, les démographes soulignent que les migrations depuis les zones rurales ne sont plus le premier facteur de croissance démographique urbaine : il vient après la croissance naturelle. Pour stabiliser la population urbaine, il faut donc recourir à la stratégie déjà mise en œuvre pour stabiliser la croissance de la population mondiale. On en revient à nos quatre facteurs, dont l'expérience montre qu'ils conduisent inévitablement à des familles plus petites, des taux de croissance démographique moindres et une stabilisation de la population mondiale au cours du siècle, probablement autour de 9,1 milliards d'habitants.

Le facteur de transition démographique le plus important semble être le premier : l'éducation des filles. Lorsqu'une majorité de filles sont éduquées, elles trouvent le moyen, devenues femmes, d'accroître leur autonomie. Elles repoussent souvent l'âge du mariage et de la première grossesse. Elles ajoutent leurs voix à celles des hommes de leur

pays qui œuvrent en faveur de meilleurs soins pédiatriques et maternels, ce qui fait baisser la mortalité infantile. Des femmes mieux éduquées et plus autonomes s'efforcent également de gérer leur propre fécondité, c'est-à-dire de choisir le nombre d'enfants qu'elles désirent avoir et le moment de la grossesse.

Cependant, aucun des quatre facteurs ne peut être laissé de côté, tous sont nécessaires. Dans chaque pays, en effet, la baisse du taux de mortalité précède celle du taux de natalité d'une demi-génération ou plus. Ce fait établi souligne l'importance centrale de la baisse du taux de mortalité infantile. Cette équation semble contradictoire, et nombre d'observateurs se sont demandés pourquoi une baisse du taux de mortalité se traduisait par une diminution de la population. Julius K. Nyerere, chef d'État africain, a expliqué ce faux paradoxe il y a soixante ans : «Le contraceptif le plus puissant, c'est l'assurance des parents que leurs enfants vont survivre.»

Le lien entre une moindre mortalité et une population moins nombreuse n'est pas le seul paradoxe apparent révélé par les démographes. Nombre de pays qui interdisent l'avortement ont des taux d'avortement plus élevés que les États-Unis, où celui-ci est en général légal durant les six premiers mois de grossesse, moyennant des restrictions au second trimestre. Les données mondiales montrent que lorsque les femmes ont accès à de bons services d'obstétrique et d'avortement, il y a moins de grossesses non désirées et d'avortements.

La révolution mondiale des communications – télévision par satellite, Internet et téléphone portable – semble avoir accéléré le mouvement en faveur de l'éducation des filles et des droits des femmes. Ainsi, en Arabie saoudite, pays qui avait l'un des taux de croissance démographique les plus élevés du monde, 55 % des diplômés d'universités

Le principe qui semble présider à la conception des villes, c'est de s'assurer que « les voitures seront heureuses ».

AUTOROUTES À SHANGHAI, CHINE.

« Le contraceptif le plus puissant, c'est l'assurance des parents que leurs enfants vont survivre. »

JULIUS K. NYERERE

UNE MÈRE REGARDE SON BÉBÉ
DANS UNE COUVEUSE.

sont désormais des femmes. Et le taux de croissance démographique y a considérablement baissé. Entre 1975 et 1980, le nombre d'enfants par famille était en moyenne de 7,3 ; il est aujourd'hui de 3,2. Lors d'un récent séjour dans les pays du golfe Persique, j'ai rencontré une femme qui était pilote d'un Boeing 747. Elle portait sa casquette de commandant de bord sous un foulard. Je ne lui ai pas demandé combien elle avait d'enfants, mais sans doute moins que sa mère ou sa grand-mère.

De même, les pays pauvres ayant des taux de mortalité élevés enregistrent également les taux de croissance démographique les plus forts et la moyenne d'âge la plus basse. Le Niger, dont le taux de mortalité est l'un des plus hauts du monde, a aussi la population la plus jeune, avec un âge médian de 15 ans.

La rapidité d'accroissement de la population au XXᵉ siècle et celle de la transition démographique ces quelque trente dernières années ont entraîné des perturbations sans précédent dans le renouvellement des générations de nombreux pays. Au Japon, le nombre moyen d'enfants par famille a baissé si rapidement (et l'immigration est si étroitement contrôlée) que la population décroît depuis quatre ans. La part des personnes âgées dans la population totale n'a jamais été aussi importante : l'âge médian est ainsi de 44,4 ans, soit près de trois fois celui du Niger.

La plupart des pays comptent à la fois beaucoup de jeunes et beaucoup de personnes âgées, ce qui se traduit par ce que les démographes appellent un « ratio de dépendance élevé ». En 1960, il y avait aux États-Unis un peu plus de cinq actifs contributeurs au système de couverture sociale pour un retraité. Ce ratio est aujourd'hui tombé à trois pour un et devrait bientôt passer à deux pour un. La charge financière incombant à chaque actif est évi-

demment plus importante à mesure que le nombre d'actifs baisse et que celui des retraités augmente.

Dans la plupart des pays en développement, les retraités ne bénéficient pas d'un système de couverture sociale comparable à ceux des pays riches, et le désir d'avoir des enfants est renforcé par le besoin de se reposer sur ces futurs adultes pour aider les personnes âgées. Nombre de pratiques religieuses et culturelles favorisent ce désir naturel, soulignant les bienfaits de la descendance et de la continuité des traditions ; les habitudes de sociétés naguère rurales valorisent aussi les familles nombreuses, les enfants servant de main-d'œuvre.

Cependant, l'expérience montre que lorsque les enfants survivent en nombre jusqu'à l'âge adulte et que les trois autres facteurs de transition démographique sont également présents, le désir de la plupart des gens d'avoir moins d'enfants l'emporte sur les incitations à constituer une famille nombreuse.

La force de la croissance démographique est à elle seule un enjeu social et politique majeur dans les pays concernés. Tous les systèmes d'aide – santé, éducation, sécurité sociale, etc. – voient en effet leurs capacités engorgées. Et les dirigeants de ces pays ont bien du mal à étendre ces services suffisamment vite pour satisfaire les besoins de populations plus nombreuses.

En outre, quand le nombre d'emplois nouveaux reste très en deçà du nombre de personnes souhaitant entrer sur le marché du travail, le malaise social – en particulier chez les jeunes – peut se traduire par une instabilité politique, ou pire encore. Le malaise social, le manque de travail et la dégradation du cadre de vie alimentent d'amples courants d'immigration illégale vers les pays plus prospères, plus productifs et plus stables. Et l'impact de la crise du climat – en particulier dans les pays secs souffrant des effets de températures élevées et de

COMMENT NOUS UTILISONS L'ÉNERGIE

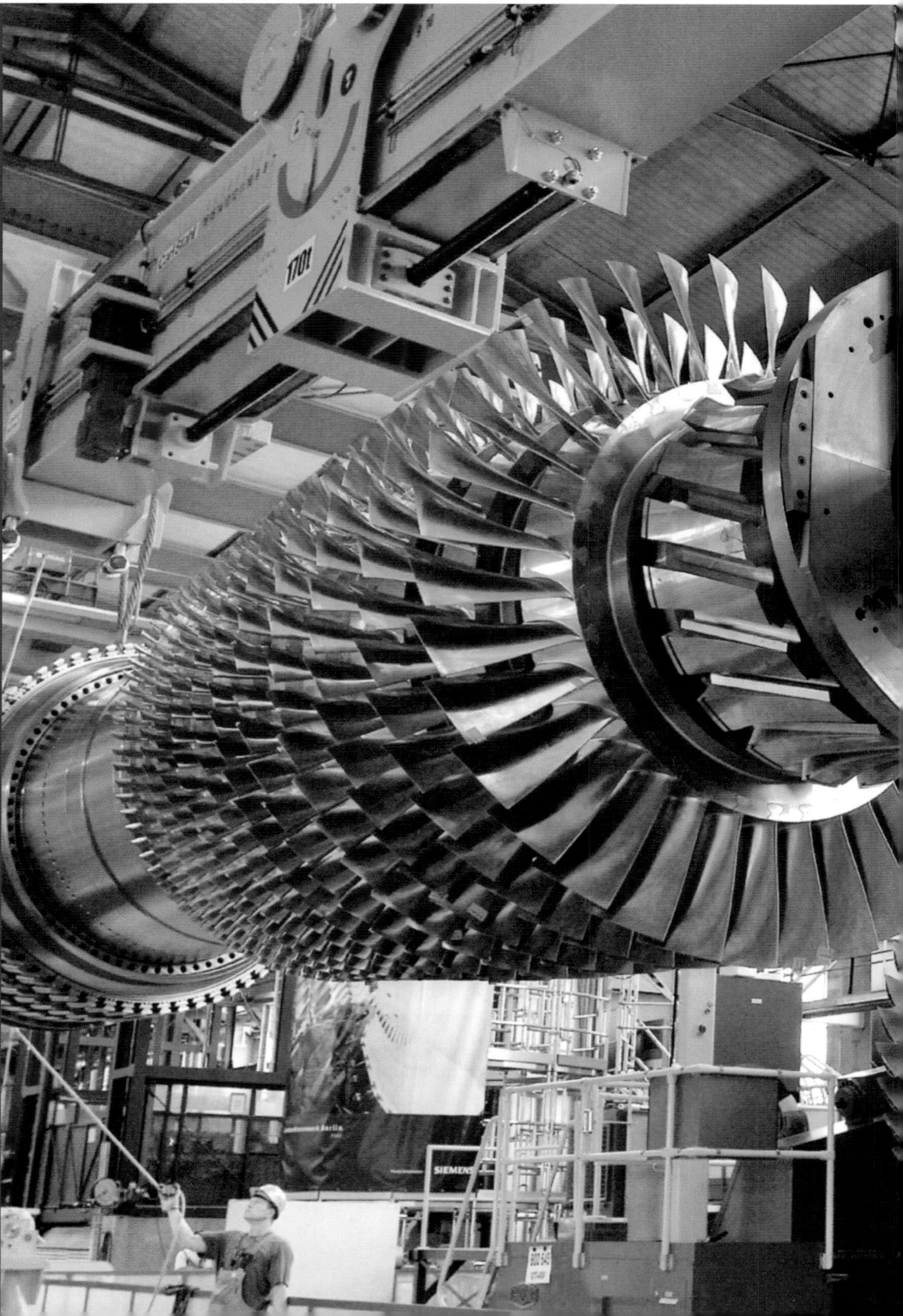

ÉTUDIANTES EN BIOLOGIE
DANS UN LYCÉE EN INDONÉSIE.

populations, partout dans le monde, d'avoir des familles plus petites.

En 1994, en Égypte, j'ai conduit la délégation des États-Unis lors d'une conférence des Nations unies sur la population et le développement. Les intenses négociations avec les représentants des nations, groupes religieux et ONG diverses m'ont beaucoup appris.

Quinze ans après le consensus sur le développement signé au Caire, il est clair que les politiques adoptées fonctionnent. Mais nombre de pays riches et développés n'ont pas rempli les promesses faites alors et depuis. Probablement en raison du refus de l'administration Bush-Cheney de soutenir les programmes internationaux de gestion de la fécondité dès qu'il y avait le moindre risque de lien avec l'aide à la contraception et à l'avortement légal. En partie à cause de cette politique, les organisations internatio-

nales ont été contraintes de se détourner de l'aide à la maîtrise de la fécondité.

Pourtant, le besoin de contrôle de la fécondité est immense, et tout plan international visant à résoudre la crise du climat doit inclure des mesures allant dans ce sens. Le progrès continu vers la stabilisation de la population mondiale à 9,1 milliards d'habitants (ou moins) dépend de la volonté des pays riches de tenir parole et de fournir l'aide promise.

L'élection du président Obama a changé la politique des États-Unis. Mais des ressources supplémentaires sont nécessaires pour accélérer les progrès dans l'éducation des filles, l'autonomie des femmes, les soins de santé pédiatriques et maternels, et pour permettre aux femmes des pays en développement de décider elles-mêmes du nombre et du moment de leurs grossesses.

CHAPITRE DOUZE

MOINS, C'EST PLUS

LES TURBINES SONT AU CŒUR DE LA PRODUCTION D'ÉLECTRICITÉ. TOUT GAIN EN EFFICIENCE DES TURBINES A DONC UN IMPACT ÉNORME. OR, LES NOUVELLES TURBINES SONT DEUX FOIS PLUS EFFICIENTES QUE LES ANCIENNES.

Les progrès en matière d'efficience énergétique offrent les plus grandes opportunités d'augmenter la productivité et de réduire les coûts de la consommation d'énergie tout en diminuant les émissions de CO_2. De toutes les solutions à la crise du climat, ils sont aussi les plus intéressants économiquement et les plus faciles à mettre en œuvre.

Cette ressource est pratiquement inépuisable puisque les innovations en matière d'efficience sont, au sens propre, renouvelables. Les gains, en ce domaine, durent toute la vie du processus ou du bâtiment. Dans les pays ou les organisations qui choisissent cette voie, le succès engendre le succès. Quand la culture de l'efficience se diffuse au sein d'une organisation, les idées de gains supplémentaires viennent souvent des employés, à tous les niveaux.

Chaque secteur de l'économie recèle des opportunités de gain, en particulier les processus industriels, l'immobilier d'habitation et l'immobilier commercial, la production d'électricité, les transports et la conception des villes elle-même.

Les réductions de CO_2 et les économies résultant de l'amélioration de l'efficience ne sont pas spéculatives, elles sont réelles. La production d'électricité aux États-Unis ne convertit que 33 % des combustibles, tandis que la combinaison d'une centrale à chaleur et d'une centrale électrique permet d'extraire deux fois plus d'énergie utile en réutilisant l'énergie. Une récente étude de la World Alliance for Decentralized Energy montre qu'en installant des centrales CHP (chaleur et électricité combinées), les États-Unis pourraient, chaque année, réduire de 20 % leurs émissions de CO_2 et économiser 80 milliards de dollars. Et bien d'autres économies sont possibles dans l'utilisation de l'électricité. Ainsi, l'Agence internationale de l'énergie (AEI) a découvert qu'« en moyenne, 1 dollar supplémentaire investi dans des équipe-

ments et des appareils électriques plus efficients économise plus de 2 dollars d'investissement dans les infrastructures de production, de transmission et de distribution de l'électricité ».

Pratiquement toutes les études arrivent à cette conclusion, et pourtant nous avons de grandes difficultés à mettre en œuvre ces solutions à grande échelle.

Selon l'expert Robert Ayres, en 1900, le système énergétique américain ne convertissait que 3 % du potentiel en énergie utile. Après plus d'un siècle de progrès technique, seuls 13 % du potentiel d'activité en sommeil dans les énergies consommées sont convertis, soit encore 87 % de gaspillage. Cet échec s'explique entre autres par le fait que les opportunités reposent sur de multiples technologies. Néanmoins, les experts en efficience ont identifié celles qui permettent les plus grandes économies possibles :

▶ la récupération et le recyclage de la chaleur gaspillée lors de la production d'électricité et de la fabrication industrielle ;

« 1 dollar investi en équipements électriques efficients économise plus de 2 dollars d'investissement dans la production d'électricité. »

AGENCE INTERNATIONALE DE L'ÉNERGIE

LE PROGRAMME LEED CERTIFIE LES PROJETS
D'ARCHITECTURE MODERNES ET EFFICIENTS.
L'ALDO LEOPOLD LEGACY CENTER (DANS LE WISCONSIN)
A REMPORTÉ LA PLUS HAUTE RÉCOMPENSE.

LES COÛTS (souvent négatifs) DE RÉDUCTION DES GAZ À EFFET DE SERRE

En 2006, McKinsey & Company a lancé une étude aujourd'hui bien connue sur les différents moyens de réduire les émissions de gaz à effet de serre (GES). Ce graphique, connu sous le nom de courbe du coût mondial de réduction des GES, montre, pour environ deux cents opportunités principales, les réductions possibles de GES et les coûts inhérents.

D'après cette étude, près de 40 % des réductions potentielles des émissions dans le monde se traduiront par des économies d'argent à court terme ! Les options situées dans la partie verte du graphique ont un coût négatif, c'est-à-dire un bénéfice net pendant leur durée de vie.

L'étude conclut que le monde peut réduire les émissions de CO2 pour stabiliser les concentrations dans l'atmosphère à 450 parts par million, en investissant seulement 0,6 % du PIB – et ce, grâce aux économies issues de gains en efficience énergétique.

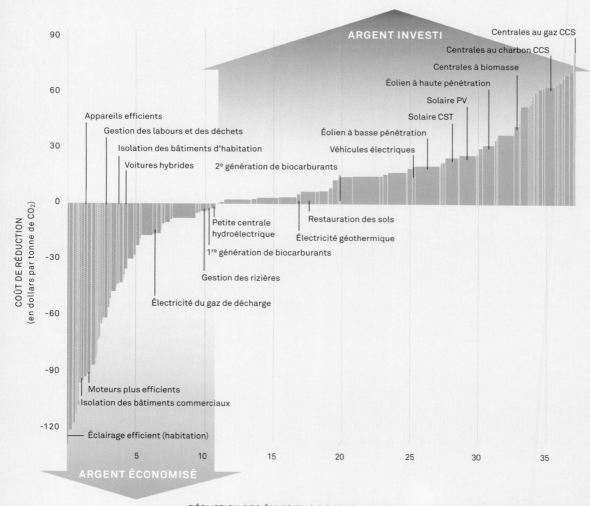

SOURCE : adapté de McKinsey & Company, *Pathways to a Low-Carbon Economy. Version 2 of the Global Greenhouse Gas Abatement Cost Curve*, 2009

▶ le remplacement des moteurs électriques industriels par des modèles récents plus efficients ;

▶ l'isolation des bâtiments dans tous les secteurs, notamment le logement ;

▶ le remplacement des fenêtres, des éclairages, des chauffe-eau, des appareils divers par leurs versions modernes, plus efficientes ;

▶ l'adoption de normes de consommation d'essence plus strictes pour les voitures et les camions, et un recours accru aux transports en commun.

Les économies résultant de gains en efficience sont évidentes et convaincantes. Tout pays qui adoptera une stratégie nationale cohérente et durable dans ce domaine, afin de convertir le maximum d'énergie en activité utile, constatera rapidement que ce moyen d'économiser l'énergie et de réduire la pollution responsable du réchauffement est de loin le plus rentable.

Cela vaut pour les pays pauvres comme pour les pays riches. Selon un rapport de McKinsey & Company publié en juillet 2009, les États-Unis réduiraient leur consommation d'énergie projetée de 23 % d'ici 2020 en investissant dans l'efficience énergétique. Cette même firme avait déjà montré que les pays en développement « peuvent diminuer de moitié la croissance de la demande d'énergie [...] et réduire leur consommation d'ici 2020 de 22 % par rapport aux niveaux projetés, ce qui change tout du point de vue de la crise climatique ».

Ainsi, Johnson Controls, l'un des leaders de l'efficience énergétique, souligne que les usines japonaises ont un niveau d'efficience de 85 % ou plus, tandis que les usines chinoises n'atteignent que 50 %. Or, une baisse de l'efficience de 10 % équivaut à doubler la consommation d'énergie ; cela signifie que les usines chinoises consomment en moyenne, pour chaque unité produite, 350 % d'énergie de plus que les usines japonaises.

Entre 1977 et 1985, les États-Unis se sont beaucoup souciés d'efficience énergétique. C'était le premier effort sérieux entrepris pour réduire la consommation de pétrole, après les chocs pétroliers des années 1970, et les résultats ont été prodigieux. Grâce aux politiques sensées de Jimmy Carter et des premières années Reagan, la consommation de pétrole a baissé de 17 % pendant que le PIB croissait de 27 %. Notre dépendance au pétrole importé a diminué de moitié, et l'OPEP, en réaction, a dû fortement baisser ses prix. Mais, dès que l'attention sur la préservation d'énergie s'est relâchée, les gains en efficience ont ralenti. Certes, des améliorations constantes ont permis

LA CALIFORNIE MÈNE LA COURSE
Depuis la crise énergétique des années 1970, la Californie encourage l'efficience. Sur les vingt-cinq dernières années, la consommation d'électricité par tête y a stagné, tandis que celle du reste du pays augmentait de 60 %.

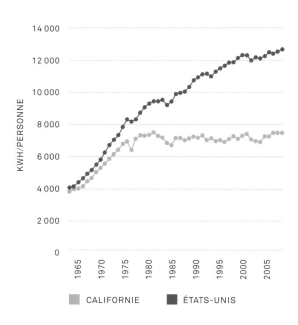

SOURCE : California Energy Commission

LES NOUVELLES TECHNOLOGIES DE FABRICATION
DE L'ACIER, COMME LA COULÉE EN BANDES
MINCES, PEUVENT ÉCONOMISER BEAUCOUP
D'ÉNERGIE, ET RÉDUIRE DE 20 % LES ÉMISSIONS
DE CO_2 ET LES COÛTS DE PRODUCTION.

de réduire d'un tiers la part de la consommation d'énergie dans le PIB entre 1985 et 2008. Mais notre dépendance au pétrole importé est devenue considérable et les prix de l'or noir ont recommencé à grimper.

La Californie est l'un des États américains qui n'ont cessé de se préoccuper d'efficience. Art Rosenfeld, le commissaire à l'Énergie qui a conçu la politique californienne dans ce domaine, souligne que la consommation d'énergie de cet État a augmenté rapidement entre 1945 et 1973 (le premier embargo pétrolier), comme dans le reste du pays. Cependant, au cours des trente dernières années, la consommation d'électricité par tête de la Californie n'a pas augmenté du tout, alors que son produit économique par tête a, dans le même temps, presque doublé. Dans le reste du pays, la consommation d'électricité a crû de 60 % sur la même période, les gains de production étant pratiquement identiques.

Par rapport à 1993, la consommation d'énergie pour chaque dollar de PIB a diminué de moitié en Californie, qui a ainsi économisé environ 1 000 milliards de dollars grâce à une meilleure efficience. L'expérience de cet État et de quelques autres montre que le coût des mesures d'efficience visant à réduire la consommation d'énergie est bien moindre que celui de la construction de nouvelles capacités de production.

Cela s'explique par le découplage entre les avantages accordés aux producteurs d'électricité et la hausse de la consommation, par l'adoption de normes plus strictes pour les appareils et les immeubles, et par des exigences plus élevées que dans le reste du pays en termes de performances automobiles.

D'une manière générale, utiliser deux fois un combustible afin de produire tant de l'électricité que de l'énergie thermique permet de faire d'énormes économies d'énergie. Si la plupart des opportunités dans ce domaine sont spécifiques à des industries particulières – et il y en a des centaines d'exemples –, les experts en mentionnent fréquemment quatre comme étant parmi les plus intéressantes.

Citons d'abord, pour l'ensemble du secteur industriel, le remplacement des vieux moteurs électriques par des modèles modernes et efficients. Le retour sur investissement est rapide et, à mesure de son optimisation, le système dégage des gains en efficience supplémentaires. Selon l'Office of Energy Efficiency and Renewable Energy, du ministère de l'Énergie, «les équipements motorisés représentent 64 % de l'électricité consommée dans le secteur industriel aux États-Unis». Omniprésents dans l'industrie du monde entier, les moteurs électriques sont généralement très inefficients.

Selon Amory Lovins, peut-être le meilleur expert mondial en efficience énergétique, «les moteurs consomment 75 % de l'électricité industrielle, 60 % de toute l'électricité et plus d'énergie primaire que les automobiles. Cet usage est très concentré : environ la moitié de l'électricité des moteurs est utilisée par le million de moteurs les plus gros, les trois quarts par les trois millions de moteurs les plus gros... La modernisation de ces moteurs permettrait d'économiser 50 % d'énergie et serait rentabilisée au bout de seize mois». En outre, les nouveaux moteurs industriels sont plus silencieux, plus fiables et d'un fonctionnement plus aisé.

Remplacer un gros moteur électrique par un moteur plus efficient générerait, en quelques semaines seulement, des économies dépassant son prix d'achat. Même en tenant compte du coût de la production perdue pendant la période de remplacement, la plupart des usines économiseraient de l'argent et réduiraient la pollution en investissant dans des moteurs modernes.

Traditionnellement, les aciéries ont un besoin conséquent d'énergie pour faire fondre le métal d'abord en plaques épaisses, chauffées une seconde fois et moulées selon la forme désirée : poutres, plaques, feuilles, etc. Les progrès réalisés récemment dans la « coulée directe » et la « coulée en bandes minces » permettent désormais de se passer de la seconde étape, et donc de réduire la consommation d'énergie ainsi que les émissions de CO_2.

Selon le nouveau procédé, l'acier est coulé à l'état liquide directement dans la forme désirée. Outre que son coût de production est inférieur de 20 %, l'acier obtenu est aussi plus léger et plus fin. D'abord mise en œuvre dans des « mini-aciéries », cette technologie est désormais suffisamment au point pour l'être également dans les grandes.

Le traitement des fluides – à l'aide de systèmes de pompage – est fréquent dans la plupart des usines et des bâtiments commerciaux. Dans le secteur manufacturier, les pompes électriques comptent pour plus de 25 % de l'électricité utilisée par les systèmes industriels, et les municipalités ont recours à de telles pompes pour transporter et traiter l'eau courante et les eaux usées.

Les ingénieurs ont longtemps privilégié les pompes de grande taille, et souvent échoué à améliorer l'interaction entre le système de pompage et la tuyauterie. En remplaçant les vieilles pompes inefficientes par des pompes modernes, en construisant des systèmes de tuyauterie qui optimisent le flux de liquides, et en choisissant la taille optimale des pompes en fonction de leur usage, les entreprises ont réalisé des économies considérables, accru leur productivité, réduit leurs coûts de production et de maintenance, amélioré la qualité et la fiabilité de leurs produits.

En dix ans, les États-Unis ont jeté assez de boîtes en aluminium « pour renouveler 25 fois la flotte aéronautique commerciale mondiale ».

THE CONTAINER RECYCLING INSTITUTE

CES TAS DE MÉTAL ATTENDENT D'ÊTRE RECYCLÉS,
À SEATTLE (ÉTAT DE WASHINGTON). LE RECYCLAGE
RÉDUIT DE 95 % LES BESOINS D'ÉNERGIE PAR RAPPORT
À LA PRODUCTION DE MÉTAL À PARTIR DU MINERAI.

d'un million de nouveaux emplois qualifiés et techniques dans tous les États-Unis. Les émissions de CO_2 pourront être réduites de plus de 800 millions de tonnes métriques, comme si l'on retirait des routes plus de la moitié des véhicules individuels ». Selon l'ORNL encore, si 20 % de la capacité de production d'électricité américaine venait de la CHP, « l'augmentation attendue des émissions de CO_2 entre 2009 et 2030 pourrait être évitée à plus de 60 % ». Et 20 % n'est pas un objectif très ambitieux. Certains pays ont commencé à élargir l'usage de la CHP, et cinq d'entre eux tirent entre 30 et 50 % de leur électricité de cette technologie : le Danemark, la Finlande, la Russie, la Lituanie et les Pays-Bas.

montre que le secteur industriel est celui qui « a le plus grand potentiel de croissance à court terme. L'essentiel de ce potentiel se trouve sur les sites disposant d'énormes quantités de chaleur ».

Au niveau mondial, l'Agence internationale de l'énergie (AIE) constate que les cinq secteurs industriels qui utilisent les plus grandes quantités de chaleur – industrie alimentaire, papier, chimie, métal et pétrole – « représentent plus de 80 % des capacités totales de cogénération électrique ».

Ces industries sont toutefois des exceptions. En fait, presque toutes les industries ayant recours à l'énergie de la chaleur pourraient se porter avec profit sur la cogénération, ce qui réduirait leur facture énergétique et leurs émissions de polluants.

« L'efficience énergétique, notamment la CHP, est la ressource en énergie la moins chère et la plus rapidement exploitable aujourd'hui. »

OAK RIDGE NATIONAL LABORATORY

En réalité, si toute l'énergie gaspillée dans les usines américaines était récupérée et recyclée, la quantité d'énergie économisée permettrait de réduire les émissions de CO_2 et la consommation de carburants fossiles d'environ 20 %. Le retour sur investissement serait rapide, tandis que les coûts énergétiques continueraient à diminuer.

Une récente étude de l'American Council for an Energy-Efficient Economy (ACEEE) et de l'International District Energy Association (IDEA)

Cependant, conclut l'AIE, « en dépit d'un intérêt politique croissant en Europe, aux États-Unis, au Japon et dans d'autres pays, la part de la CHP dans la production d'électricité mondiale stagne depuis plusieurs années autour de 9 % ».

En outre, les États-Unis sont bien en dessous de la moyenne des grands pays industriels, et ce parce que « trop d'industriels ignorent les évolutions technologiques qui ont élargi les potentialités et la rentabilité de la CHP », selon l'ACEEE.

Utiliser l'énergie séquentiellement pour deux types de production s'appelle la cogénération ou production simultanée d'électricité et de chaleur (CHP). Thomas R. Casten, président de Recycled Energy Development, a démontré à maintes reprises que les entreprises industrielles qui investissent dans les technologies de cogénération deviennent rapidement plus efficientes et plus rentables.

L'Oak Ridge National Laboratory (ORNL) a réalisé une importante étude sur la CHP, « une option énergétique efficace, exploitable à court terme et qui peut aider à répondre aux besoins en énergie des États-Unis. L'efficience énergétique, notamment la CHP, est la ressource en énergie la moins chère et la plus rapidement exploitable ».

Selon une étude du ministère de l'Énergie américain réalisée en 2007, le potentiel de production en CHP pour les opérations industrielles émettant actuellement de la chaleur récupérable équivaut à 40 % de la production d'électricité des centrales au charbon alimentant aujourd'hui le pays.

L'ORNL a aussi calculé que, d'ici 2030, le recours à la CHP là où elle est rentable « créera près

COMMENT FONCTIONNE LA COGÉNÉRATION

La cogénération, ou chaleur et électricité combinées (CHP), utilise une seule source de combustible pour créer et récupérer chaleur et électricité. Dans les centrales électriques classiques, les deux tiers de la chaleur sont perdus. La chaleur récupérée est utilisable de diverses façons, par exemple pour du chauffage direct en réseau ou pour produire de la vapeur destinée à l'électricité. L'efficience d'une centrale CHP peut atteindre 80 à 90 %.

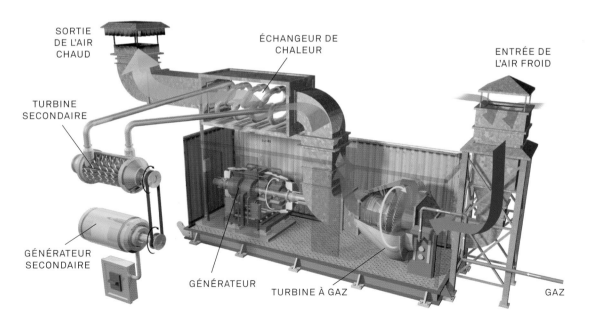

SORTIE DE L'AIR CHAUD

ÉCHANGEUR DE CHALEUR

ENTRÉE DE L'AIR FROID

TURBINE SECONDAIRE

GÉNÉRATEUR SECONDAIRE

GÉNÉRATEUR

TURBINE À GAZ

GAZ

d'un million de nouveaux emplois qualifiés et techniques dans tous les États-Unis. Les émissions de CO_2 pourront être réduites de plus de 800 millions de tonnes métriques, comme si l'on retirait des routes plus de la moitié des véhicules individuels ». Selon l'ORNL encore, si 20 % de la capacité de production d'électricité américaine venait de la CHP, « l'augmentation attendue des émissions de CO_2 entre 2009 et 2030 pourrait être évitée à plus de 60 % ». Et 20 % n'est pas un objectif très ambitieux. Certains pays ont commencé à élargir l'usage de la CHP, et cinq d'entre eux tirent entre 30 et 50 % de leur électricité de cette technologie : le Danemark, la Finlande, la Russie, la Lituanie et les Pays-Bas.

montre que le secteur industriel est celui qui « a le plus grand potentiel de croissance à court terme. L'essentiel de ce potentiel se trouve sur les sites disposant d'énormes quantités de chaleur ».

Au niveau mondial, l'Agence internationale de l'énergie (AIE) constate que les cinq secteurs industriels qui utilisent les plus grandes quantités de chaleur – industrie alimentaire, papier, chimie, métal et pétrole – « représentent plus de 80 % des capacités totales de cogénération électrique ».

Ces industries sont toutefois des exceptions. En fait, presque toutes les industries ayant recours à l'énergie de la chaleur pourraient se porter avec profit sur la cogénération, ce qui réduirait leur facture énergétique et leurs émissions de polluants.

« L'efficience énergétique, notamment la CHP, est la ressource en énergie la moins chère et la plus rapidement exploitable aujourd'hui. »

OAK RIDGE NATIONAL LABORATORY

En réalité, si toute l'énergie gaspillée dans les usines américaines était récupérée et recyclée, la quantité d'énergie économisée permettrait de réduire les émissions de CO_2 et la consommation de carburants fossiles d'environ 20 %. Le retour sur investissement serait rapide, tandis que les coûts énergétiques continueraient à diminuer.

Une récente étude de l'American Council for an Energy-Efficient Economy (ACEEE) et de l'International District Energy Association (IDEA)

Cependant, conclut l'AIE, « en dépit d'un intérêt politique croissant en Europe, aux États-Unis, au Japon et dans d'autres pays, la part de la CHP dans la production d'électricité mondiale stagne depuis plusieurs années autour de 9 % ».

En outre, les États-Unis sont bien en dessous de la moyenne des grands pays industriels, et ce parce que « trop d'industriels ignorent les évolutions technologiques qui ont élargi les potentialités et la rentabilité de la CHP », selon l'ACEEE.

Nombre d'experts s'accordent sur le fait que le principal obstacle à un recours plus large à la CHP aux États-Unis vient des fournisseurs d'électricité, qui usent de pratiques discriminatoires pour maximiser leurs profits et éviter la concurrence de l'électricité produite sur site par leurs clients, moins chère.

Selon l'ORNL, « aux États-Unis, nombre de structures tarifaires actuelles, qui relient les recettes et les retours sur investissement des fournisseurs d'électricité au nombre de kilowattheures vendus, incitent ceux-ci à décourager leurs clients de se tourner vers la CHP et d'autres formes de production sur site ». Comme le résume Thomas Casten, « l'électricité est un monde de marges ». Et nous avons tous entendu parler des abus liés à l'usage des marges dans les contrats de défense.

Les fournisseurs d'électricité américains se servent de diverses techniques pour bloquer le développement de la CHP chez leurs gros clients. Ils demandent aux régulateurs d'exiger des usines souhaitant exploiter la CHP de protéger le fournisseur contre une subite hausse de la demande au cas où le système de CHP ne fonctionnerait pas. Si elle semble raisonnable sur le papier, cette tactique permet en fait d'augmenter le prix de la CHP utilisée afin de couvrir d'improbables accidents. Il n'est pas rare que les fournisseurs essaient de contraindre leurs clients industriels à engager d'importants investissements non rentables pour se protéger d'accidents qui n'ont statistiquement qu'une chance sur 6 millions de se produire.

Observant que nombre de fournisseurs pratiquent aussi des « tarifs prohibitifs » auprès des clients qui construisent des installations de CHP, l'ACEEE a dressé la liste des obstacles au développement de celle-ci :

▶ l'incapacité des règles actuelles à reconnaître la supériorité de la CHP en termes d'efficience

énergétique et la réduction d'émissions qui résulterait du remplacement des générateurs d'électricité inutiles ;

▶ la dévalorisation des investissements en CHP, dont l'amortissement peut prendre jusqu'à trente-neuf ans, alors que l'on sait que sept années suffisent ;

▶ l'absence de normes nationales pour interconnecter la CHP au réseau électrique, ce qui permet aux fournisseurs de réclamer des études d'un coût prohibitif, ainsi que des équipements onéreux et inutiles, pour décourager l'emploi de la CHP.

Il existe des crédits d'impôt pour l'investissement et la production d'énergie renouvelable. Mais, jusqu'en 2009, il n'y en avait pas pour la CHP. Les pouvoirs publics ne font au secteur de l'électricité pratiquement aucune offre incitative à exploiter la CHP. La plupart des États américains n'incluent pas la CHP dans les *Renewable Portfolio Standards*. Autre obstacle, la CHP locale est traitée de la même manière que l'électricité produite par une centrale lointaine, ce qui revient à ignorer l'intérêt de produire localement – moindres coûts et moindres pertes liées à la transmission et à la distribution. Si les centrales en CHP étaient rémunérées au juste prix, il y aurait une ruée sur la production locale d'électricité.

En outre, le pouvoir et l'influence politique des gros producteurs empêchent souvent toute modification de règles désuètes. Ainsi, quarante-neuf États américains prohibent l'usage de câbles privés pour acheminer l'électricité sur l'espace public. Une université qui installe une centrale de CHP peut acheminer la vapeur vers ses installations à travers les rues, mais doit payer un prix exorbitant au fournisseur local s'il s'agit d'électricité.

La Californie et quelques autres États ont découplé les possibilités de profit des fournisseurs

DANS QUELQUES QUARTIERS DE TOKYO,
LES GRATTE-CIEL SONT CHAUFFÉS ET CLIMATISÉS
AU MOYEN DE SYSTÈMES DE COGÉNÉRATION.
CEUX-CI SONT DE 30 À 40 % PLUS EFFICIENTS
QUE LES SYSTÈMES CLASSIQUES.

de la vente des kilowattheures. Le plan californien permet aux fournisseurs d'énergie de partager avec leurs clients particuliers ou commerciaux les économies réalisées entre autres grâce à la CHP. Si tous les États adoptaient cette approche, le besoin de nouvelles capacités de production baisserait sensiblement.

Non seulement les fournisseurs empêchent leurs clients d'utiliser des technologies de CHP réduisant les émissions de CO_2, mais ils ont été incapables de leur fournir des centrales de production de nouvelle génération et de développer à proximité de leurs clients des récupérateurs d'énergie de taille appropriée, en vue d'utiliser la chaleur coproduite. L'absurde gaspillage qui résulte

production d'électricité dépassent le total de l'énergie consommée au Japon ». Le Center for Building Performance and Diagnostics, de la Carnegie Mellon University, estime à 65 % les pertes d'énergie liées à la production annuelle d'électricité. L'Electric Power Research Institute a aussi montré qu'environ 10 % de l'électricité issue des générateurs se perd en cours de transmission et de distribution. Et, selon le McKinsey Global Institute, « avec un taux d'efficience de conversion de moins de 30 % pour les vieux générateurs à charbon et de 60 % pour les turbines à gaz à cycle combiné, les possibilités de réduction des pertes des centrales existantes et futures sont considérables ».

Chaque année, 65 % de l'énergie consommée pour produire de l'électricité aux États-Unis est perdue.

CARNEGIE MELLON UNIVERSITY

de la manière dont l'électricité est aujourd'hui produite entraîne des surcoûts formidables et des émissions de CO_2 qui pourraient être évitées.

Les vieilles centrales électriques ont vécu bien au-delà de leur durée de vie prévue, prospérant sur leur droit à polluer. Il est temps de les remplacer par des centrales de CHP décentralisées. Là réside l'un des moyens principaux de réduire les émissions de CO_2.

Le volume d'énergie gaspillée est énorme. Selon l'ORNL, « aux États-Unis, les déperditions d'énergie liées à la chaleur perdue lors de la

Malgré cela, sont en cours de construction à travers le monde des centaines d'usines qui ne produiront que de l'électricité, avec un taux de déperdition de 40 à 65 %, au lieu d'utiliser la cogénération pour obtenir une efficience de 65 à 95 %.

Selon McKinsey, les économies potentielles font qu'« il serait rentable, dans de nombreuses régions, de remplacer les vieilles centrales inefficientes, puisque les futures économies en énergie paieront les investissements des équipements plus efficients ». La National Science Foundation estime qu'une centrale électrique classique a une efficience moyenne de 30 %, sans compter les déperditions supplémentaires au cours de la transmission. En passant à la CHP et à la production décentralisée, ce taux pourrait atteindre 80 %, sans pertes de transmission.

Malheureusement, la plupart des autorités de régulation suivent encore des approches obsolètes ; aussi reste-t-il plus rentable pour les fournisseurs d'électricité de gaspiller les deux tiers de l'énergie qu'ils consomment. Les obstacles réglementaires à l'amélioration de l'efficience énergétique ont limité à 1 % le progrès en ce domaine au

cours des cinquante dernières années – depuis la présidence d'Eisenhower.

Ironiquement, la CHP a été utilisée pour la première fois il y a cent vingt-sept ans. Le 4 septembre 1882, à 15 heures précises, Thomas Edison tournait un interrupteur pour mettre en route la première centrale de production d'électricité, dans le bas Manhattan. Cela permit de faire fonctionner le nouvel éclairage électrique des bureaux du *New York Times* et d'autres grands journaux de l'époque, de Wall Street, de la Bourse et de plusieurs banques.

Le *Times* rapporta le lendemain que le nouvel éclairage était « doux, agréable à l'œil... sans odeur, ni éclair, ni lueur ». Le journaliste ajouta que l'éclairage avait été « testé par des hommes qui ont suffisamment cligné des yeux la nuit à leurs bureaux pour tout savoir d'une lampe, et la décision a unanimement penché en faveur de la lampe d'Edison et contre le gaz ». Il nota en outre qu'« il y avait un peu de chaleur autour de chaque lampe, mais pas autant que près du brûleur à gaz – un quinzième, nous dit l'inventeur ». La chaleur perdue des ampoules incandescentes d'Edison ne représentait en effet qu'une infime fraction de la chaleur perdue des vieilles lampes à gaz. Mais elle ne donnait qu'1,4 lumen (le lumen est l'unité de mesure de la lumière visible) pour chaque watt d'électricité consommé.

Les ampoules incandescentes modernes sont plus efficientes, avec 15 à 20 lumens le watt, les modèles les plus récents allant même au-delà. Les nouvelles ampoules fluorescentes compactes (CFL) suscitent beaucoup d'intérêt : elles sont quatre fois plus efficientes et durent quatre fois plus longtemps. Si les premières versions irritaient les utilisateurs en raison d'un éclairage jugé un peu faible, les dernières sont plus lumineuses.

UNE MEILLEURE AMPOULE

Si les ampoules incandescentes de Thomas Edison étaient plus efficientes que l'éclairage au gaz, les progrès faits depuis ont augmenté plus de soixante-dix fois leur quantité de lumière par watt d'électricité.

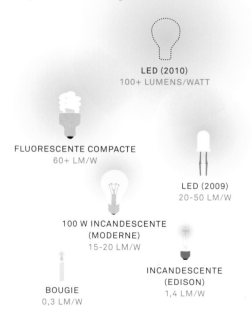

LED (2010)
100+ LUMENS/WATT

FLUORESCENTE COMPACTE
60+ LM/W

LED (2009)
20-50 LM/W

100 W INCANDESCENTE
(MODERNE)
15-20 LM/W

INCANDESCENTE
(EDISON)
1,4 LM/W

BOUGIE
0,3 LM/W

SOURCE : Philips ; U.S. Department of Energy

À L'ELECTRIC POWER RESEARCH INSTITUTE, LES CHERCHEURS TESTENT L'EFFICIENCE ET LA PERFORMANCE DE L'ÉQUIPEMENT ÉLECTRIQUE, DES GÉNÉRATEURS AUX AMPOULES ET AUX APPAREILS.

Et une forme encore plus neuve d'éclairage, les diodes électroluminescentes (LED), donne déjà 100 lumens par watt, avec une efficience doublant tous les dix-huit à vingt-quatre mois. Des modèles à l'usage du public, s'adaptant sur les douilles standard, devraient être disponibles d'ici un an.

Les économies qui résulteront du remplacement des ampoules incandescentes par les LED sont étonnantes. Environ 12,5 % de la production d'électricité mondiale sert à l'éclairage. Un éclairage public plus efficient permettra aux municipalités de réduire sensiblement leurs dépenses.

Tout comme l'ampoule d'Edison était bien moins efficiente que nos ampoules incandescentes modernes, son premier générateur – baptisé Dumbo, d'après le fameux éléphant de Phinéas T. Barnum – était bien moins efficient que ceux d'aujourd'hui. Dumbo ne capturait que 3 à 4 % de l'énergie du charbon utilisé pour produire l'élec-

tricité, alors que les générateurs actuels sont dix fois plus efficients. Ils n'en rejettent pas moins les deux tiers de la chaleur dans l'atmosphère au lieu de la récupérer pour produire davantage d'électricité ou l'utiliser à d'autres fins.

Même si le premier générateur électrique d'Edison était moins efficient que les centrales de production actuelles, il récupérait la chaleur perdue et en faisait un usage productif. Quelques années après avoir lancé son premier générateur à Manhattan, Edison inspectait le nouveau système électrique installé dans l'hôtel *Del Coronado*, à San Diego. C'était le premier hôtel à utiliser un réseau de chaleur à partir d'une source combinant chaleur et électricité.

Le réseau de chaleur peut acheminer vers les immeubles voisins la chaleur perdue lors de la production d'électricité. En Europe, l'eau chaude des systèmes de CHP est acheminée dans des

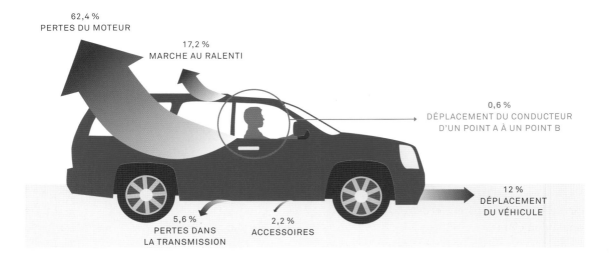

62,4 %
PERTES DU MOTEUR

17,2 %
MARCHE AU RALENTI

0,6 %
DÉPLACEMENT DU CONDUCTEUR
D'UN POINT A À UN POINT B

12 %
DÉPLACEMENT
DU VÉHICULE

5,6 %
PERTES DANS
LA TRANSMISSION

2,2 %
ACCESSOIRES

OÙ VA L'ÉNERGIE DE L'ESSENCE

*Du fait des pertes d'énergie dues au moteur à explosion et à d'autres systèmes équipant
les véhicules classiques, moins de 13 % de l'énergie de 1 litre d'essence sert à faire rouler la voiture.
Déplacer le conducteur d'un point A à un point B requiert moins de 1 % de cette énergie.*

tuyaux passant sous les rues vers les échangeurs de chaleur équipant les immeubles, où elle est utilisée comme moyen de chauffage – ou vers des absorbeurs de froid pour la climatisation. Sous-produit de la production d'électricité, cette énergie remplace les chaudières.

L'un des objectifs fondamentaux des experts en efficience énergétique est de concevoir des systèmes qui évitent la transformation d'une énergie en une autre. Toute transformation de ce type génère inévitablement de grandes déperditions. Ainsi, quand on brûle du gaz naturel pour produire de l'électricité destinée à donner de la chaleur pour cuisiner, 65 % de l'énergie se perd dans cette première transformation, et 10 % de ce qui reste se perd lors de la transmission et de la distribution de l'électricité. S'y ajoutent d'autres pertes dues à la baisse de tension pour la distri-

bution au sein de la maison, et des pertes plus importantes encore lorsque l'électricité est transformée à nouveau en chaleur au niveau de la cuisinière.

Les applications les plus efficientes du réseau de chaleur sont celles qui fournissent de l'énergie thermique aux grandes institutions comme les hôpitaux, les universités, etc., qui sont capables de chauffer l'ensemble de leurs bâtiments avec une seule installation et sur la base d'un contrat unique.

Ces dernières années, la croissance la plus rapide des réseaux de chaleur s'est faite dans les centre-villes, en particulier pour la climatisation. À Helsinki, capitale de la Finlande, 92 % du chauffage des bâtiments vient de la CHP, et le système produit tant d'électricité que les excédents sont vendus à d'autres pays nordiques. Selon un rap-

SOURCE : U.S. Department of Energy ; Amory Lovins, Rocky Mountain Institute

port d'Helsinki Energy de 2008, 50 % de l'énergie consommée pour le chauffage des bâtiments vient de réseaux de chaleur, dont les trois quarts de centrales en CHP.

La Russie est un des leaders mondiaux en matière de réseau de chaleur : 30 % de la production d'électricité vient de la cogénération et l'eau chaude est utilisée pour le chauffage en réseau. En Allemagne et en Chine, la cogénération représente plus de 10 %. Mais d'autres pays, dont les États-Unis, n'ont pas encore exploité ne fût-ce qu'une fraction du potentiel de ces systèmes hautement efficients.

Des petites unités de CHP se sont développées en Europe et au Japon, où elles fournissent chauffage et air conditionné aux bâtiments d'habitation. Au Japon, plus de 50 000 foyers sont équipés d'appareils de CHP – petits moteurs à piston ou petites turbines –, qui ne se déclenchent qu'en cas de demande de chauffage ou d'eau chaude. Cette électricité sous-produite fait tourner le compteur dans l'autre sens. De tels systèmes ont une efficience de 90 % et toute la communauté est gagnante. Ils sont pourtant rares dans le monde. Néanmoins, l'intérêt croissant pour les bâtiments «autonomes» suscite une demande accrue pour ces applications.

En 1882, Edison vendait du courant continu – qui, au faible niveau de tension de l'époque, n'était rentable que sur une distance de 800 mètres. Six ans plus tard, Nikola Tesla, brillant immigré serbe d'abord employé chez Edison, inventa le courant alternatif et – avec des fonds de George Westinghouse – créa une entreprise concurrente. La distance de transmission donna un avantage technologique décisif au courant alternatif, qui est vite devenu la nouvelle norme.

Les centrales équipées de ces nouveaux générateurs pouvant alimenter beaucoup plus de clients, on a construit des générateurs plus gros afin de réaliser des économies d'échelle. Cependant, les importantes quantités de charbon consommées par ces générateurs produisaient une pollution de l'air inacceptable et, au cours des années 1930, ils ont été peu à peu installés à distance des centre-villes.

Dès lors, l'éloignement des générateurs ne permettait plus aux grands bâtiments de récupérer l'énergie thermique gaspillée. Ils furent donc équipés de chaudières, brûlant un combustible pour créer la même quantité de chaleur que celle que les centrales se contentaient de jeter. Le pétrole étant alors bon marché, et la pollution et le réchauffement n'étant pas pris en compte, on a cessé d'utiliser deux fois la même énergie. Et l'industrie de l'électricité a pris l'habitude, dans le monde entier, de rejeter la chaleur gaspillée dans l'atmosphère.

Avec le temps, on a considéré cette technique inefficiente comme «normale», et des règles furent élaborées pour récompenser les investissements en capital, mais pas les gains en efficience. Du coup, les fournisseurs n'ont pas été incités à accroître leur efficience en récupérant et en recyclant la chaleur perdue. En raison de ce biais réglementaire, il devenait plus rentable de gaspiller les deux tiers de l'énergie du charbon, du gaz et des autres combustibles utilisés pour produire l'électricité. Or, il était possible de récupérer la quasi-totalité de cette chaleur au point de production et de la réemployer efficacement comme électricité supplémentaire, ce qui aurait économisé le charbon et évité la construction de capacités de production supplémentaires.

Le *Clean Air Act* de 1970 a protégé les vieilles centrales inefficaces, sur la base du fait qu'elles finiraient par devenir obsolètes et seraient remplacées ; mais l'avantage économique du droit à polluer a offert à cette vieille génération de centrales une quasi-immortalité. L'âge moyen des centrales de production à charbon continue d'augmenter, car cette distorsion légale leur donne un énorme avantage économique par rapport aux nouvelles centrales plus efficientes.

L'énergie gaspillée étant gratuite et le CO_2 étant de toute façon émis pendant le processus, qu'elle soit ou non récupérée, cette énergie est effectivement sans carbone. Pourtant, récupérer cette énergie pour la substituer au charbon supplémentaire consommé diminuerait à la fois les émissions de CO_2 et le coût de l'énergie – accroissant l'efficience et la compétitivité des industries, et permettant aux clients de tirer profit d'une électricité moins onéreuse.

Tout effort en vue de récupérer l'énergie gaspillée chaque année doit aussi concerner les bâtiments. Le Programme des Nations unies pour l'environnement estime que 30 à 40 % des émissions mondiales de CO_2 viennent du chauffage, de l'éclairage et de la climatisation des bâtiments, qui perdent de l'énergie à la manière de paniers percés. Les États-Unis sont les premiers au monde pour l'inefficience énergétique des bâtiments, d'où proviennent 40 % de leurs émissions.

Une isolation adaptée et une meilleure étanchéité des bâtiments permettent des économies d'énergie dans l'immobilier. Malheureusement, comme nous le verrons au chapitre 15, les constructeurs et les promoteurs ont des intérêts différents de ceux des propriétaires et des locataires. Afin de minimiser le prix d'achat d'un logement, ils l'isolent souvent moins que ne le nécessiterait une bonne efficience énergétique.

Si les pratiques et les technologies du BTP se sont récemment améliorées, la plupart des codes de l'immobilier sont fondés sur un savoir obsolète et ne reflètent pas les nouvelles opportunités disponibles. Ainsi, la plupart des réglementations exigent l'éclairage permanent de certains espaces communs et sorties de secours, alors que les capteurs modernes se déclenchent automatiquement. Les normes nationales peuvent corriger ce problème, mais la résistance politique au changement est, comme toujours, difficile à surmonter.

La plupart des progrès en efficience impliquent un investissement préalable, ce qui signifie que les propriétaires ne disposant pas des fonds nécessaires doivent emprunter l'argent et ajouter le coût du capital à ce que l'investissement leur rapportera sous forme de réduction de la facture énergétique. Ils ont donc besoin de prêts à faible taux d'intérêt, d'informations sur ce qui fonctionne le mieux et d'un réseau de services d'audit compétitifs – car la première étape est d'identifier les améliorations les plus efficientes en fonction de chaque logement.

Comme nous le verrons dans le chapitre 15, l'obsession actuelle du court terme décourage les investissements dont la rentabilité s'étend sur une période de plusieurs années.

Si l'on ajoute à ce mode de pensée biaisé mais bien établi la disparité d'intérêts entre les constructeurs et les propriétaires, et l'ignorance de beaucoup d'entre eux en matière de nouvelles opportunités d'économies, il en résulte des déperditions d'énergie énormes et inutiles de l'ensemble de nos bâtiments, aux États-Unis et dans bien d'autres pays.

La législation qui vient d'être débattue au Congrès américain rend obligatoires les audits énergétiques et établit des normes d'efficience minimale pour toute construction ou vente nouvelle. D'autres pays – Allemagne, Suède, Japon, par exemple – ont déjà fait un usage bénéfique de lois comparables.

CHAUD

FROID

L'IMAGERIE THERMIQUE MONTRE QUE LES TOITS
ET LES FENÊTRES CONSTITUENT SOUVENT
LES ZONES DE PLUS GROSSE PERTE D'ÉNERGIE
DE NOS HABITATIONS.

L'effet cumulatif des progrès en efficience dans les bâtiments est à même de réduire considérablement les émissions de gaz à effet de serre. Ces progrès vont du remplacement des fenêtres (en haut à gauche) à une meilleure isolation (en haut à droite), en passant par l'installation d'appareils efficients (au centre à gauche), d'ampoules compactes fluorescentes (au centre à droite), d'un chauffe-eau solaire sur le toit (en bas à gauche) ou la réalisation d'un toit végétal (en bas à droite).

Il y a eu de récents efforts pour mettre en place des normes de construction vertes, telle la certification LEED (Leadership in Energy and Environmental Design). Les économies d'énergie et les réductions de CO_2 découlant d'une efficience accrue de la construction sont si grandes que la plupart des propriétaires peuvent largement tirer profit d'un meilleur isolement, d'un meilleur éclairage et d'une meilleure étanchéité de leur habitation.

Bien entendu, les logements anciens sont généralement moins efficients, mais ils peuvent être améliorés au moyen d'investissements rentabilisés en moins de trois ans. Les travaux d'adaptation des bâtiments résidentiels ou commerciaux inefficients sont en outre susceptibles de créer des millions d'emplois, qui ne pourront être délocalisés. Entreprendre de tels efforts dans tous les pays renforcera l'ensemble de l'économie.

Les chaudières, les climatiseurs et les pompes à chaleur modernes économisent tant d'énergie par rapport aux vieux modèles que leur prix d'achat est couvert en un temps très court. Et le recours croissant aux pompes à chaleur souterraines – surtout dans la construction neuve (voir le chapitre 5) – permet, grâce à l'énergie thermique naturelle, de diminuer notablement la facture de chauffage en hiver et de climatisation en été.

L'une des plus grandes causes de gaspillage de l'énergie dans les bâtiments, ce sont les fuites dans la tuyauterie. Celle-ci étant cachée dans les murs, les combles et les caves, les pertes sont souvent invisibles – sauf quand arrive la facture. Et comme celle-ci ne fait pas la différence entre l'énergie utilisée et l'énergie perdue, la plupart des gens ne savent pas qu'ils doivent réparer leur tuyauterie.

Lorsque le gouvernement de Californie a commencé à s'intéresser à l'efficience énergétique, il s'est rendu compte que les tuyauteries des immeubles particuliers perdaient de 20 à 30 % de la chaleur ou de l'air conditionné qu'ils acheminaient. L'État exige aujourd'hui un taux de fuite de moins de 6 % et inspecte une nouvelle maison sur sept à des fins de contrôle.

La plupart des fenêtres laissent sortir d'énormes quantités de chaleur en hiver et entrer presque autant de chaleur dans le bâtiment l'été. Les nouvelles fenêtres disponibles sont plus chères mais induisent des économies d'énergie qui en remboursent largement le surcoût : elles réduisent de deux tiers les pertes de chaleur l'hiver et de moitié la chaleur non désirée l'été. S'agissant des bâtiments commerciaux, de nombreux architectes ont redécouvert l'intérêt de permettre aux usagers d'ouvrir les fenêtres pour économiser de l'énergie.

Architectes et constructeurs s'intéressent aussi à de nouveaux designs de toit, qui minimisent l'absorption de chaleur solaire l'été et réduisent les pertes de chaleur l'hiver. Des toits blancs à forte réflexion sont particulièrement efficaces dans les zones de grand recours à la climatisation.

Compte tenu des prix élevés de l'énergie future et de la nécessité accrue de réduire les émissions de CO_2, on cherche de plus en plus à améliorer l'efficience des bâtiments. Ces dernières années, les architectes se sont peu à peu intéressés aux procédés permettant de minimiser les pertes et la consommation d'énergie, et nombre d'acheteurs commencent à porter leur attention sur les équipements favorisant de moindres dépenses d'électricité, de chauffage et de climatisation.

Comme nous l'avons vu au chapitre 3, le «solaire passif» peut, dans les constructions nouvelles, réduire considérablement la quantité d'énergie nécessaire à chauffer en hiver et à rafraîchir en été. Les toits végétaux sont aussi un moyen

UN COULOIR RÉSERVÉ AUX BUS, À JAKARTA
(INDONÉSIE), PERMET À SES USAGERS
DE DÉPASSER LES AUTOMOBILISTES
AUX HEURES DE POINTE.

DES TESTS SONT EN COURS POUR METTRE
AU POINT DES MOTEURS D'AVION PLUS LÉGERS
ET PLUS EFFICIENTS. CE MOTEUR PRODUIT
20 % DE CO_2 EN MOINS QUE SES PRÉDÉCESSEURS.

d'isoler les structures et de baisser la température d'un bâtiment en été, tout en conservant la chaleur en hiver.

À l'intérieur de la plupart des bâtiments d'habitation, d'autres économies sont possibles, grâce à des systèmes et des appareils électroniques plus efficients. Le programme Energy Star, du ministère de l'Énergie américain, donne des informations utiles aux consommateurs sur les appareils permettant d'économiser de l'argent en consommant moins d'énergie. Les vieux chauffe-eau peuvent être avantageusement remplacés ou isolés de manière à réduire les pertes de chaleur. Sous la plupart des latitudes, un chauffe-eau solaire placé sur un toit, assez rapidement rentabilisé, est une source d'économies tout au long de sa vie.

La plupart des téléviseurs, des lecteurs de DVD et autres appareils électroniques dépensent une quantité d'énergie considérable, même éteints. Un téléviseur en mode *stand-by* consomme tant d'énergie qu'il faut une centrale au charbon produisant 1 000 mégawatts d'électricité pour alimenter tous les téléviseurs américains quand ils sont *éteints.*

Il est possible d'améliorer l'efficience de pratiquement chaque système et chaque produit en ayant recours à des modes de conception et de fabrication assistés par ordinateur (CAO/FAO). Les nouvelles technologies permettent désormais de mettre en œuvre des matériaux et des designs qui, dans bien des cas, apportent des améliorations révolutionnaires à des produits et des processus non modifiés depuis des générations.

Les possibilités de réduction de la pollution climatique dans le secteur des transports sont considérables. Tandis que le moteur à explosion, par exemple, n'a qu'une efficience de 20 %, le passage au véhicule électrique ferait passer ce taux à 75 % – même si les gains en efficience dépendent de la source de l'électricité : en effet, les centrales électriques au charbon n'ont qu'une efficience de 35 %.

Réduire considérablement l'énergie consommée et le CO_2 dégagé est tout à fait envisageable dans les transports en commun, par exemple en réintroduisant le tramway en zone urbaine. Les nouvelles technologies des moteurs – véhicules hybrides ou électriques – permettent d'importantes économies d'énergie et réductions de pollution. Les nouveaux matériaux, plus légers, offrent la promesse de nouveaux gains en efficience. Les progrès en matière de consommation au kilomètre sont la source de l'essentiel des gains réalisés jusqu'à présent dans l'industrie automobile. Les normes adoptées aux États-Unis en 2008 augmenteront les économies, bien qu'elles soient encore en deçà des normes en vigueur en Chine, en Europe et au Japon.

Nombre de compagnies aériennes cherchent à utiliser des sources alternatives de carburant, même si le plus faible contenu énergétique des biocarburants a convaincu les analystes que cette transition sera difficile. Boeing Aircraft fait cependant des progrès dans le développement de matériaux plus légers et plus robustes, afin de construire des avions qui réalisent d'eux-mêmes des gains en efficience énergétique.

Les obstacles à une plus grande efficience viennent principalement d'une ignorance des opportunités existantes, que ce soit au niveau national, régional, local ou individuel. Nos habitudes, bien ancrées, nous empêchent souvent de prendre l'initiative qui s'impose pour faire des économies d'énergie – même si nous pouvons économiser de l'argent au cours du processus.

En outre, l'absence de « réflexion globale » a freiné l'introduction des progrès en efficacité issus d'une conception et d'une ingénierie nouvelles.

Et l'absence de systèmes d'information de haute qualité, simples d'usage et qui identifient les opportunités de gain, a contribué à notre incapacité à les réaliser.

Enfin, revoir la conception de nos grands systèmes – comme les villes – augmentera encore les économies d'énergie. Il est important de se rappeler qu'en Chine, en Inde, au Nigeria et dans d'autres pays à forte croissance, des villes sont bâties chaque année. Et, même si cela peut sembler un peu visionnaire, incorporer les nouveaux principes de design au commencement du processus serait un progrès économique considérable.

La plupart des solutions à la crise du climat seront plus faciles à adopter quand les conséquences du réchauffement mondial se refléteront dans le coût des choix que nous faisons. Mais les experts en efficience énergétique pensent qu'il faut prendre en compte d'autres facteurs que le prix si nous voulons saisir les opportunités de gains résultant d'une plus grande efficience.

Ces opportunités sont diverses et ont de multiples formes. Aussi n'existe-t-il pas de corpus de connaissances universellement applicable aux mesures à prendre. Le seul trait qui leur soit commun, c'est que toutes se traduiront par des économies d'argent et des réductions d'émissions de CO_2. Aucun « fournisseur de service » n'est capable d'éliminer le « facteur complication » auquel doit faire face celui qui s'engage sur la voie du progrès.

Les fournisseurs d'énergie sembleraient les mieux placés pour apporter diverses améliorations en matière d'efficience, mais les subventions dont ils bénéficient les incitent à vendre toujours plus d'énergie, d'autant qu'ils sont pénalisés si leurs clients réduisent leur consommation. Néanmoins, l'État de Californie et quelques autres ont révisé ces avantages afin que les fournisseurs puissent partager les économies qu'ils permettent à leurs clients. Ce changement est une des raisons de la réussite de la Californie concernant l'efficience énergétique. La quantité d'opportunités milite en faveur d'un programme national basé sur l'expérience de cet État et des quelques autres qui ont pris la tête de cette bataille.

Mais les fluctuations du prix du pétrole, qui ont un effet sur les prix de toutes les formes d'énergie, ont affaibli la volonté nationale et freiné les efforts nécessaires pour introduire de multiples progrès en efficience dans l'économie nationale et internationale. Les conséquences pour le réchauffement de la consommation d'énergie fossile n'étant pas comptabilisées dans le coût de l'électricité ou du pétrole, l'illusoire faiblesse des prix a découragé les investissements.

Ce facteur prix n'explique cependant qu'en partie notre échec à réaliser des gains en efficience, parce que ceux-ci sont toujours rentables, quel que soit le coût de l'énergie.

Ce dont nous avons besoin, c'est, au niveau des dirigeants d'entreprises et des gouvernements, de la volonté et de la détermination qui ont, par le passé, conduit à des progrès révolutionnaires, quand des leaders visionnaires s'étaient donné pour mission d'améliorer notre efficience globale.

L'EFFICIENCE ÉNERGÉTIQUE A BESOIN DE LEADERSHIP

Le directeur général de Frito-Lay, Al Carey, et le gouverneur Arnold Schwarzenegger visitent la ferme solaire Sun Chips de Modesto, en Californie.

La première raison du succès des entreprises ayant pris des mesures pour améliorer leur efficience énergétique, c'est qu'elles disposaient d'un dirigeant visionnaire, déterminé à engager ses équipes dans cette direction. Une organisation défaillante et un manque d'autorité ont empêché, dans trop d'entreprises, d'identifier et d'adopter des mesures de ce type.

Al Carey, dirigeant de Frito-Lay, une division de PepsiCo, est parvenu à des économies d'énergie considérables en s'attachant à réduire les émissions de CO_2 de son entreprise.

Sous son autorité, Frito-Lay a examiné chaque élément de ses activités pour trouver des sources d'économies. La firme vient d'installer le plus grand système électrique d'entreprise en Arizona, et, depuis 2008, utilise le solaire pour fabriquer les Sun Chips en Californie (le solaire produit de la vapeur qui chauffe l'huile dans laquelle sont cuites les chips.) L'entreprise a également mis en place un programme « zéro déchets » dans quatre de ses usines, afin de réduire ses déchets de 99 %.

D'autres évolutions lui ont permis de diminuer ses émissions de CO_2 de près de 50 000 tonnes entre 2006 et 2007. Frito-Lay a aussi baissé de 14 % ses émissions d'autres gaz à effet de serre et s'est fixé un objectif de réduction de 50 % d'ici 2017. L'autre stratégie de Frito-Lay est d'atteindre ce but en réutilisant les cartons d'expédition en moyenne cinq à six fois. La consommation de carton a ainsi baissé de 120 000 tonnes par an. Quand les cartons sont vraiment usés, ils sont recyclés. Frito-Lay a enfin pour ambition de faire de sa flotte de camions la plus efficiente du pays, en la convertissant au moteur hybride et en apprenant à ses chauffeurs à réduire leur consommation d'essence.

En changeant les matériaux utilisés et en repensant son mode de fonctionnement, l'entreprise a réellement amélioré son rendement et montré ce qu'il était possible de réaliser à condition d'en avoir la volonté.

COMMENT NOUS UTILISONS L'ÉNERGIE

CHAPITRE TREIZE

LE SUPER-RÉSEAU

À SHANGHAI, ET AILLEURS DANS LE MONDE,
LA HAUSSE DE LA DEMANDE D'ÉNERGIE PÈSE
LOURDEMENT SUR LES RÉSEAUX EXISTANTS,
À LA TECHNOLOGIE DÉPASSÉE.

Depuis plus de cent ans, notre manière de penser l'électricité repose sur l'existence de centrales électriques centralisées de grande taille – alimentées au charbon, au gaz, au nucléaire ou à l'hydroélectrique –, connectées en temps réel aux consommateurs par des réseaux de transmission et de distribution. Lors de sa création, il s'agissait d'un système fabuleux pour le monde. En l'an 2000, la National Academy of Engineering le qualifiait même de « réalisation la plus importante du XXe siècle en matière d'ingénierie ».

Mais des problèmes de plus en plus nombreux et l'apparition de nouvelles technologies ont commencé à révéler la désuétude de ce mode de pensée. Et il est clair à présent que nos réseaux électriques sont inefficaces et dépassés.

Les fournisseurs, les régulateurs et les législateurs s'efforcent de comprendre comment ils pourraient adapter et tirer parti des nouvelles technologies et des modes innovants de production, de transmission, de distribution, de stockage et de consommation d'électricité.

Il faudrait en fait accélérer l'introduction de ces progrès technologiques et la construction de réseaux intelligents et unifiés à l'échelle des continents – ou super-réseaux –, aux États-Unis et dans les autres pays. Pour permettre, notamment, de réduire les émissions de polluants responsables du réchauffement climatique et les défauts dans la transmission, la distribution et le stockage de l'énergie. Les technologies nécessaires à l'édification d'un super-réseau sont pleinement développées et disponibles. Seule manque la volonté politique. Une première étape a été franchie en 2009, quand le président Obama a prévu d'intégrer à la loi de soutien à l'économie le financement d'un tel projet.

De même que les États-Unis ont tiré profit de leur système d'autoroutes inter-États et, plus tard, des « autoroutes de l'information » qui ont donné naissance à Internet, la création d'un réseau énergétique intelligent susciterait des millions d'emplois nouveaux et réduirait considérablement les émissions de CO_2.

En outre, moyennant une vision suffisamment large et planifiée, les États-Unis et d'autres pays pourraient développer des fibres optiques de haute capacité pour un réseau à haut débit national plus efficace, et ce, dans les tranchées qui accueilleront les lignes de transmission à haute tension, base du nouveau réseau intelligent.

Le National Energy Technology Laboratory (NETL) du ministère de l'Énergie américain a proposé comme principe de développement d'un réseau moderne : « Révolutionner le système électrique en intégrant la technologie du XXIe siècle pour produire et distribuer de l'électricité sans fil au bénéfice de notre pays. »

Rappelons les quatre éléments indispensables pour construire un réseau national intelligent ou super-réseau :

▸ des lignes de transmission à haute tension longue distance plus efficaces, connectées à tous les générateurs d'électricité, y compris les sources intermittentes (solaire, éolien);

▶ des réseaux de distribution «intelligents» connectés par Internet à des compteurs «intelligents» dans les foyers, les sous-stations et les transformateurs, et à tout autre élément du réseau de transmission et de distribution;

▶ des unités de stockage de l'énergie électrique modernes, dynamiques et efficaces, placées au sein des réseaux de transmission et de distribution, la plupart des lieux de stockage étant situés à proximité ou au sein des installations des consom-

qu'ils auront eux-mêmes fixé. C'en sera fini des visites de relevé des compteurs.

Le réseau, numérisé, ne dépendra plus d'appareils électromécaniques ou analogiques. Il se régulera tout seul et, dans une certaine mesure, se réparera tout seul. Le réseau intelligent éliminera bien des coupures de courant, en minimisera d'autres, et informera les fournisseurs de l'endroit exact où des réparations urgentes sont nécessaires. En recueillant des informations plus précises, ceux-ci seront aussi à même d'anticiper les investissements et constructions à prévoir. Cette modernisa-

Les technologies nécessaires à l'édification d'un super-réseau sont matures et disponibles. Il ne manque que la volonté politique.

mateurs finaux. Une interconnexion totale des réseaux de transmission et de distribution;

▶ une diffusion de l'information dans les deux sens à travers le réseau.

Grâce au système de distribution en «réseau intelligent», le consommateur réduira sa facture d'énergie par le paiement à la journée et le processus sera automatisé selon ses préférences. L'un des éléments clés d'un réseau intelligent, le compteur intelligent, aidera les clients à contrôler leur consommation. Ils détermineront au préalable ce qu'ils sont prêts à payer chaque mois et choisiront en conséquence de laisser des appareils éteints plusieurs heures par jour afin de parvenir au prix

tion peut enfin rendre le réseau moins vulnérable au risque croissant d'actes terroristes numériques visant à priver d'électricité telle ou telle région.

Bien conçu, un réseau intelligent sera plus fiable, plus sûr, plus efficace, moins coûteux et moins nocif pour l'environnement. Les réseaux anciens, comme celui des États-Unis, sont vulnérables à des coupures intempestives de courant qui peuvent toucher des millions de personnes. Notre système souffre également de problèmes de «congestion»: du fait d'une capacité de transmission insuffisante et d'une trop faible «intelligence», il est mal équipé pour gérer efficacement les flux d'énergie issus de sources multiples, qui s'embouteillent dans le réseau.

Le coût du vieux réseau électrique des États-Unis est estimé à 206 milliards de dollars par an.

EN AOÛT 2003, LA PLUS GRANDE COUPURE DE COURANT DE L'HISTOIRE DE L'AMÉRIQUE DU NORD A TOUCHÉ PLUS DE 50 MILLIONS DE PERSONNES, DONT TOUTE LA VILLE DE NEW YORK.

Un réseau moderne aurait raison de ces problèmes. Aux États-Unis, selon le Lawrence Berkeley National Laboratory, les coupures de courant de tous ordres – de quelques secondes à plusieurs jours – coûtent chaque année près de 80 milliards de dollars au secteur dans son ensemble. Selon d'autres estimations, qui incluent les clients résidentiels et certains événements modifiant subitement le voltage fourni aux utilisateurs d'équipements électriques sensibles, ce chiffre est encore plus élevé. Aux États-Unis toujours, certaines entreprises très sensibles aux fluctuations de tension, voire à de brèves coupures de courant, ont ajourné *sine die* la construction d'usines dans des endroits où l'offre d'électricité est de mauvaise qualité.

En 2007, le NETL évaluait le coût pour la société du vieux réseau américain à 206 milliards de dollars par an. Un réseau plus fiable, plus efficace et plus intelligent stimulerait la compétitivité et la création d'emploi. La Galvin Electricity Initiative, qui a étudié l'impact de ce réseau sur la productivité et la compétitivité, estime qu'« au moins 1 000 milliards de dollars de PIB sont perdus chaque année, et que ce coût augmente rapidement à mesure que se développe l'économie numérique ».

Il faut installer des lignes de transmission longue distance efficaces pour libérer tout le potentiel des sources d'énergie sans carbone. Les lignes de transmission qui utilisent une tension beaucoup plus élevée que dans le réseau actuel peuvent transmettre sur de très longues distances et avec peu de pertes. Comme nous l'avons vu au chapitre 12, la basse tension utilisée par Thomas Edison pour transmettre du courant continu limitait la distance de transmission à environ 800 mètres. Le succès du courant alternatif, inventé par Nikola Tesla à la fin des années 1880, est d'abord dû à des pertes bien moindres en cas de transmission sur plusieurs kilomètres.

Aujourd'hui, les lignes modernes transmettent du courant continu et alternatif avec très peu de pertes. Le courant continu à haute tension (HVDC) est même plus efficace sur longue distance que le courant alternatif à haute tension (HADC), mais cet avantage disparaît si l'on place des convertisseurs sur les lignes. C'est pourquoi environ 98 % du courant distribué dans le monde est du courant alternatif à haute tension.

Les lignes HVDC sont sans doute le meilleur choix possible de transmission pour le solaire et l'éolien des zones lointaines : sud-est désertique des États-Unis, Mongolie, est de la Chine, nord-ouest désertique de l'Inde, etc. Ces lignes ont pour avantage d'être faciles à enterrer, ce qui évite les tours de transmission, auxquelles le public est généralement opposé. Elles peuvent aussi servir de liens intercontinentaux, comme celles proposées aujourd'hui entre l'Afrique du Nord et l'Europe.

Les systèmes de transmission à des niveaux de tension encore plus élevés existent déjà en plusieurs endroits de la planète, et on en prévoit davantage en Amérique, en Afrique du Sud, en Scandinavie, en Europe de l'Ouest et en Asie. La Chine, qui a annoncé son intention d'interconnecter ses trois réseaux d'électricité régionaux du nord, du centre et du sud d'ici 2010, travaille à la construction d'un super-réseau national pour 2020 qui sera le plus avancé du monde.

Plusieurs pays européens s'orientent vers le développement d'un super-réseau reliant l'Europe, l'Afrique du Nord et le Moyen-Orient – où le potentiel de production d'électricité solaire et éolienne est pratiquement illimité. Les mêmes projets sont en débat en Amérique du Sud, en Asie et en Australie, continents disposant tous de vastes

LE SUPER-RÉSEAU EUROPÉEN ET NORD-AFRICAIN

Un nouveau réseau à grande échelle est proposé pour l'Europe et l'Afrique du Nord. Une fois construit, il fournira de l'électricité à l'Union européenne, au Moyen-Orient et à l'Afrique du Nord. Le concept Desertec est conçu pour collecter l'énergie propre et renouvelable dans le Sahara nord-africain et au Moyen-Orient, puis la transmettre dans toute la zone connectée au super-réseau. Il est prévu que, d'ici 2050, le système produira 100 GW d'électricité.

SOLAIRE (CST)

SOLAIRE (PV)

ÉOLIEN

HYDROÉLECTRICITÉ

BIOMASSE

GÉOTHERMIE

SOURCE : Desertec Foundation

régions ensoleillées et venteuses suffisamment éloignées des villes.

Le vieux réseau américain est moins efficient que les réseaux qui exploitent les équipements et les technologies de transmission modernes. L'âge moyen d'une sous-station de transformateur y est de quarante-deux ans, soit davantage que sa durée de vie normale. La tension la plus haute utilisée aujourd'hui est de 765 kilovolts, encore que très peu de lignes atteignent ce niveau. Même quand il fonctionne normalement, ce réseau perd plus d'électricité lors de la transmission qu'un réseau électrique moderne.

de construction en Chine, les pertes de charge diminueraient chaque année de plus de 10 gigawatts (la consommation de 2,5 millions de foyers) et les émissions de CO_2 de millions de tonnes.

Deux raisons principales nécessitent de moderniser le réseau de transmission et de distribution d'électricité pour pouvoir y intégrer de plus grandes quantités d'électricité renouvelable. Non seulement ces sources renouvelables se trouvent dans des zones isolées, exigeant des lignes de transmission à haute tension ; mais le réseau doit aussi être relié par Internet à des installations de stockage d'électricité décentralisées, afin de

Les bénéfices de la modernisation du réseau pour la société seront quatre fois plus élevés que son coût.

ELECTRIC POWER RESEARCH INSTITUTE

Créer un super-réseau moderne permettra d'économiser les dizaines de milliards de dollars prévues pour de nouvelles lignes de transmission, centrales de production centralisées, sous-stations et autres équipements de distribution. En ajoutant les économies résultant du nombre moins élevé de coupures et d'ajouts faits au vieux système, le coût de ce réseau moderne devrait être largement couvert.

Selon une étude de l'Electric Power Research Institute, les bénéfices que la société tirera de la modernisation du réseau seront quatre fois plus importants que son coût. Les experts estiment qu'avec un réseau similaire à celui qui est en cours

s'adapter à la nature intermittente de l'électricité produite par le solaire et l'éolien.

L'intérêt croissant pour des sources d'électricité sans carbone explique en grande partie la motivation des fournisseurs à trouver un moyen de lisser les flux d'électricité produits de façon intermittente par les générateurs solaires ou éoliens. Ces deux ressources, abordées aux chapitres 3 et 4, sont susceptibles de couvrir l'ensemble des besoins en électricité des États-Unis, et une proportion considérable de ceux des autres pays.

Le solaire et l'éolien ne représentant actuellement qu'une petite part de la quantité d'électricité circulant dans le réseau, les fournisseurs peuvent gérer le problème de l'intermittence sans mettre à mal celui-ci. Le passage des nuages et les couchers de soleil interrompent le flux d'électricité solaire, tout comme les variations de la vitesse du vent, ou l'absence de vent, interrompent le flux d'électricité éolienne. À mesure que la part de cette électricité s'accroît, le problème de l'intermittence devient plus complexe.

Déjà, la Bonneville Power Administration (BPA), dans le Pacifique nord-ouest, s'efforce d'intégrer plus de 2 000 mégawatts d'électricité éolienne intermittente (de quoi alimenter l'équi-valent de deux Seattle) dans l'électricité qu'elle produit avec ses trente et un barrages et sa cen-trale nucléaire. Après être passée, en dix ans, de 25 mégawatts à son niveau actuel, la quantité d'électricité éolienne dans le pic de charge de la BPA (10 500 mégawatts) devrait tripler dans les trois prochaines années.

Plusieurs des nouvelles batteries assurant le stockage de l'électricité sont capables de fournir de grandes quantités d'électricité en deux milli-secondes. Ces systèmes peuvent être reliés aux réseaux de transmission et de distribution ali-mentés en électricité intermittente par les géné-rateurs éoliens ou solaires, de manière à fournir automatiquement du courant en cas de fluctua-tion des flux issus des générateurs. Combiner, dans un schéma en miroir, ces livraisons épisodiques aux flux intermittents d'électricité permettrait de produire un flux égal et continu d'électricité, avec une grande fiabilité et un voltage prévisible (voir « Résoudre l'intermittence du vent », ci-contre). En revanche, même la turbine à gaz la plus rapide requiert au moins 15 secondes pour monter en charge à 4 mégawatts – un temps de réaction bien trop lent pour stabiliser les flux intermittents du solaire ou de l'éolien.

Les fournisseurs tiennent en réserve un grand nombre de générateurs au gaz (et au charbon) pour répondre aux périodes longues et prévisibles où elles doivent faire face à une hausse subite de la demande. Dans la plupart des pays, y compris aux États-Unis, l'écart s'est largement creusé entre la quantité d'électricité utilisée aux heures de pointe et pendant le reste du temps – principalement en raison d'un usage accru de l'air conditionné, de l'éclairage et de téléviseurs plus grands quand les gens rentrent du travail et jusqu'à ce qu'ils s'endorment. Les pics les plus hauts, pendant les chaudes journées d'été, ne concernent qu'un petit

RÉSOUDRE L'INTERMITTENCE DU VENT
Grâce à leur très grande vitesse de réaction, les nouvelles batteries (notamment les piles NAS) ajoutent des quantités précises d'électricité à la source de transmission en cas de baisse de la source de production. La combinaison produit un courant électrique stable.

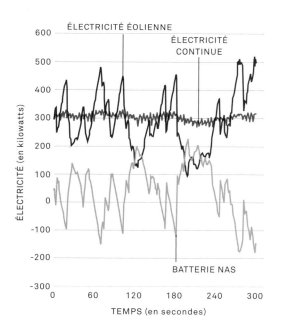

SOURCE : NGK Insulators, Inc.

nombre d'heures chaque année. Ces périodes brèves de pic de la demande sont satisfaites par des générateurs au gaz (et parfois au charbon) tenus en réserve à cette fin. Quand de tels générateurs sont utilisés, même en réserve ou pour une courte durée, ils produisent du CO_2.

L'inefficience de cette technique peut être comparée à la quantité d'essence que l'on gaspille en voiture en alternant coups de frein et coups d'accélérateur. Ceux qui conduisent ainsi font un mauvais emploi de leur réserve de carburant ; c'est pourtant de cette façon que les fournisseurs d'électricité font fonctionner leurs générateurs de réserve, compte tenu des schémas de charge existants et des équipements qu'ils utilisent.

L'électricité produite par ces centrales est, de ce fait, la plus sale et la plus inefficace du système. La remplacer par de l'électricité stockée apporterait de nombreux avantages. Chris Shelton, le vice-président de l'Electricity Storage Association, qualifie la combinaison d'un stockage efficace et de centrales électriques à combustibles fossiles d'« hybridation du réseau ».

Une étude récente montre que le remplacement des générateurs de réserve au charbon opérant pendant les périodes de pointe par un système de stockage efficace de l'énergie pourrait éliminer de 76 à 85 % du CO_2 émis par ces générateurs.

Tandis que la consommation d'énergie croît chaque année de 1,5 à 2 %, la demande en période de pointe croît de 5 à 7 %. Aux États-Unis, la consommation moyenne d'électricité représentait, il y a cinquante ans, environ 67 % de la demande en période de pointe ; elle est aujourd'hui de 50 %. Le ministère de l'Énergie rapporte que, sur une base nationale, « 10 % des générateurs et 25 % de l'infrastructure de distribution sont sollicités moins de 400 heures par an, soit 5 % du temps ».

Alors que les besoins en électricité ont doublé dans de nombreux pays développés, la disparité croissante entre la consommation moyenne et la consommation de pointe (la période de 3 à 4 heures chaque soir de la semaine) a porté l'attention des fournisseurs sur les avantages du stockage de l'électricité en prévision des périodes de pointe, afin d'ajourner ou d'éviter le coût élevé de nouvelles capacités de production éventuelles.

Malheureusement, il est difficile de stocker l'électricité en grande quantité, elle a besoin de rester en mouvement. L'image de « la foudre en

UNE DEMANDE D'ÉLECTRICITÉ VARIABLE
Sur une année, la consommation d'électricité varie considérablement de mois en mois et même d'heure en heure. C'est en été que la demande est la plus forte, du fait de l'air conditionné. Ce graphique montre la demande en 2006 à PG & E, un fournisseur californien. La consommation connaît un pic le 25 juillet, à 17 heures, en pleine vague de chaleur.

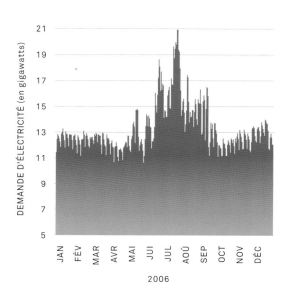

SOURCE : Pacific Gas & Electric

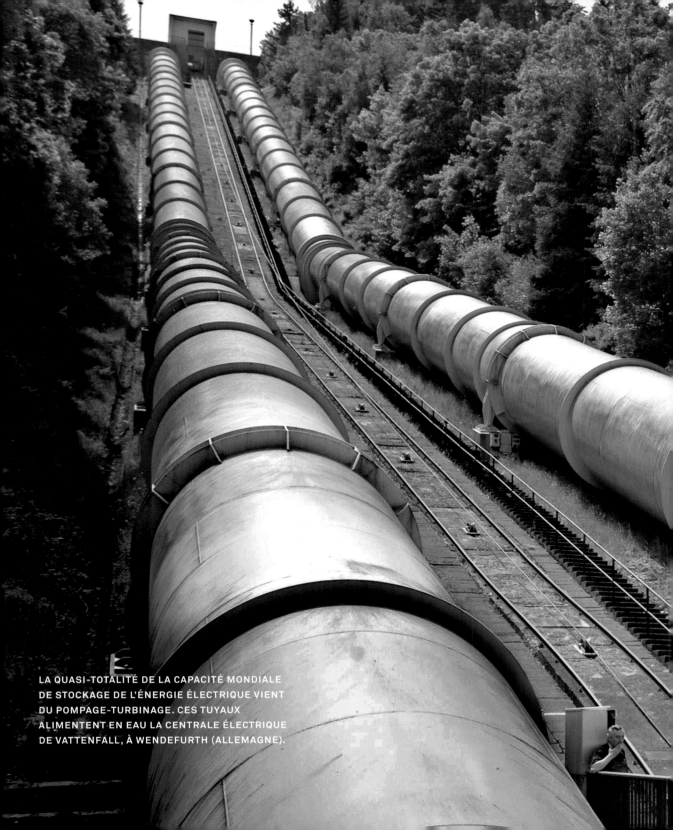

LA QUASI-TOTALITÉ DE LA CAPACITÉ MONDIALE
DE STOCKAGE DE L'ÉNERGIE ÉLECTRIQUE VIENT
DU POMPAGE-TURBINAGE. CES TUYAUX
ALIMENTENT EN EAU LA CENTRALE ÉLECTRIQUE
DE VATTENFALL, À WENDEFURTH (ALLEMAGNE).

bouteille » illustre l'extrême difficulté à contenir l'électricité jusqu'à sa prochaine libération.

La technologie de stockage la plus utilisée aujourd'hui dans le monde consiste non pas à stocker l'énergie elle-même mais le potentiel pour la créer. Introduit aux États-Unis en 1929, le système du pompage-turbinage pompe de l'eau jusqu'à un réservoir placé en hauteur, durant la nuit, quand la capacité de production est en excédent. Puis, au début de la période de pointe, l'eau repart dans les turbines hydroélectriques pour produire de l'électricité – récupérant de 70 à 80 % de l'électricité ayant servi au pompage. Aujourd'hui, environ cent cinquante sites de pompage-turbinage, aux États-Unis et dans le monde, fournissent plus de 99 % de la capacité mondiale de stockage d'énergie électrique. Plusieurs autres projets de pompage-turbinage sont à l'étude. Mais l'avenir de cette ressource est limité pour les mêmes raisons que les barrages hydroélectriques (40 % de la production d'électricité des États-Unis au début des années 1990) : les meilleurs sites ont déjà été développés et il est difficile de faire valider les autorisations consenties pour des installations de très grande taille. Enfin, cette option n'est possible que dans les régions montagneuses et/ou disposant de sources en eau adaptées.

La deuxième technologie de stockage de l'électricité la plus développée est le stockage à air comprimé : l'air est comprimé avec un générateur au gaz, puis stocké dans un site souterrain géologiquement adapté. Lorsque l'air est libéré et s'épand, il recapture de l'énergie, produisant de nouveau l'essentiel de l'électricité utilisée pour la compression. Cette option est presque aussi efficace que le pompage, mais sa dépendance au gaz la désavantage si l'on tient compte des émissions de CO_2. En outre, elle est tributaire de sites souterrains ayant les caractéristiques requises. Pour y remédier, on tente de développer des systèmes qui stockent le gaz comprimé dans de vastes réservoirs d'eau et des containers en surface. Seuls deux systèmes à air comprimé à grande échelle utilisent des grottes souterraines, un dans l'Alabama, l'autre en Allemagne, les deux sous dômes de sel.

Ces méthodes anciennes de stockage de l'énergie électrique – le pompage et l'air comprimé – ont des caractéristiques similaires aux vieilles centrales électriques centralisées : mises au point pour traiter de grandes quantités d'électricité, elles n'ont ni souplesse ni intelligence. L'électricité distribuée par ce biais ne peut être rapidement fournie ni stoppée.

Les autres formes d'énergie sont bien plus faciles à stocker. Le charbon et le pétrole, par exemple, sont nos énergies privilégiées à la fois pour leur haute densité énergétique et parce que l'énergie y est stockée sans pertes depuis des millions d'années. Observons toutefois que quand la production de pétrole des États-Unis a atteint son apogée, vers 1970, et que l'embargo s'est produit quelques années plus tard au Moyen-Orient, il a été jugé nécessaire de créer une Réserve de pétrole stratégique, afin de stocker suffisamment de pétrole pour satisfaire les besoins de l'économie en cas d'interruption de l'offre.

La biomasse brûlée pour produire de l'électricité peut pourrir si elle est mal stockée, mais de nouvelles techniques, comme la torréfaction, allongent considérablement la durée du stockage. Les centrales thermosolaires produisent de grandes quantités de chaleur, permettant de faire bouillir de l'eau et de faire tourner un générateur à vapeur. Il est possible de stocker une partie de cette chaleur dans des réservoirs d'huile synthétique ou de sel en fusion, puis de la récupérer quand des nuages passent sur les capteurs solaires, afin de continuer à alimenter le générateur pendant

CE PROTOTYPE CHEVROLET EST ÉQUIPÉ D'UNE BATTERIE LITHIUM-ION D'UNE AUTONOMIE DE 60 KM. AU-DELÀ, UN PETIT MOTEUR À ESSENCE PRODUIT DE L'ÉLECTRICITÉ, ACCROISSANT L'AUTONOMIE DE 480 KM.

quelques heures. On peut aussi avoir recours à ces réservoirs thermiques pour produire de l'électricité une fois le soleil couché, là aussi durant quelques heures.

Les volants d'inertie, un moyen de stockage cinétique faisant appel à la rotation d'un cylindre de taille imposante, servent à stocker l'énergie électrique dans certaines occasions; néanmoins, les dimensions et le coût de ces installations limitent leur intérêt pour stocker de grandes quantités d'énergie.

Certains experts pensent que l'application des nanotechnologies au stockage de l'énergie électrique à l'état solide conduira à des solutions qui tireront parti des rapides progrès enregistrés dans le domaine des puces, dont le coût baisse de 50 % tous les dix-huit à vingt-quatre mois. D'autres

estiment que la révolution du stockage magnétique de l'électricité est déjà visible à l'horizon. Quoi qu'il en soit, le stockage de l'énergie électrique reste aujourd'hui un défi majeur.

On a longtemps cru, en effet, que l'électricité était si incommode à stocker en grandes quantités que le stockage ne jouerait jamais un rôle important dans l'interaction entre les fournisseurs et ses clients. Cette croyance est désormais révolue.

L'intérêt se porte aujourd'hui sur la mise au point de nouvelles batteries. La concurrence dans ce domaine fait rage, à coups de millions de dollars, dans de nombreux pays. De nouvelles entreprises trouvent des moyens innovants de stocker de grandes quantités d'énergie électrique dans des réceptacles plus petits et à un moindre coût. Plusieurs gouvernements y consacrent des budgets de recherche et développement, tandis que des sociétés de capital-risque luttent pour parvenir à des solutions compétitives. Les innovations sont constantes, et il est pour le moment impossible de dire quels systèmes sortiront gagnants.

Les batteries à l'acide de plomb – inventées en 1859 – sont encore les batteries rechargeables les plus utilisées. Du fait de leur courte durée de vie et de leurs coûts de maintenance élevés, elles ne sont pas jugées convenir au stockage de grandes quantités d'électricité, mais quelques entreprises ont récemment amélioré cette technologie pour l'adapter à de nouvelles applications. Cela étant, les besoins croissants de stockage de l'électricité suscitent un flot d'investissements dans la recherche et le développement de batteries entièrement nouvelles, à la fois bien plus imposantes et plus efficaces.

Un fabricant japonais de céramiques, NGK, vend aujourd'hui une batterie sodium-soufre (NAS) à haute densité énergétique et de grande efficacité. D'abord développé par Ford Motor Company pour un prototype de voiture électrique, le concept a été adapté aux besoins des fournisseurs d'électricité dans les années 1990 par NGK et la Tokyo Electric Power Company, qui en a déjà installé une centaine dans son réseau et plus de deux cents dans le monde, dont trois aux États-Unis pour une capacité de 9 mégawatts.

Bien que le prix unitaire de ces batteries soit élevé (2 500 dollars le kilowatt), le coût de l'électricité qu'elles fournissent aux heures de pointe est moindre que celui de l'électricité donnée par les générateurs de réserve quelques heures par jour. La batterie NGK, qui peut fournir 1 mégawatt pendant 6 heures – et peut être utilisée en groupe –, est aujourd'hui considérée comme l'équipement disponible à grande échelle le plus efficace.

Son coût et sa taille ne conviennent toutefois pas à toutes les applications. Et, autre inconvénient, il n'existe qu'un seul fabricant dans le monde, qui en produit un nombre limité chaque année. La France et Abou Dhabi ont déjà acheté la production des quatre années à venir.

Malgré cela, cette batterie sodium-soufre l'emporte face à tous ses concurrents sur le marché du stockage d'énergie à grande échelle. General Electric se prépare cependant à introduire une technologie à iodure métallique, initialement conçue pour des moteurs hybrides de locomotive, et qui devrait avoir des performances comparables à celles de la batterie NGK.

Il est difficile de se prononcer sur la forme de stockage de l'énergie la plus efficace pour la production, la transmission et la distribution de l'électricité ; il faudrait pour cela prévoir les développements futurs, qui entraîneront sans doute de fortes réductions de coût et d'importants progrès en termes de performance.

Plusieurs leaders sur le marché parient sur les batteries lithium-ion pour une capacité de stockage allant jusqu'à 10 mégawatts, car la fabrication de ce type de batteries destinées aux voitures électriques suscite une concurrence accrue dans le monde. La sécurité automobile et les exigences environnementales donnent aux investisseurs l'espoir que les générations prochaines de batteries de ce type seront à la fois compétitives, sûres, écologiquement responsables et largement acceptées par les consommateurs. Ces facteurs ont conduit divers spécialistes du stockage de l'énergie à fonder leurs calculs sur la courbe de réduction des coûts dont devraient, selon eux, bénéficier les batteries pour voitures. Et beaucoup essaient de réunir ces batteries en une flotte coordonnée, susceptible de satisfaire les besoins en stockage de l'industrie.

La course engagée pour remplacer les véhicules à explosion, inefficaces et polluants, draine d'énormes budgets de recherche. Il faudrait que les batteries deviennent suffisamment puissantes (tout en restant sûres et de petite taille) pour faire rouler les voitures et les camions légers à la même vitesse et selon les mêmes performances que les véhicules actuels.

L'introduction du véhicule hybride et, très bientôt, du véhicule électrique rechargeable devrait modifier radicalement notre capacité à stocker de l'électricité durant les heures creuses pour l'utiliser pendant les 6 heures de la journée où la consommation est bien plus élevée que la moyenne.

Chaque véhicule n'étant utilisé pour le transport que 4 % du temps, les nouveaux véhicules hybrides et tout-électriques auront un impact plus important dans le domaine du stockage que dans celui du transport. Chacun ne stockant que de petites quantités d'électricité et restant disponible à tout moment pour le transport, les batteries, inutiles en charge de base, seront d'un intérêt majeur en heures de pointe.

À mesure que progressera la vente des véhicules tout-électriques, la demande croissante de batteries lithium-ion entraînera des économies d'échelle sur le marché colossal de l'automobile. La demande de batteries de ce type croît déjà rapidement, en raison de leur haute densité énergétique, de leur grande efficience et des réductions de coût actuelles et à venir.

La Toyota Prius, premier véhicule hybride de masse, est équipée d'une batterie hybride au nickel. Mais la « Volt » hybride rechargeable, de General Motors, et la nouvelle Prius tout-électrique attendue pour 2010 utilisent les lithium-ion. La Great Wall Motor Company est l'un des quelques constructeurs chinois qui prévoient le lancement de véhicules électriques munis de batteries lithium-ion en 2010. Nissan Motor Company a également annoncé l'arrivée sur le marché d'un véhicule tout-électrique lithium-ion pour 2010, et la fabrication de la « Leaf » dans son usine de Smyrna (Tennessee). Enfin, le Tesla, véhicule tout-électrique américain déjà commercialisé, réunit plusieurs milliers de cellules lithium-ion à l'arrière de la voiture.

En Chine, au Japon, aux États-Unis et dans l'Union européenne, la course aux parts de marché a déjà commencé pour la conversion de l'automobile à l'électrique. Les nombreux atouts du moteur électrique par rapport au moteur à explosion, l'essor des sources d'électricité sans carbone et les avantages en moyens de stockage des véhicules électriques – qui permettent de fournir de l'électricité au réseau durant les heures de pointe – vont entraîner un boom des dépenses en recherche et développement, au profit de batteries pour véhicules électriques encore moins chères et plus performantes.

AES Corporation met actuellement en place un système de 12 mégawatts dans le nord du Chili en rassemblant des batteries lithium-ion conçues pour des bus hybrides. Ironiquement, ces batteries sont installées dans un système qui fournit de l'électricité aux mines de lithium chiliennes (le Chili est le deuxième producteur mondial de lithium après la Bolivie).

Afin de pouvoir couper le courant durant les périodes de pointe, les fournisseurs d'électricité négocient traditionnellement avec leurs gros clients des contrats qui leur imposent de couper le courant quelques heures au moment où les capacités du système sont mises à l'épreuve. On qualifie parfois cette pratique de « partage de charge ». Pour cette raison, les mines de lithium au Chili ont dû souvent, par le passé, fermer

CE ROADSTER ÉLECTRIQUE TESLA A UNE AUTONOMIE DE PLUS DE 320 KM. LES BATTERIES ÉLECTRIQUES PEUVENT SERVIR DE SYSTÈME DÉCENTRALISÉ DE STOCKAGE D'ÉLECTRICITÉ, AUGMENTANT L'EFFICACITÉ D'UN SUPER-RÉSEAU.

pendant les heures de pointe. Entre autres avantages, les flottes de batteries lithium-ion permettront à ces activités minières d'échapper à ce type de contrainte.

American Electric Power (AEP) utilise des batteries lithium-ion dans un système de stockage appelé Community Energy Storage (CES), qui envoie l'électricité stockée dans le réseau de distribution grâce à de multiples batteries placées dans de petites boîtes, à côté des transformateurs desservant quatre ou cinq maisons voisines (chaque sous-station étant reliée à des centaines d'entre eux). Toutes ces petites unités de stockage agissent de concert, les cerveaux électroniques étant situés dans chaque sous-station. Cela réduit les risques de coupure, assure une plus grande fiabilité au système et permet d'installer une infrastructure de stockage adaptable aux véhicules électriques.

Ali Nourai, qui travaille chez AEP, est aussi président de l'Electricity Storage Association et milite pour un stockage de l'énergie tourné vers le consommateur : la vente de services de stockage, outre qu'elle serait une nouvelle source de revenus pour des centrales adaptées au marché moderne de la distribution d'électricité, garantirait une grande fiabilité. Partisan de normes affichées et d'une forte concurrence, Nourai pense que le stockage peut devenir un service marchand au niveau de l'infrastructure électrique mondiale. Selon lui, ce sont « les fournisseurs qui vendront le service de stockage ».

Tandis que la concurrence sur le marché de l'électricité fait rage aux États-Unis, seuls quelques États ont réellement séparé la production de la transmission et de la distribution d'électricité. Et de nombreux fournisseurs historiques s'efforcent de convaincre leurs régulateurs que le stockage de l'énergie doit venir en soutien du réseau de transmission et de distribution. Mais les règles établies pour assurer une production compétitive ne permettent guère de justifier que les fournisseurs contrôlent aussi le stockage. En outre, permettre à des fournisseurs régulés de détenir ou de contrôler l'accès et les règles de distribution de l'énergie stockée risque de freiner la concurrence au moment même où nombre d'entreprises proposent des innovations pour baisser les coûts et accroître l'efficacité du stockage.

La capacité des consommateurs à posséder ou à faire fonctionner leurs propres installations de production et de stockage d'électricité progresse à un rythme qui va bientôt fragiliser le modèle monopolistique et faire évoluer le réseau vers un modèle « de distribution large », souvent qualifié de « micro-électricité ». La combinaison d'un stockage plus efficace et de réseaux de distribution plus intelligents accélérera l'essor des petites capacités de production : panneaux photovoltaïques sur les toits des maisons, petites éoliennes dans les zones où elles sont rentables, etc.

Aux États-Unis, l'une des questions politiques soulevées par la micro-électricité consiste à déterminer les conditions auxquelles les particuliers et les petites entreprises vendront au réseau une partie de l'électricité qu'ils produisent – et qu'ils stockent pendant les heures creuses. La plupart des fournisseurs sont opposés à une réglementation trop souple dans ce domaine, qui encouragerait et accélérerait l'extension de la micro-électricité. Leur argument est que, dans bien des cas, le prix qu'il leur faut payer pour l'électricité produite par leurs clients n'est pas juste. Ils craignent d'être prisonniers des coûts fixes de leur infrastructure de transmission et de distribution et de leurs centrales de production centralisées, tout en étant peu à peu privés du fruit des ventes d'électricité pour lesquelles ils doivent continuer à investir afin de rester compétitifs.

Le fait de perdre des ventes et de devoir concourir contre les nouvelles sources d'électricité présentes dans leur zone d'activité inquiète les fournisseurs historiques. Et certains s'emploient à convaincre les régulateurs et les législateurs de placer des obstacles sur le chemin de la micro-électricité.

Si les toits équipés en photovoltaïque ne jouent encore qu'un rôle mineur, le nombre d'installations double chaque année dans de nombreuses régions. American Electric Power rapporte qu'au cours des dix dernières années, la production d'électricité renouvelable aux mains de ses clients a été « multipliée par 1 000 ». La Californie, le New Jersey et l'Arizona ont été les premiers à encourager et à financer le photovoltaïque décentralisé. Et en Allemagne, l'un des leaders mondiaux en énergie solaire, les toits ont représenté 90 % de l'électricité solaire produite en 2008.

Compte tenu de la baisse des coûts et des gains en efficacité attendus, il est clair qu'une large part de l'électricité sera bientôt produite sur le lieu de consommation. Certains prévoient même qu'aux États-Unis, d'ici dix ans, la moitié des ménages produiront au moins une part de leur électricité renouvelable.

Si cette prédiction s'avérait, quel serait le potentiel de croissance et de dynamisme ainsi libéré par la concurrence en matière de fourniture d'électricité à des dizaines de millions de foyers aux États-Unis et dans le monde ? Le seul point de comparaison dont nous disposons, ce sont la croissance et les hausses de productivité qui suivirent le développement et la vente de centaines de millions d'ordinateurs portables, de téléphones et d'autres appareils électroniques aujourd'hui distribués mondialement et reliés à Internet.

Le super-réseau – que d'aucuns appellent aussi l'« Electranet » – constituera pour la production, la distribution et le stockage de l'électricité le même type de marché qu'Internet a créé pour les petits appareils qui traitent, transmettent et stockent l'information. En dix ans, les bénéfices économiques de cette décentralisation de la production et du stockage de l'électricité transformeront totalement la nature du marché.

Dans les pays en développement, où les réseaux électriques restent rares, les toits équipés en photovoltaïque prolifèrent de façon rapide ; cela

Le National Renewable Energy Laboratory définit ainsi ces nouveaux systèmes : « une sorte de technologie productrice d'électricité, petite et modulaire, qui peut être combinée avec des systèmes de gestion et de stockage d'énergie, et utilisée pour améliorer la fourniture d'électricité, que cette technologie soit ou non connectée au réseau électrique ». Ces systèmes de production et de stockage d'énergie, « situés sur le lieu d'utilisation ou à proximité », incluent « piles à combustible, microturbines, réductions de charge et autres technologies de gestion de l'énergie. Des systèmes

Le super-réseau devrait créer pour la production, la distribution et le stockage de l'électricité le même type de marché qu'Internet pour les appareils qui traitent, transmettent et stockent l'information.

leur permet de se passer de la vieille architecture électrique du monde développé, tout comme le téléphone portable a trouvé un marché gigantesque dans ces pays dépourvus d'installations téléphoniques fixes. Harish Hande, un chef d'entreprise indien, raconte qu'une femme au foyer de Bombay lui aurait dit un jour : « 300 roupies par mois, c'est impossible ; mais 10 roupies par jour, je peux me le permettre » (10 roupies équivalent à environ 15 centimes d'euros, ce qui n'est pas mal pour une journée d'électricité).

d'électricité et de chauffage combinés fournissent de l'électricité, de l'eau chaude, de la chaleur pour les processus industriels, du chauffage et de l'air conditionné, de la réfrigération et du contrôle de l'humidité pour améliorer la qualité de l'air et le confort intérieur ».

Les bâtiments à usage d'habitation ont deux moyens de recourir au stockage thermique. L'un, assez fréquent dans le « solaire passif », consiste à placer à un emplacement stratégique un élément de maçonnerie ou une autre masse qui absorbera

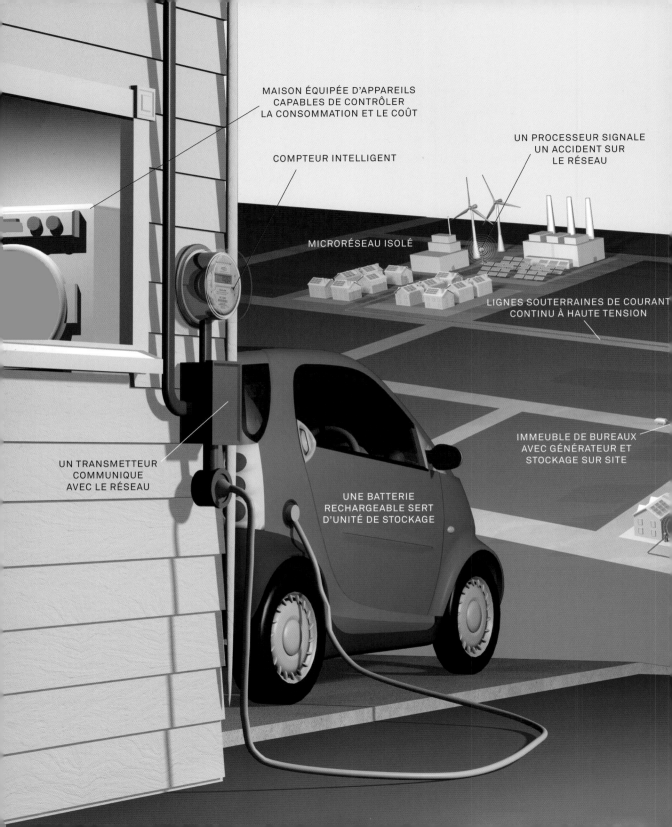

MAISON ÉQUIPÉE D'APPAREILS
CAPABLES DE CONTRÔLER
LA CONSOMMATION ET LE COÛT

COMPTEUR INTELLIGENT

UN PROCESSEUR SIGNALE
UN ACCIDENT SUR
LE RÉSEAU

MICRORÉSEAU ISOLÉ

LIGNES SOUTERRAINES DE COURANT
CONTINU À HAUTE TENSION

UN TRANSMETTEUR
COMMUNIQUE
AVEC LE RÉSEAU

UNE BATTERIE
RECHARGEABLE SERT
D'UNITÉ DE STOCKAGE

IMMEUBLE DE BUREAUX
AVEC GÉNÉRATEUR ET
STOCKAGE SUR SITE

COMMENT FONCTIONNE UN SUPER-RÉSEAU

Grâce à des microprocesseurs et des capteurs, un super-réseau unifié national diffusera l'information et équilibrera en permanence l'offre et la demande à travers le système. Le super-réseau combine plusieurs technologies : lignes de transmission améliorées, batteries petites et grandes qui lissent les sources intermittentes d'électricité (éolien, solaire), installations de micro-électricité (panneaux solaires), compteurs et appareils intelligents pour ajuster la consommation à la demande et au coût. Des ordinateurs et Internet facilitent l'interaction entre les composantes du réseau et les consommateurs, réduisant le gaspillage et améliorant l'efficience. Enfin, les clients peuvent vendre leurs excédents d'électricité.

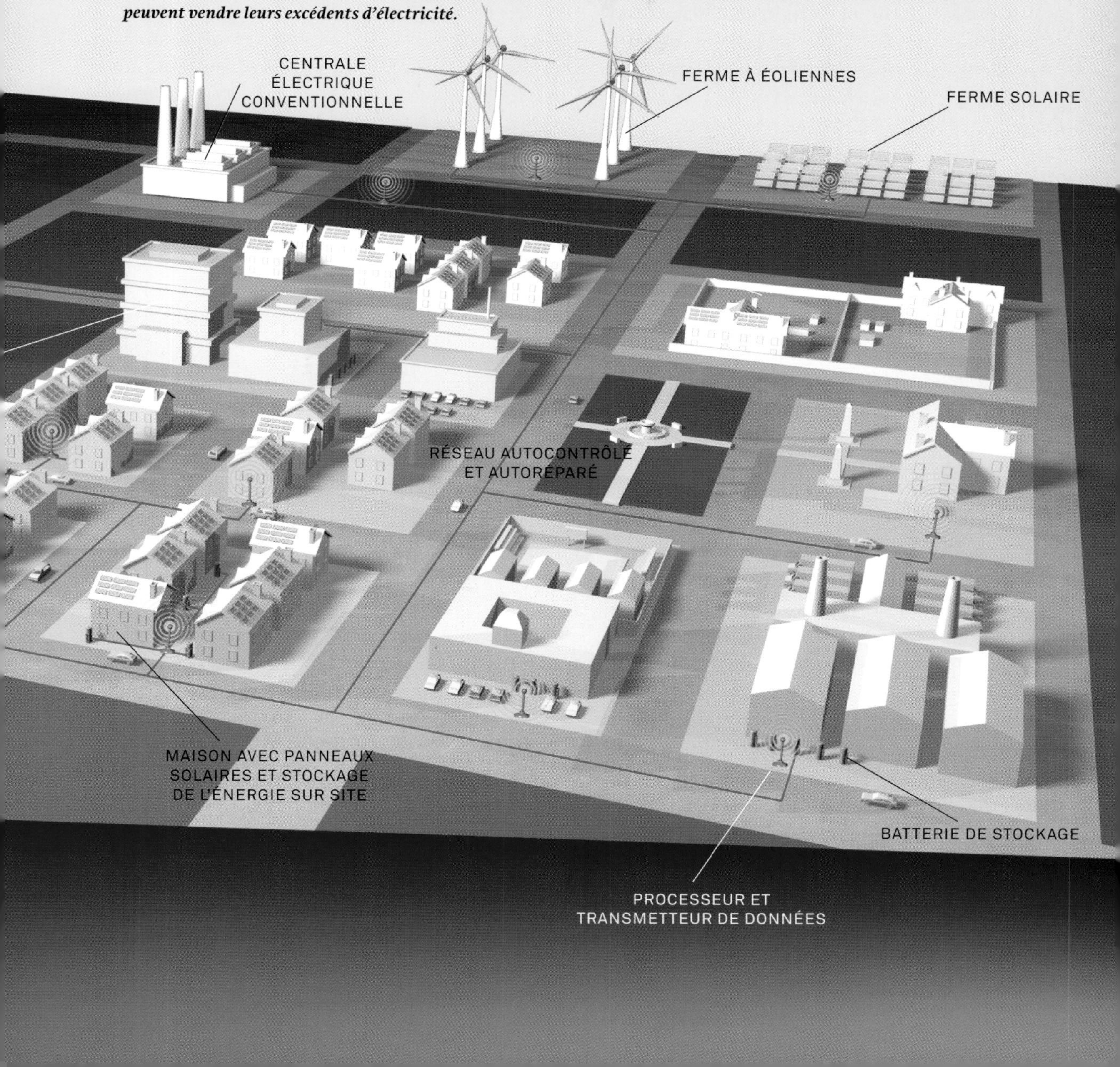

CENTRALE
ÉLECTRIQUE
CONVENTIONNELLE

FERME À ÉOLIENNES

FERME SOLAIRE

RÉSEAU AUTOCONTRÔLÉ
ET AUTORÉPARÉ

MAISON AVEC PANNEAUX
SOLAIRES ET STOCKAGE
DE L'ÉNERGIE SUR SITE

BATTERIE DE STOCKAGE

PROCESSEUR ET
TRANSMETTEUR DE DONNÉES

la chaleur pendant la journée et la restituera à l'intérieur la nuit. Un surplomb au-dessus d'une fenêtre située face au soleil peut arrêter les rayons en été, quand ils forment un angle aigu, et les laisser passer en hiver, quand le soleil est plus bas et passe sous le surplomb.

S'agissant des immeubles commerciaux, on s'intéresse à une forme très efficace de stockage thermique qui permet de diminuer considérablement le coût du chauffage et de l'air conditionné. En fabriquant de grandes quantités de glace la nuit, quand l'électricité est peu coûteuse, il est possible de produire un air conditionné moins cher le lendemain en utilisant le pouvoir réfrigérant de la glace stockée. Bien que cette technologie soit très rentable et disponible, sa mise en œuvre est limitée par l'écart bien connu entre les intérêts de ceux qui construisent les bâtiments et de ceux qui en paient les coûts de fonctionnement. En outre, tant que le client paie l'électricité à un prix qui masque la différence de coût entre les heures creuses et les heures de pointe, il n'y a pas d'intérêt à tirer parti des énormes bénéfices qu'apportent les technologies de stockage de l'énergie.

La place de plus en plus grande de l'efficience énergétique sur le marché immobilier a provoqué un regain d'intérêt en faveur de ces alternatives. Pour autant, les promoteurs ne tiennent pas compte des coûts de fonctionnement et la force de l'habitude occulte souvent ces nouvelles possibilités d'économies. Quand les propriétaires et les usagers de grands bâtiments s'intéressent ensemble à la conception et à la construction, ils peuvent solliciter le recours à des technologies de stockage et d'économies d'énergie pour réduire notablement les coûts de fonctionnement du bâtiment. Ainsi, la nouvelle tour de la Bank of America, à New York, fabrique plus de 227 tonnes

de glace chaque nuit, ce qui lui permet de payer ses 1 000 tonnes d'air conditionné au tarif des heures creuses. Selon Mark MacCracken, le développeur du système, cette expérience montre que « stocker le froid coûte moins cher que l'électron pour le fabriquer ».

En outre, les aides économiques qui modèlent le comportement des fournisseurs historiques les empêchent de comparer rationnellement et objectivement le coût du stockage et celui des nouvelles capacités de production. Tandis qu'ils se font rembourser celles-ci en incluant leur coût dans leurs tarifs, ils ne touchent rien sur le premier, et n'ont donc aucun intérêt à investir dans le stockage ou dans la recherche et le développement en ce domaine.

Tant qu'un fournisseur n'est pas sûr que son régulateur validera le remboursement de ses investissements en matière de stockage, ou si celui-ci ne sait pas quelle procédure suivre à cette fin, il ne se passe rien. Certains régulateurs, toutefois, dans le Connecticut et le New Hampshire, ont réussi à persuader le législateur d'inclure les investissements de stockage dans leurs bases tarifaires.

La classification du stockage de l'énergie électrique dans telle ou telle catégorie d'actifs a de profondes implications. Selon le choix qui sera fait, le fournisseur pourra ou non récupérer ses investissements en stockage en les incluant dans le prix payé par les consommateurs, les profits compensant le risque pris.

Dans certaines zones, les fournisseurs historiques, qui ont surtout investi dans la production d'électricité, peuvent se voir dissuadés d'acquérir des équipements de stockage s'ils sont considérés comme faisant partie du réseau de transmission ou de distribution. À l'inverse, il arrive que la loi ne permette qu'au producteur d'électricité d'investir

« Stocker le froid coûte moins cher que l'électron pour le fabriquer. »

MARK MACCRACKEN

LE NOUVEAU SIÈGE DE LA BANK OF AMERICA, À NEW YORK, EST LE PREMIER GRATTE-CIEL CERTIFIÉ LEED PLATINUM. SON SYSTÈME DE STOCKAGE DE LA GLACE PERMET DE REFROIDIR LES LOCAUX AUX HEURES DE POINTE.

LA NUIT, DETROIT (EN HAUT) ET WINDSOR (EN BAS)
ONT DES NIVEAUX DE DEMANDE D'ÉLECTRICITÉ
TRÈS DIFFÉRENTS (ONTARIO).

dans des équipements de stockage, considérant que les bénéfices qui en résultent font partie de la fonction de production.

Ainsi, aux États-Unis, les régulateurs ont empêché certains fournisseurs d'utiliser des batteries sodium-soufre parce que les bénéfices liés au stockage amélioraient l'efficacité de trois parties différentes du système : la production, la transmission et la distribution. Au Texas, les ventes de la batterie NGK ont été stoppées en raison de débats sur la question de savoir qui devait « être propriétaire de l'énergie stockée dans la batterie ».

Il est donc temps, on le voit, de réviser entièrement les règles et les réglementations nationales qui encadrent l'industrie de l'électricité depuis plus d'un siècle. Les cadres réglementaires et législatifs en matière de production, de stockage, de transmission et de distribution sont encore plus vieux que les équipements.

Trop souvent, les règles existantes dissuadent les fournisseurs et les consommateurs d'électricité d'investir dans le stockage et l'efficience énergétique. Il est temps de développer des règles et des statuts nouveaux qui reconnaissent, valorisent et facilitent l'interaction entre la production,

> Il est temps de réviser entièrement les règles et réglementations nationales qui encadrent l'industrie de l'électricité depuis plus d'un siècle.

En Californie, une entreprise a dû, pour vendre ses batteries, démontrer que « le système de stockage d'énergie était un équipement de transmission, classé dans les coûts récupérables de transmission ». L'État de Californie suivait une réglementation de la Federal Energy Regulatory Commission, exigeant la séparation stricte des équipements liés à la production de ceux relatifs à la transmission. Le fournisseur – qui appartient d'ailleurs à l'État californien – voulant exploiter ce système de stockage a estimé que le régulateur lui faisait courir le risque de ne pas récupérer le coût du stockage.

le stockage, la transmission, la distribution – et la possibilité pour les clients d'avoir leurs propres équipements. L'objectif étant d'aboutir à un système électrique plus efficace, plus fonctionnel et écologiquement acceptable.

Le développement parallèle de l'industrie électrique depuis cent vingt ans et des règles régissant chacun de ses aspects – investissements, dépenses, profits – repose sur une façon de penser la production et la consommation d'électricité totalement dépassée. Ce modèle obsolète est en effet fondé sur l'hypothèse d'une connexion en temps réel entre l'électricité produite et l'électricité consommée. En outre, la plupart de ces règles étant de la responsabilité des États, les régulateurs n'ont pas compris l'intérêt des bénéfices se trouvant au-delà des limites de leurs préoccupations.

Il y a plus de dix ans, aux États-Unis, on estimait que les compagnies d'électricité ne devaient plus former un monopole verticalement intégré contrôlant la production, la transmission, la distribution et le stockage. L'industrie de l'électricité a été en partie déréglementée afin de créer un marché concurrentiel de la production. Mais la plupart des États, ici et ailleurs dans le monde, n'autorisent aucune concurrence entre les services nécessaires pour produire, transmettre, stocker, distribuer et vendre l'électricité de la manière la plus efficace possible.

La Federal Energy Regulatory Commission a commencé à approuver des formules d'allocation qui étendent le coût des nouvelles capacités de transmission. Mais le système de tarifs encore en vigueur dans de nombreuses régions inclut le coût intégral des équipements de transmission construits dans les limites de l'État au prix de base de l'électricité fournie aux consommateurs de ce même État. Selon Bruce Radford, « si vous construisez un système de transmission allant du Dakota-du-Nord à Chicago, le prix de l'infrastructure sera entièrement intégré dans le tarif payé par les habitants du Dakota ». Alison Silverstein, ancien conseiller politique de la Federal Energy Regulatory Commission, estime que « tant que le système continue à rembourser "les coûts plus un profit", personne n'a intérêt à faire des économies ».

Les régulateurs devraient réviser les aides aux fournisseurs historiques en fonction de l'intérêt général, à savoir l'édification d'un réseau national unifié intelligent ou super-réseau. Pour cela, ils pourraient :

▸ rompre explicitement le lien entre les ventes d'électricité et les profits qui en résultent, par le biais du « découplage » ;

▸ proposer des incitations à la performance liées aux investissements dans le réseau intelligent, l'interconnexion de la production d'électricité renouvelable, le stockage et la production décentralisée ;

▸ éliminer les risques financiers des compagnies désirant investir dans la transmission, la production décentralisée et le stockage sur site, en garantissant la récupération du coût de ces investissements ;

▸ prévoir qu'une part des ressources financières des compagnies soit consacrée à des améliorations de l'efficacité et à une plus grande réactivité à la demande ;

▸ refuser la récupération pleine et entière du coût des investissements dans des centrales dépourvues d'équipements intelligents ;

▸ développer des normes nationales d'interconnexion et unifier les protocoles pour supprimer les distorsions concernant le développement des capacités de production d'électricité, et faciliter la production décentralisée ;

▸ adopter des lois et des règlements permettant l'allocation des coûts et des bénéfices la plus rationnelle et efficace possible du nouveau super-réseau entre les entités commerciales impliquées et la société dans son ensemble.

Malheureusement, la déréglementation partielle en faveur des fournisseurs a été compliquée par le lobbying politique auprès des régulateurs étatiques. Et le scandale d'Enron a frustré les citoyens, que l'on avait pourtant convaincus qu'une déréglementation intelligemment menée était dans leur intérêt.

De ce fait, le mouvement inévitable vers une infrastructure d'électricité largement décentralisée

AU DÉPARTEMENT ÉNERGIE DU ROCKY MOUNTAIN OFFICE, LES RÉGULATEURS DU SYSTÈME ÉLECTRIQUE DISTRIBUENT L'HYDROÉLECTRICITÉ DANS TOUT L'OUEST DES ÉTATS-UNIS.

n'est pas vraiment enclenché. Les compagnies d'électricité continuent à jouer un rôle crucial, et même les défenseurs de la micro-électricité reconnaissent la nécessité de réaliser cette transition en protégeant le secteur de l'énergie des conséquences des faillites à grande échelle et du poids des coûts d'investissement à venir.

Néanmoins, la plupart des experts s'accordent à dire que le réseau électrique sera, avant longtemps, entièrement repensé pour intégrer la production et le stockage décentralisés dans un réseau intelligent unifié plus efficace, moins coûteux et écologiquement plus responsable que le réseau actuel.

LES OBSTACLES QU'IL NOUS FAUT SURMONTER

CHAPITRE QUATORZE

CHANGER NOTRE FAÇON DE PENSER

STATUES DE PIERRE DE L'ÎLE DE PÂQUES.
CETTE ÎLE LOINTAINE EST DEVENUE LE SYMBOLE
DES DANGERS DES PRATIQUES NON DURABLES.

Le réchauffement climatique est souvent qualifié de plus grand échec de l'économie de marché dans l'histoire.

DÉCHETS ENTASSÉS SUR LA TOUNDRA
EN BORDURE D'ILULISSAT, GROENLAND.

politiques, sociaux et économiques que la simple obéissance aux ordres d'un petit nombre de souverains de droit divin.

L'imprimé était également accessible à quiconque apprenait à lire et à écrire. Pour la première fois dans l'histoire, tout individu instruit, riche ou non, armé ou non, pouvait faire du savoir et des idées une source de pouvoir. Les jugements et choix individuels se trouvaient rassemblés sous la gouverne de la raison. Si les émotions et les sentiments étaient reconnus comme de puissants moteurs, on estimait que la rationalité déterminait le résultat final. Comme l'écrivit Benjamin Franklin en 1749, « si la Passion conduit, laissez la Raison tenir les rênes ».

information libre, sans interférence gouvernementale – soient ajoutées au texte, avec les droits individuels inclus dans le *Bill of Rights.*

La formidable réussite américaine depuis deux cents ans (entretenue par les démocraties nées sur chaque continent) et la domination du capitalisme de marché sur la quasi-totalité de la planète (en particulier après sa victoire conceptuelle sur le communisme à la fin du XXe siècle) ont montré le pouvoir et la vitalité sans précédent de ces deux réalités, basées sur la primauté supposée de la raison dans les affaires humaines.

On pensait que la démocratie et le marché se corrigeaient d'eux-mêmes ; que les échecs de l'économie de marché se résolvaient grâce aux infor-

Pourquoi l'humanité est-elle incapable de faire face à cette menace mortelle sans précédent ?

La raison pouvait aussi servir de garde-fou face aux menaces inhérentes à la nature humaine. Afin d'éviter que l'accumulation d'un pouvoir excessif entre les mains d'une seule personne (ou d'un petit groupe de personnes) déséquilibre les opérations de la raison, les fondateurs des États-Unis séparèrent le pouvoir entre les gouvernements des États et le gouvernement fédéral, ce dernier se répartissant en trois branches égales. Ces poids et contrepoids furent inscrits dans la Constitution des États-Unis. Cependant, les États refusèrent de ratifier la Constitution jusqu'à ce que les libertés individuelles exprimées dans le Premier amendement – qui garantit aux citoyens l'accès à une

mations soumises à la loi de la raison, permettant de trouver des solutions aux problèmes à mesure qu'ils apparaissaient. Ainsi, quand des réformateurs ont souligné les effets malsains de la concentration du pouvoir économique, le Congrès a adopté des lois antitrust, entre autres garanties. Lorsque la Grande Dépression des années 1930 a ébranlé la confiance de l'opinion dans l'économie de marché, le gouvernement a adopté de nouveaux pouvoirs de régulation pour éviter que se reproduise cette faillite colossale.

De même, on pensait que les électeurs répondraient aux échecs politiques en les corrigeant au fil des élections. La liberté d'information était la

Le réchauffement climatique est souvent qualifié de plus grand échec de l'économie de marché dans l'histoire.

DÉCHETS ENTASSÉS SUR LA TOUNDRA
EN BORDURE D'ILULISSAT, GROENLAND.

clef du bon fonctionnement de ces deux systèmes étroitement imbriqués. Tant que des personnes raisonnables avaient accès à une information politique et économique libre, elles étaient en mesure de résoudre tous les problèmes et de poursuivre la marche vers le progrès.

Il apparaît aujourd'hui que la crise du climat fait peser une menace sans précédent à la fois sur l'habitabilité future de la planète et sur notre conviction que la démocratie et le capitalisme sont à même d'identifier cette menace et d'y répondre avec le sang-froid, l'ampleur et l'urgence nécessaires. Le réchauffement climatique est le plus grand échec de l'économie de marché, ainsi que de la gouvernance démocratique.

En cherchant les raisons de ces échecs historiques jumeaux, psychologues et neuroscientifiques ont d'abord estimé que la crise du climat posait un défi unique et sans précédent à notre capacité de recourir à la raison comme fondement d'une réaction immédiate.

Les défauts propres au capitalisme, qu'a soulignés la crise du climat, seront débattus plus en détail dans le chapitre 15, et les obstacles politiques à une solution efficace dans le chapitre 16. Mais notre rapport à la crise du climat révèle plus basiquement les défauts fondamentaux dans la manière dont nous l'avons, jusqu'à présent, pensée collectivement.

Notre capacité à réagir rapidement quand notre survie est en jeu se limite souvent aux menaces auxquelles nos ancêtres ont survécu : animaux sauvages, incendies, agressions et autres dangers tangibles ici et là. Le réchauffement climatique ne déclenche aucun automatisme de ce genre. Lorsque des indicateurs sont associés à une expérience vécue dont on connaît les graves conséquences – l'odeur d'une fuite de gaz ou une ruée sur la banque, par exemple –, nous savons prendre rapidement les décisions qui s'imposent. L'apprentissage a pu être lent mais, une fois la réaction acquise, nous la mettons en œuvre de façon quasi automatique face au stimulus approprié.

Les phénomènes qui alertent les scientifiques s'agissant de la crise du climat semblent, en revanche, peu familiers : inédits dans l'histoire humaine, ils évoluent, du fait de l'échelle mondiale des systèmes écologiques, de façon lente et souterraine. En d'autres termes, l'ampleur planétaire de la crise en fait une abstraction. Pour cette raison, les réactions automatiques et semi-automatiques du cerveau qui ont permis notre survie au fil des millénaires ne sont pas adaptées aux comportements et schémas nécessaires à résoudre la crise du climat.

L'impact du réchauffement semble lointain, il se diffuse à l'ensemble de la planète de sorte qu'il est difficile d'identifier un rapport univoque de causalité entre ce qui se produit à l'échelle de la Terre et ce qui m'arrive à moi, en tant qu'individu vivant ici et maintenant. Peinant à établir un lien entre les conséquences locales et la catastrophe mondiale, nous mettons du temps à en percevoir les effets immédiats et croissants.

La perception des impacts locaux pourrait toutefois changer, compte tenu du nombre croissant d'inondations, de sécheresses, d'incendies et de tempêtes atteignant des niveaux records. Une modification sans précédent de la répartition des espèces vivantes dans certaines zones – disparition du saumon sur la côte californienne, de certains oiseaux chanteurs dans de nombreuses régions, ou de populations de canards là où on avait coutume de les chasser – a éveillé les consciences. De plus en plus de scientifiques s'accordent à dire que nous avons franchi un seuil au-delà duquel il sera irresponsable de nier la relation de cause à effet entre le réchauffement

mondial et des conséquences énoncées depuis longtemps avec exactitude.

Les preuves scientifiques de cette catastrophe en cours sont sans équivoque mais, si alarmant soit ce constat, il n'a pas d'impact sur nos sensibilités : ne se fonde-t-il pas sur des « probabilités » et d'obscurs « effets non linéaires » ? En outre, notre espèce n'a pas la mémoire d'une catastrophe comparable, d'où l'absence de toute référence émotionnelle. Aussi accordons-nous davantage de poids à la raison souveraine que nous ne l'avons jamais fait.

Même si la solution à la crise n'aura de bénéfices que futurs, il faut agir dès à présent, mais l'analyse rationnelle s'avère insuffisante pour nous inciter à l'action. Les comportements à l'origine de la crise du climat – en particulier la combustion, dans le monde entier, de charbon et de pétrole – sont enracinés dans notre civilisation. Un changement d'attitude à l'échelle de l'individu n'ayant que peu d'impact, la raison peine à remettre en cause le pouvoir de l'habitude.

Les scientifiques qui étudient le comportement humain, le fonctionnement du cerveau et notre façon de prendre des décisions ont élaboré un schéma complexe des limites de notre capacité à nous fier à la rationalité, à consacrer de l'attention à une question particulière et à appliquer une certaine volonté à la résolution de problèmes existant depuis des siècles ou des décennies.

Néanmoins, depuis toujours, les êtres humains, individuellement ou collectivement, se sont fixé des objectifs de long terme, fondés sur des valeurs communes et qu'ils ont poursuivis pendant des dizaines ou des centaines d'années. Les cathédrales d'Europe, les pyramides d'Égypte, Angkor Vat au Cambodge, le palais de Cnossos en Crète sont autant d'illustrations de la réussite d'un projet mené sur plusieurs générations. Le plan Marshall, l'OTAN et l'unification de l'Europe ont fait l'objet d'efforts soutenus sur un long laps de temps.

En observant la manière dont le cerveau prend des décisions qui motivent un changement de comportement, les scientifiques ont compris que ces décisions, basées sur des valeurs, orientées vers un objectif et appliquées sur une longue durée, requièrent une grande réflexion et se prennent progressivement. Gregory Berns, de l'Emory University, déclare : « Certains chercheurs pensent que la différence entre les êtres humains et les animaux vient de notre capacité à former une image mentale des résultats à venir, et l'on

s'accorde à dire que le cortex préfrontal, bien plus grand chez les humains que chez toutes les autres espèces, joue ici un rôle majeur […]. Les humains partagent sans doute avec les autres animaux les mécanismes permettant un décompte rapide du temps hyperbolique, mais ils sont aussi capables, probablement grâce au cortex préfrontal, de prendre des décisions qui concernent une période de temps beaucoup plus longue. »

Une fois prises, ces décisions peuvent susciter une forte motivation à changer durablement de comportement et permettent une infinie souplesse dans la poursuite des objectifs fixés.

LE LONG COMBAT CONTRE LE TABAC

En 1964, quand un rapport du ministère de la Santé américain intitulé « Le tabac et la santé » a établi officiellement, pour la première fois, un lien entre le tabac et des problèmes de santé, le tabac était généralement considéré comme un vice agréable, non une urgence de santé publique. La baisse de 50 % du nombre de fumeurs aux États-Unis depuis cette date est un succès qui montre que les changements d'attitude et de politique peuvent considérablement influer sur une habitude quasi suicidaire.

Cette baisse a pour origine la décision du ministère, en 1966, d'avertir, sur chaque paquet de cigarettes, des risques encourus par les fumeurs. Puis, en 1969, le *Public Health Cigarette Smoking Act* a interdit la publicité pour le tabac à la radio et à la télévision, et renforcé les mentions sur les paquets. Alors que diminuait le nombre de fumeurs, les fabricants ont continué à soutenir que rien ne prouvait la dangerosité de leurs produits. La tenue de centaines de procès et la dégradation de l'image du secteur qui s'ensuivit redonnèrent de l'élan au mouvement antitabac ; les campagnes d'éducation du public et les traitements contre l'addiction trouvèrent de nouveaux financements.

La cigarette, responsable de 90 % des cancers du poumon, est désormais mal accueillie dans l'espace

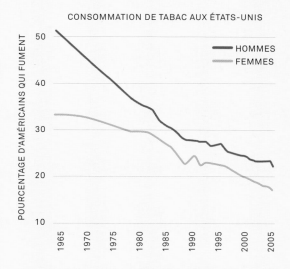

CONSOMMATION DE TABAC AUX ÉTATS-UNIS

POURCENTAGE D'AMÉRICAINS QUI FUMENT

—— HOMMES
—— FEMMES

50
40
30
20
10

1965 1970 1975 1980 1985 1990 1995 2000 2005

Le nombre de fumeurs a considérablement baissé depuis 1965.

public. Actions gouvernementales et progrès de société ont stigmatisé le tabac. Aux États-Unis, selon les dernières études, moins de 20 % des adultes fument, et les Centers for Disease Control and Prevention permettent chaque année de sauver des milliers de vies.

SOURCE : U.S. Centers for Disease Control and Prevention

IL A FALLU PLUS D'UN SIÈCLE POUR
CONSTRUIRE LA CATHÉDRALE DE CHARTRES,
PLUSIEURS GÉNÉRATIONS DE PERSONNES
RESTANT AINSI ATTACHÉES À UN OBJECTIF
COMMUN DE LONG TERME.

Depuis des millénaires, notre civilisation a souvent formalisé le processus de décision de long terme, fondé sur des valeurs. Ainsi, les grandes traditions religieuses – christianisme, islam, hindouisme, judaïsme, bouddhisme, taoïsme, etc. – recèlent des enseignements précieux quant à la nécessité de préserver notre environnement et d'être les gardiens des richesses qui nous sont offertes. Ces traditions cherchent à ériger en valeurs communes les fondements des décisions de leurs adeptes souhaitant vivre selon une certaine éthique. Ces valeurs, si nous en faisons une priorité, peuvent jouer un rôle essentiel dans notre capacité à assumer les changements nécessaires.

Les neuroscientifiques ont identifié les parties du cortex préfrontal qui nous font tenir nos engagements. Ils observent aussi que cette partie du cerveau – le cortex préfrontal dorsolatéral (DLPFC) –, juste au-dessus des tempes, peut faiblir en cas de stress, et qu'un excès de distraction ou d'angoisse perturbe l'effort mental permettant de maintenir sa fonction principale. Le DLPFC coordonne notre capacité à garder les choses en mémoire, à prévoir pour l'avenir et à opérer une sélection parmi tout ce qui réclame notre attention. S'il est désactivé – par un niveau excessif de stress, par exemple –, nous nous cantonnons à l'ici et au maintenant, sans souci de l'avenir ni du passé. Or, nos sociétés produisent des niveaux de stress bien supérieurs à celles des siècles passés.

Ces niveaux particulièrement élevés de stress viennent notamment de notre environnement informationnel. L'omniprésence des médias électroniques constitue une source de distraction permanente ; et, à un moment où nous n'en avons jamais eu tant besoin, nous sommes moins à même de concentrer dans la durée une volonté collective.

LES TRADITIONS PROTECTRICES DE L'ENVIRONNEMENT

Ne jette pas tes déchets dans un endroit où ils pourraient être dispersés par le vent ou répandus par les flots.

JUDAÏSME (*Code de Maïmonide*)

NE COUPE PAS D'ARBRES CAR ILS AGISSENT CONTRE LA POLLUTION.

HINDOUISME (*Rig-Véda*, 6, 48, 17)

Voici ce que devraient faire ceux qui sont doués de bonté et qui connaissent le chemin de la paix : qu'ils soient droits et capables, simples et doux en paroles, humbles et sincères, contents et aisément satisfaits, libres de tout fardeau et frugaux, pacifiques et calmes, sages et habiles, sans orgueil ni exigence. Qu'ils ne fassent rien que le sage puisse réprouver.

BOUDDHISME (*Metta Sutta*, « Discours sur la bonté bienveillante »)

Le monde est beau et verdoyant et, vraiment, Dieu, qu'il soit ici exalté, a fait de vous ses Gardiens, et Il voit comment vous vous en acquittez.

ISLAM (*Hadith* de bonne tradition, sous l'autorité d'Abu Sa'id al-Khoudri)

Il ne faut pas brûler (la végétation)
des terres cultivées ou incultes,
ni des montagnes et des forêts.
Il ne faut pas faire tomber les arbres.
Il ne faut pas jeter de substances
empoisonnées dans les lacs,
les rivières et les mers.
Il ne faut pas creuser de trous dans
le sol et ainsi détruire la Terre.

TAOÏSME (« Les 180 préceptes du Seigneur Lao »)

Ne trouble pas
le ciel et ne pollue
pas l'atmosphère.

HINDOUISME (*Yajur-Véda*, 5, 43)

YAHVÉ DIEU PRIT
L'HOMME ET LE MIT
DANS LE JARDIN D'ÉDEN
POUR LE CULTIVER
ET LE GARDER.

CHRISTIANISME (Genèse, 2, 15)

Les premiers à exploiter les résultats des recherches sur le cerveau sont ceux qui nous vendent les biens et les services. L'industrie de la publicité alimente les médias électroniques, omniprésents et coûteux, et qui ne cessent d'inciter à toujours plus de consommation. Chaque Américain, par exemple, «consomme» en moyenne 3 000 messages publicitaires par jour. En bref, il n'est pas un mécanisme pavlovien dans le cerveau qui ne soit utilisé par les publicitaires. La consommation matérielle a ainsi atteint des niveaux absurdes, qui n'ont connu de légère baisse qu'en 2008, avec la plus grave crise économique depuis la Grande Dépression.

Aux États-Unis, les achats de vêtements par tête ont doublé entre 1991 et 2005. Entre 2000 et 2007, la part de la dette des ménages dans le revenu disponible – grossie par un degré inédit de consommation – a crû de 138 %. La quantité de déchets par tête, du fait de cette frénésie de production et de consommation, a atteint le chiffre effrayant de 63 kilos par jour (ce chiffre inclut l'ensemble des déchets individuels, ménagers, commerciaux et industriels, mais exclut les déchets liés aux produits fabriqués en Chine et ailleurs puis vendus aux États-Unis. Il exclut aussi le poids des combustibles utilisés pour produire de l'électricité).

La combinaison des médias électroniques et de la publicité a ainsi généré une culture de consommation de masse permanente qui ne ressemble à rien de ce que nous avons connu dans l'histoire. Hormis les conséquences économiques et environnementales, les effets psychologiques de cette

LE CENTRE D'AUTOCONTRÔLE DU CERVEAU

Les chercheurs du California Institute of Technology ont étudié nos choix alimentaires afin de mettre en évidence les zones du cerveau qui nous aident à considérer les risques et les valeurs de long terme. Un IRMF montre que le cortex préfrontal ventromédian est actif dans chaque décision, tandis que le cortex préfrontal dorsolatéral entre en activité à des fins d'autocontrôle. Lorsque le premier est tenté par une barre chocolatée, le second lui rappelle les avantages de la pomme.

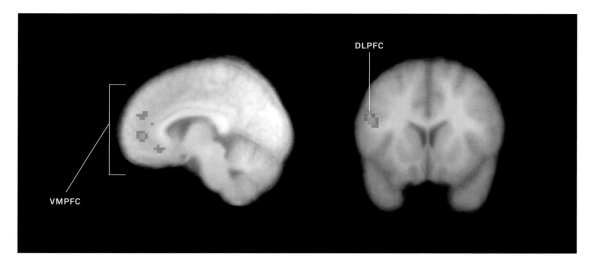

folie consumériste sont profonds. Aux États-Unis, chaque personne passe en moyenne cinq heures par jour devant la télévision. Le foyer moyen, selon l'entreprise Nielsen, a «plus de téléviseurs que de membres». Tout ce temps est pris sur les relations avec la famille, les amis, les voisins, et sur la participation à la vie de la communauté et de la démocratie. Il n'est donc pas étonnant que le nombre de personnes qui ne se sentent «pas concernées par ce qui se passe» autour d'elles ait quadruplé.

La consommation croissante de biens et services est ainsi confondue avec la poursuite du bonheur. Or le niveau de bonheur aux États-Unis

seconde moitié du XXe siècle, les États-Unis ont ainsi triplé leur produit économique brut sans aucune amélioration de bien-être.

L'écart entre ce que nous jugeons «précieux» et ce qui a des chances de nous rendre heureux est en partie alimenté par notre obsession des biens matériels. «Celui qui meurt avec le plus de gadgets» passe pour un commentaire ironique sur notre comportement; mais, en tant que diagnostic vis-à-vis du but que nous assignons à l'existence, il contient plus d'une vérité : la consommation est devenue une fin en soi.

Certains neuroscientifiques et psychologues du comportement tentent d'élaborer un système

Presque tous les mécanismes pavloviens découverts dans le cerveau sont aujourd'hui utilisés par les publicitaires.

– quelle que soit la mesure choisie pour l'évaluer – n'a pas augmenté avec la consommation. Les résultats sont similaires dans les autres grands pays consommateurs. Nombre d'études montrent que le niveau de bonheur et de bien-être est bien plus élevé dans des sociétés ayant un niveau de vie moindre en termes de production et de consommation par tête.

Des études consistantes dans le domaine nouveau des «recherches sur le bonheur» montrent qu'une fois satisfaits les besoins élémentaires – faim, toit, transport, santé –, les individus et les familles ne font plus de gains tangibles de bien-être lorsqu'ils consomment davantage. Dans la

de valorisation commune des récompenses psychologiques et de l'amélioration quantifiable de notre bien-être, afin d'identifier où nous les situons par rapport à l'argent, aux biens ou aux services. À bien des égards, ces recherches représentent ce qu'une génération antérieure aurait sans doute considéré comme du bon sens; elles n'en montrent pas moins que notre immersion dans la culture de la consommation conduit certains d'entre nous à attribuer une valeur monétaire à des choses comme le temps passé avec les personnes aimées, le plaisir d'un beau paysage ou la possibilité d'influer sur les décisions de la collectivité.

Récemment, quelques dirigeants inventifs ont tenté d'identifier ce qu'ils nomment des « subventions psychologiques », destinées à encourager les changements nécessaires pour économiser l'énergie et promouvoir l'efficience, la chasse au gaspillage et les énergies renouvelables. Ces innovateurs ont aussi essayé d'identifier les « impôts psychologiques », qui font obstacle aux idées nouvelles allant dans la bonne direction. Ils espèrent, en les écartant, favoriser le progrès.

Les dirigeants d'entreprises savent que les récompenses sociales peuvent être plus motivantes que les récompenses matérielles. On s'efforce aujourd'hui d'appliquer ce savoir aux politiques publiques. Ces récompenses sont parfois appelées « coups de pouce ». S'agissant de la crise du climat, cela peut consister à fournir une information claire sur les conséquences – négatives et positives – des choix que nous faisons.

Mais, lorsqu'il s'agit de convaincre des sociétés d'engager les changements indispensables pour stabiliser le climat de la planète, les spécialistes du cerveau et du comportement prônent une manière totalement nouvelle de faire de la politique. Il ne suffit pas, disent-ils, de présenter les faits. L'information négative, voire terrifiante, peut en effet provoquer le déni, la paralysie ou, du moins, la procrastination.

Elle peut aussi déclencher ce que les psychologues appellent le « biais de l'action unique ». Ce schéma ancré dans le cerveau, combiné à notre conviction irréaliste que la technologie suffira à nous sauver, a conduit certains à penser que, lorsque nous nous serons décidés à agir, il n'y aura plus qu'à choisir une nouvelle solution technologique pour « réparer » les dégâts.

Parmi les curieuses manifestations de ce trouble de la pensée figure la proposition d'un éminent physicien, Edward Teller, de mettre des

Dans notre société, la consommation matérielle atteint des niveaux absurdes.

AUX ÉTATS-UNIS, LE SUPERMARCHÉ MOYEN OFFRE PLUS DE 45 000 MARCHANDISES DIFFÉRENTES. ICI, À PORTLAND (OREGON).

LES OBSTACLES QU'IL NOUS FAUT SURMONTER

sols à absorber le CO_2 (voir le chapitre 10) peuvent s'inscrire utilement dans une stratégie multiforme de solution à la crise du climat.

En tout état de cause, nous sommes d'ores et déjà plongés dans une expérience planétaire imprévue. Toutes les preuves sont réunies pour nous indiquer que l'interférence humaine dans l'équilibre climatique naturel et la relation entre la Terre et le Soleil constitue une menace pour la santé de l'écosystème et l'avenir de notre civilisation. Je ne crois pas que nous devrions nous lancer dans une autre expérience de cette nature dans l'espoir d'annuler miraculeusement les effets de ce que nous avons déjà fait.

miques, stratégiques et sociaux) qui nous semblent plus immédiats et davantage susceptibles de nous inciter à évoluer.

Lorsque nous parlons de l'urgence de la crise du climat, il est important d'utiliser le langage de tous les jours et d'associer à la résolution de la crise nos valeurs communes et les objectifs ambitieux qui, par le passé, ont permis des actions collectives durables. Nous sommes par nature des animaux sociaux, et notre survie en tant qu'espèce dépend à la fois de la survie des individus les mieux adaptés et de notre capacité à coopérer les uns avec les autres et à renforcer les liens sociaux qui rendent cette coopération possible.

Les seules solutions efficaces à la crise du climat impliquent de modifier en profondeur la pensée et le comportement humains.

La seule façon de résoudre la crise du climat consiste à changer radicalement nos comportements et notre manière de penser. Ce changement doit se traduire par le passage des énergies fossiles au solaire, à l'éolien et à d'autres formes d'énergie renouvelable, par l'arrêt de la destruction des forêts et des terres arables, et de la dégradation des sols riches en carbone.

Pour y parvenir, les scientifiques qui étudient le comportement et la pensée conseillent de renforcer le lien entre les solutions au réchauffement et les solutions à d'autres problèmes (écono-

En outre, l'histoire montre que ce qu'une génération lègue à la suivante porte en soi une obligation de réciprocité vis-à-vis de chaque génération à venir. Bien que nous nous laissions séduire par des gratifications immédiates et que nous privilégions depuis longtemps les actions de court terme, ces préférences peuvent être surmontées par le désir puissant de faire ce qui est bien pour ceux dont nous nous sentons proches.

La stratégie à suivre doit donner à chacun un rôle actif dans la solution à la crise et faire le lien entre la valeur de ce qu'il est incité à entreprendre et ses expériences personnelles, à fort contenu émotionnel. Plutôt que d'attendre que toute incertitude soit réduite à néant, il nous faut dire et répéter que nous en savons déjà suffisamment pour commencer à agir sans attendre. Il est également nécessaire de structurer les choix qui nous attendent de manière à rendre les changements plus faciles et plus automatiques.

Quand nous aurons trouvé le moyen d'incarner ces valeurs partagées dans de nouvelles normes sociales, nous tirerons parti du désir naturel de chacun de suivre l'exemple de ceux qui auront montré la voie, pour participer pleinement à la solution. Afin de conforter ces choix, nous devons veiller à mettre en parallèle les décisions individuelles et les incitations aux entreprises.

Il faut enfin imaginer des systèmes qui offrent à notre société un retour constant sur les progrès accomplis afin de sans cesse adapter la stratégie à suivre pour résoudre la crise. Heureusement, les nouvelles technologies de l'information, qui rendent possible une telle interaction, peuvent jouer dans ce domaine un rôle essentiel.

CES ÉCOLIERS CHINOIS PARTICIPENT
À UN PROGRAMME DE PLANTATION D'ARBRES
AU NORD DE PÉKIN, DANS LE CADRE DE LA LUTTE
NATIONALE CONTRE LA DÉSERTIFICATION.

LES OBSTACLES QU'IL NOUS FAUT SURMONTER

CHAPITRE QUINZE

LE VRAI COÛT DU CARBONE

EN 2006, LA CENTRALE ÉLECTRIQUE
AMOS COAL DE WINFIELD (VIRGINIE-OCCIDENTALE)
A GÉNÉRÉ PLUS DE 18 MILLIONS DE TONNES
D'ÉMISSIONS DE CO_2.

Il est remarquable qu'au moment même où nous semblons prêts à réagir à la crise du climat, nous subissions la pire crise économique depuis la Grande Dépression. Au début, beaucoup ont pensé que cette grave crise financière stopperait la mise en œuvre du processus de résolution de la crise du climat. Mais le lien entre ces deux défis considérables a pris un aspect nouveau. Les experts économiques, toutes obédiences politiques confondues, ont reconnu la nécessité de dépenses publiques pour relancer l'économie. Le financement de projets à grande échelle destinés à créer des millions d'emplois a ainsi accéléré le développement d'une infrastructure verte et la promotion de solutions à la crise du climat.

Ce faisant, nous n'utilisons toujours pas la force de l'économie de marché face à cette crise. Il est amusant de voir que beaucoup de ceux qui s'opposaient à tout effort pour empêcher la catastrophe s'effraient du mal fait à l'économie, tout en refusant de laisser les mécanismes de marché résoudre la crise. Si le changement est si indispensable, c'est parce que la qualité et la nature des signes transmis par l'économie de marché à propos de l'environnement comportent de sérieuses lacunes.

Le système actuel de mesure de ce qui est bénéfique et de ce qui est mauvais pour l'être humain est très imparfait. Aujourd'hui, les économistes considèrent le réchauffement – et la pollution en général – comme une « externalité » négative. Dans les débats publics, ce mot recouvre la réalité suivante : nous ne voulons pas garder trace de tout ça, alors faisons comme si ça n'existait pas.

Le dioxyde de carbone, principale cause du réchauffement mondial, est invisible, inodore et sans saveur. Il échappe également aux calculs du marché. Puisqu'il n'est pas reconnu par le marché, les gouvernements, les entreprises et chacun d'entre nous peuvent facilement agir comme si cela n'existait pas. Or il s'agit de quelque chose qui détruit peu à peu l'habitabilité de la planète. Nous en jetons dans l'atmosphère, chaque jour, 90 millions de tonnes, une quantité qui augmente d'année en année.

Le moyen le plus facile, le plus évident et le plus efficace d'utiliser la force du marché pour résoudre la crise du climat est de donner un prix au carbone. Plus nous attendons, plus risqués seront les investissements dans des équipements et des activités productrices de carbone. La valeur artificielle accordée à ces investissements ignore la réalité de la crise du climat et ses conséquences pour l'économie. Comme le dit Jonathan Lash, le président du World Resources Institute, « la nature ne paie pas de caution ».

Pourtant, si nous prenons en compte leurs conséquences, nos choix s'amélioreront. L'économie de marché peut nous aider à résoudre la crise du climat – à condition que nous lui envoyions les bons signaux. Nous devons admettre la vérité sur l'impact économique de la pollution et la mesurer. Il faut internaliser les externalités.

La « comptabilité nationale », qui sert de base au calcul du produit intérieur brut (PIB), donne une image incomplète en termes de valeur. Établi

EN 2008, UN ÉPURATEUR A ÉTÉ INSTALLÉ DANS
CETTE CENTRALE AU CHARBON DE ROME (GÉORGIE),
POUR EMPÊCHER LES ÉMISSIONS DE DIOXYDE
DE SOUFRE, CONFORMÉMENT AU *CLEAN AIR ACT*.
LES NOUVELLES RÈGLES DE L'ENVIRONMENTAL
PROTECTION AGENCY DEVRAIENT AUSSI
IMPOSER DES RÉDUCTIONS DE CO_2.

« La nature ne paie pas de caution. »

JONATHAN LASH

UN EMPLOYÉ AIDE AU NETTOYAGE APRÈS UN
DÉBORDEMENT D'ÉGOUT, PRÈS DE RIO DE JANEIRO,
QUI A TUÉ LA FAUNE DES COURS D'EAU LOCAUX.

dans ses grandes lignes au cours des années 1930, ce système est capable de mesurer précisément les biens et services produits, y compris les biens en capital; mais il est dangereusement imprécis quand il s'agit de prendre en compte les ressources naturelles et les ressources humaines.

Dans les années 1930, John Maynard Keynes a dirigé un groupe d'économistes qui a œuvré à donner aux hommes politiques de meilleurs outils pour éviter une nouvelle Dépression. En dépit du brio avec lequel ils relevèrent le défi, ceux-ci se sont heurtés aux présupposés qui dominaient alors un monde où les pays industrialisés possédaient encore des colonies en Afrique, en Asie et en Amérique latine.

L'époque coloniale devait prendre fin quelques décennies plus tard. Mais, au moment où la comptabilité nationale a été conçue, penser que les ressources naturelles n'avaient pas besoin d'être mesurées de la même façon que les ressources en capital paraissait normal. De ce fait, les outils comptables comme la « dépréciation », que l'on appliquait aux actifs en capital tels que les équipements, les bâtiments, les usines, etc., n'avaient pas le même usage concernant les matières premières, apparemment disponibles en quantités illimitées.

Il est vrai que les économistes qui ont créé le PIB ne doutaient pas que celui-ci servirait à mesurer le bien-être général. Ce qui les intéressait dans les comptes nationaux, c'était la production intérieure. Mais, alors que le PIB n'avait nullement été conçu à cette fin, on s'est bientôt mis à l'utiliser pour évaluer la santé globale de l'économie d'un pays.

PIB CONTRE IPV : LE PRODUIT CONTRE LE PROGRÈS

Alors que le PIB mesure la performance économique d'un pays, à partir de la valeur marchande de tous les biens et services, l'indicateur de progrès véritable (IPV) s'efforce de mesurer la durabilité du revenu et le bien-être socio-économique d'une nation. L'IPV ajuste les données de consommation du PIB en y ajoutant les bénéfices du travail non marchand – bénévolat, travail domestique – et en en soustrayant les coûts sociaux – criminalité, pollution de l'air et de l'eau, perte de forêts et de terres arables. Au cours des cinquante dernières années, l'IPV a crû bien moins vite que le PIB.

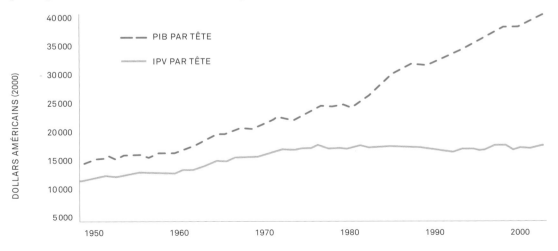

SOURCE : Robert Costanza *et al.*, *The Pardee Papers*, n° 4, janvier 2009

Notons avec ironie que ce système de comptabilité si élaboré, reposant sur l'hypothèse que les acteurs économiques disposent d'une «information parfaite», plaque de grandes catégories d'entrées et de sorties sur une réalité qu'il est jugé préférable d'ignorer. La plupart des formes de pollution en font partie, car on a longtemps cru, à tort, que la Terre était si vaste et si résistante aux chocs que la polluer n'aurait pas de conséquences valant de figurer dans les bilans.

La conséquence la plus sérieuse de cette ignorance comptable consiste à rendre les marchés «aveugles» aux effets des décisions et des

lumineux est en réalité beaucoup plus large mais, la nature humaine étant ce qu'elle est, nous tendons à supposer que seul ce que nous voyons importe. Et puisque chacun d'entre nous fait de même, tout cela est considéré comme «normal». Le fait de ne prêter attention qu'aux rapports financiers ne nous donne accès qu'à une infime partie du spectre de l'information. Alors que celle relative aux pratiques environnementales, managériales et non financières de l'entreprise revêt également une grande importance.

Le physicien Werner Heisenberg a montré qu'en physique quantique, le fait d'observer modi-

« Le produit national brut mesure tout, sauf ce qui fait que la vie vaut la peine d'être vécue. »

SÉNATEUR ROBERT F. KENNEDY

«business plans» qui se traduisent par une pollution sans limite. En raison de cet aveuglement sélectif, auquel s'ajoute la croyance que l'économie de marché nous aide à prendre les décisions les plus sages, il est devenu extrêmement difficile de compter sur les forces de cette économie pour résoudre la crise du climat. En fait, seul, le marché n'est pas capable de réagir correctement aux externalités; l'intervention politique est nécessaire.

Recourir à une analogie va nous permettre de comprendre qu'il y a, d'une part ce que nous voyons, d'autre part ce qui existe à côté, mais que nous ne voyons pas. Quand on regarde le spectre électromagnétique allant de l'ultraviolet à l'infrarouge, la part visible à l'œil est infime. Ce spectre

fie ce qui est observé. Il semble que l'objet de notre observation affecte notre être tandis que nous l'observons. L'information contient un impératif. Les gestionnaires de fonds d'investissement qui lisent des rapports financiers quotidiens se reposent largement sur eux, à l'exclusion de toute autre source d'information. De ce fait, leur jugement est affecté par l'instrument sur lequel il est fondé.

Le psychologue Abraham Maslow a écrit : «Il est tentant, si le seul outil que l'on a est un marteau, de traiter toute chose comme s'il s'agissait d'un clou.» De même, dès lors que nous disposons pour seul instrument d'analyse d'une valeur son prix, les choses qui n'ont pas de prix semblent

LA PRATIQUE DES COUPES CLAIRES,
ICI DANS L'ÉTAT DE WASHINGTON, MAXIMISE
LES PROFITS À COURT TERME, MAIS COÛTE
TRÈS CHER AUX ÉCOSYSTÈMES LOCAUX.

n'avoir aucune valeur. Et celles qui ne figurent pas dans les bilans deviennent peu à peu invisibles, et ne méritent pas d'être mesurées.

Dans une économie de marché, chacune des solutions à la crise du climat serait plus efficace et plus facile à mettre en œuvre si le CO_2 et les polluants responsables du réchauffement avaient un prix. Il faut, pour fixer celui-ci, utiliser les instruments adéquats. Une fois que le carbone aura un prix, l'externalité négative qui était invisible aux yeux du marché deviendra visible et sera prise en considération dans les décisions des acteurs du marché.

Il y a quarante ans, Robert F. Kennedy rappelait aux Américains que des indices comme le Dow Jones Industrial Average et le produit national brut (PNB) ne prenaient pas en compte l'intégrité de l'environnement, la santé de nos familles ou la qualité de l'enseignement. Le PNB « ne mesure ni notre esprit, ni notre courage, ni notre sagesse, ni notre savoir, ni notre compassion, ni notre dévouement à notre pays. En bref, il mesure tout, sauf ce qui fait que la vie vaut la peine d'être vécue ». Cette remarquable pertinence constituait une identification rarement faite de ce qui sépare le capitalisme de la démocratie, et nous invitait à réfléchir à la démarcation appropriée entre les décisions laissées au marché et celles qui, de droit, doivent être du ressort de la démocratie.

Les États-Unis sont l'incarnation même de ce que l'on appelle le capitalisme démocratique. Adam Smith a écrit *La Richesse des nations* l'année même où Thomas Jefferson rédigeait la *Déclaration d'indépendance*. La combinaison du libre marché et du gouvernement des citoyens dans notre République est à l'origine de l'essor des États-Unis, devenus première puissance mondiale, et de la prospérité qui fait rêver tant d'autres peuples dans le monde.

Au fil de l'histoire américaine, les mouvements réformistes, comme ceux pour les droits civils et les droits des femmes, ou les mouvements écologiques des années 1960, ont eu implicitement pour but de remédier par des lois démocratiques aux excès et aux lacunes d'un marché non régulé.

La victoire décisive du capitalisme démocratique sur le communisme, à l'issue d'une lutte de cinquante ans entre les États-Unis et leurs alliés et l'Union soviétique et ses satellites, a débouché sur une période de domination incontestée de l'économie de marché dans le monde. La disparition du communisme a conduit à l'illusion d'un monde unipolaire, sous la houlette d'une seule superpuissance. Aux États-Unis s'est formée une bulle de « fondamentalisme de marché » qui a encouragé les opposants à toute régulation à déplacer la frontière interne entre la sphère de la démocratie et celle du marché, pour affirmer que l'économie de marché était la mieux à même de résoudre la plupart des problèmes, et que les lois et réglementations interférant avec elle portaient l'odeur nauséabonde de l'adversaire discrédité qui venait d'être vaincu.

Simultanément, des évolutions du système politique américain – dont la substitution, comme premier média de communication, de la télévision aux journaux et aux magazines – ont immensément avantagé les riches partisans de marchés sans contraintes et affaibli les défenseurs du réformisme régulateur.

Cette période de triomphalisme de marché a conduit à la dilution et à la suppression de maintes protections contre la pollution, et coïncidé avec la découverte par la communauté scientifique que les anciennes craintes quant au réchauffement étaient, compte tenu des preuves accumulées dans les années 1980 et 1990, tout à fait sous-estimées. Mais le contexte politique dans lequel

LA MINE D'OR « SUPER PIT » DE KALGOORLIE
(AUSTRALIE) PRODUIT CHAQUE ANNÉE
850 000 ONCES D'OR ; C'EST AUSSI LE PREMIER
ÉMETTEUR DE MERCURE DU PAYS.

« Il y a quelque chose de fondamentalement pervers dans le fait de traiter la Terre comme une entreprise en liquidation. »

HERMAN DALY

est né le débat se trouvait largement dominé par les fondamentalistes de marché, qui s'évertuèrent coûte que coûte à affaiblir les contraintes existantes et à empêcher que des mesures mondiales soient prises pour arrêter les rejets massifs de polluants dans l'atmosphère terrestre.

Beaucoup pensent que le réexamen de la structure, des fondements et des effets du capitalisme aura simplement pour résultat de réguler les excès financiers et d'étendre certaines règles au-delà des limites nationales. Mais ils n'en ont pas moins saisi l'opportunité pour soulever de sérieuses questions quant à l'incapacité de l'économie de marché, telle que nous la pratiquons, à prendre en considération les ressources naturelles et la pollution – y compris celle responsable du réchauffement.

Ce propos de Victor Hugo est bien connu : « Il n'est rien de si puissant qu'une idée dont le temps est venu. » Je voudrais lui proposer un corollaire : la plus grande force de destruction, c'est l'effondrement d'une hypothèse largement acceptée, soudain regardée comme fausse. Dans le cas des *subprimes,* la théorie selon laquelle l'alchimie des marchés financiers mondiaux saurait éliminer le risque lié à des prêts immobiliers non recouvrables en les vendant en lots sous forme de titres s'est tout simplement effondrée quand les marchés, pris d'une sensation de vertige, ont compris que la plupart de ce qui avait été vendu avec la note AAA n'avait en réalité aucune valeur.

De même, nombre d'investisseurs institutionnels commencent à penser qu'un autre présupposé sous-jacent à la valeur de leurs portefeuilles est en train de s'effondrer. La valeur de plusieurs milliers de milliards de dollars de « *subprimes* carbone » dépend en réalité de la croyance qu'il n'est pas dangereux de jeter chaque jour dans l'atmosphère 90 millions de tonnes de CO_2 – et l'absence de prix des émissions de carbone

reflète ce présupposé. La communauté scientifique internationale a donné des preuves irréfutables : nous devons très vite cesser de brûler des combustibles émettant du carbone qui hypothèquent l'avenir de la civilisation humaine. Les propriétaires de ces actifs vont bientôt devoir faire face à un retournement du marché – un peu à l'instar des détenteurs de *subprimes* immobilières avant qu'ils ne réalisent l'erreur commise.

Tant que se poursuivront les investissements dans les *subprimes* carbones, le risque pour l'économie de voir s'effondrer ces investissements ira croissant. Les *subprimes* immobilières sont devenues des « actifs toxiques ». L'ampleur même des sommes d'argent investies dans ces actifs soudain sans valeur a fait chuter toute l'économie. L'ampleur des investissements dans des actifs carbone dont la valeur devrait très certainement s'effondrer dans un futur proche représente donc un sérieux problème pour notre économie. En outre, les détenteurs de ces actifs ont intérêt à défendre agressivement leur valeur. Malheureusement, beaucoup d'entre eux ont choisi de le faire en luttant contre toute réforme permettant de réduire la crise du climat.

L'histoire économique est pleine de présupposés fallacieux et d'investisseurs reconnaissant leur erreur trop tard, de la fièvre de la tulipe dans la Hollande du XVIIᵉ siècle à la crise des dot.com à la fin du XXᵉ siècle. Mais la crise financière de 2008-2009 illustre les nouveaux risques mondiaux de l'éclatement des bulles spéculatives. Les problèmes environnementaux, naguère locaux ou régionaux, sont devenus planétaires.

Aussi longtemps que le véritable coût de l'utilisation actuelle des combustibles au carbone ne sera pas pris en compte, plus grosse sera la bulle et plus destructeur sera son éclatement. Herman Daly, économiste d'une grande sagesse, a écrit, il y a plusieurs dizaines d'années, qu'«il est fondamentalement pervers de traiter la Terre comme une entreprise en liquidation ».

Second défaut majeur lié au mode opératoire de nos marchés – outre l'incapacité à donner un prix aux émissions de carbone –, les profits et les gains anticipés à court terme sont la mesure principale de la performance d'une entreprise. Cela est notamment vrai des entreprises tributaires d'investisseurs institutionnels qui achètent et vendent des actions en se fondant surtout sur les bénéfices trimestriels pour déterminer la valeur d'une firme.

Or, il a été largement démontré que la valeur d'une entreprise dépend essentiellement de sa performance à long terme. Cela fait des années que les meilleurs investisseurs, y compris le légendaire

Warren Buffett, l'ont compris. Mais aujourd'hui, la majorité des investisseurs (gestionnaires de portefeuilles, dirigeants d'entreprises, gestionnaires de fonds de pension, consultants et chercheurs) agissent comme si le long terme n'importait pas.

Ce phénomène est relativement nouveau. Il y a trente-cinq ans, la durée de détention moyenne des actions aux États-Unis était d'environ sept ans. Aujourd'hui, elle est passée à six mois, et les objectifs de profits trimestriels sont l'obsession des analystes de marché.

Ainsi que nous l'avons vu au chapitre 14, la tendance à privilégier les décisions de court terme prédomine. Mais la manière dont beaucoup de grandes entreprises et les marchés financiers prennent depuis peu la plupart de leurs décisions a artificiellement accentué ce penchant «naturel».

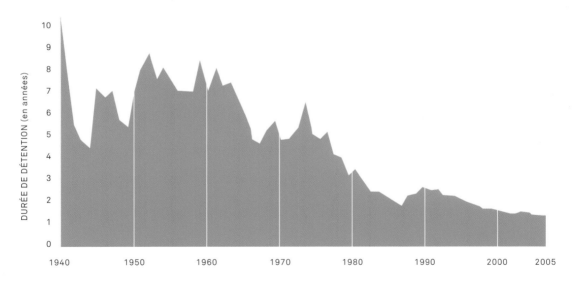

DURÉE MOYENNE DE DÉTENTION DES ACTIONS
Dans les années 1950 et 1960, les investisseurs gardaient leurs actions en moyenne sept ou huit ans.
En 1974, la durée de détention était d'environ sept ans. Puis, à mesure que cette durée diminuait,
l'investissement est devenu de plus en plus spéculatif. En 2007, la durée moyenne de l'investissement
est tombée à onze mois ; et, en août 2009, à six mois seulement.

SOURCE : James Montier, *Behavioural Investing*

Nombre d'experts financiers croient que 7 % ou plus de la valeur d'une firme se construisent sur une période de cinq à sept ans – ce n'est pas un hasard que cette durée coïncide avec celle de la détention des actions de jadis. Le fait que la majorité des acheteurs d'actions les revendent six mois plus tard signifie que leurs décisions sont motivées par autre chose que le désir d'investir dans de bonnes entreprises. À strictement parler, l'obsession du court terme qui s'est emparée des marchés financiers a transformé l'acte d'investissement en un comportement qui ressemble beaucoup à la spéculation ou au jeu.

La plupart des calculs de court terme aujourd'hui à la base des décisions d'achat et de vente d'actions ont l'intérêt d'essayer d'anticiper les réactions d'autres investisseurs à des indicateurs similaires. Les décisions sont toujours liées, en théorie, à la capacité de projeter la performance de long terme sur la base de résultats de court terme. Mais les pressions dominantes conduisent les investisseurs à pratiquer un *turnover* de plus en plus rapide. Cela contraint les dirigeants d'entreprises, en particulier les directeurs financiers, à adapter leurs propres décisions pour maximiser les profits tous les quatre-vingt-dix jours, au moment de la publication des résultats trimestriels.

Le marché aime le court terme et hait le long terme. Cette orientation a des effets négatifs considérables sur l'économie mondiale. En renonçant à des investissements créateurs de valeur pour faire des profits à court terme, les entreprises nuisent à la vitalité économique future. Une vision court-termiste freine l'innovation et la recherche, réduit l'investissement en capital humain, encourage l'acrobatie financière, décourage le leadership.

Comment inverser cette tendance ? Il faut d'abord que le secteur de l'investissement adopte une pensée de long terme. Cela veut dire gérer des portefeuilles avec un horizon d'investissement d'environ cinq ans ou suivant un cycle d'affaires. Pour ce faire, les gestionnaires de portefeuilles doivent tenir systématiquement compte de facteurs qui ne sont pas monétisés dans les bilans actuels – y compris des facteurs écologiques – et non se focaliser sur les seuls retours financiers. Comme le disait Abraham Lincoln à l'époque d'une grande crise, « nous devons nous dégriser nous-mêmes pour sauver notre pays ».

Quelles sont, pour l'actionnaire, les implications des défis économiques, écologiques et sociaux à long terme ? Au rang de ces défis figurent les risques politiques et réglementaires futurs, l'alignement de la direction et du conseil d'administration sur la valeur à long terme de l'entreprise, la qualité de la gestion des ressources humaines, les risques liés à la structure de gouvernance, l'environnement, les fusions et acquisitions, la marque, l'éthique d'entreprise et les relations avec l'ensemble des acteurs concernés. Ces questions extrafinancières ont à l'évidence une influence sur la capacité de l'entreprise à accroître sa valeur actionnariale, à créer un avantage compétitif et à produire des profits durables à long terme.

Le court-termisme n'est d'ailleurs pas un problème propre aux marchés. Lors de ma première candidature à une élection, en 1976, je pense avoir fait faire un seul sondage. Quand j'ai quitté la politique, en 2000, les sondages quotidiens étaient monnaie courante. Aujourd'hui, l'enquête d'opinion se pratique en continu. Les décisions politiques sont influencées par les flux d'informations issus de ces sondages permanents et de leur analyse informatique.

Nous connaissons depuis longtemps les risques qu'encourt un directeur général à ne réagir qu'aux bilans trimestriels. Selon une étude citée par

APRÈS LA RUPTURE DE LA RETENUE DE BOUE
DE CETTE CENTRALE ÉLECTRIQUE À CHARBON
DU TENNESSEE, EN 2008, LES EAUX USÉES ONT
DÉTRUIT LES MAISONS VOISINES, DÉVASTÉ
LES FERMES ET LES ROUTES, ET EMPOISONNÉ
L'EMORY RIVER. LA SANTÉ DES HABITANTS
DE LA RÉGION EST DURABLEMENT MENACÉE.

UN APICULTEUR AVEC SES RUCHES,
DANS L'OUEST DE LA FRANCE.

The McKinsey Quarterly, « 80 % des dirigeants ayant répondu disent qu'ils sont prêts à stopper les dépenses en recherche et développement et en marketing afin de remplir les objectifs financiers trimestriels ». C'est un comportement prévisible. Tant que les dirigeants sont évalués sur la réalisation d'objectifs trimestriels, ils agissent en fonction. Et s'ils ne le font pas, d'autres le feront à leur place. C'est là pratique courante. « Une majorité de dirigeants sondés affirment qu'ils renonceront à un investissement offrant un retour correct si celui-ci leur fait manquer leurs objectifs trimestriels », ajoute *The McKinsey Quarterly.*

Certains dirigeants essaient de rompre avec cette pratique. Mais si les gros investisseurs d'une entreprise recherchent des profits de court terme, le dirigeant qui adopte une vision à long terme ne peut survivre. Les investisseurs souhaitant allonger le terme ne devraient pas l'envisager simplement comme un moyen de réconcilier leur conscience écologique avec les calculs mathématiques issus de leurs bureaux. Ce qui est nécessaire, c'est une remise en cause de la structure du processus de décision. Quelles sont les motivations des dirigeants ? Quel est leur horizon temporel ? Quel genre d'information est pris en compte ?

Voici un exemple : *Changing Drivers,* un rapport effectué il y a six ans par le World Resources Institute et par Sustainable Asset Management, analysait l'intensité carbone des profits de l'industrie automobile. L'indice obtenu a été intégré dans l'analyse traditionnelle de la valeur de l'entreprise

LA VRAIE VALEUR DE NOTRE ÉCOSYSTÈME

En 1997, des chercheurs ont estimé les bénéfices annuels des « services » fournis par l'écosystème de la planète à 44 000 milliards de dollars. Ce chiffre ne recouvre que les services renouvelables, à l'exclusion des minéraux et combustibles fossiles. En comparaison, le PIB des États-Unis était, en 2008, de 14 300 milliards de dollars.

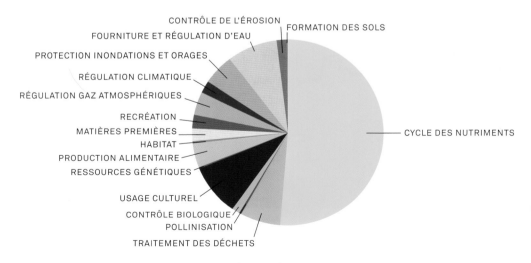

SERVICES D'ÉCOSYSTÈME (flux de valeur mondiale)
44 000 MILLIARDS DE DOLLARS 2008

SOURCE : Robert Costanza *et al., Nature,* vol. 387, 15 mai 1997

Les dépenses militaires des États-Unis pourraient être réduites de dizaines de milliards de dollars par an en passant aux énergies renouvelables.

UN SOLDAT AMÉRICAIN DEVANT DES PUITS
DE PÉTROLE EN FEU, KOWEÏT, 1991.

directement dans les cours d'eau. Cette pratique détestable a déjà empoisonné de nombreuses sources d'eau potable dans les Appalaches et brisé l'existence de quantité de familles. Les nouvelles techniques mécanisées d'exploitation ont aussi mis au chômage nombre de mineurs.

Une fois le charbon extrait, sa combustion produit la plus importante source de pollution au mercure de la planète. Neurotoxine puissante, le mercure s'accumule dans le corps des poissons. Il constitue le plus grave risque pour la santé lié à la consommation de poisson, pourtant considéré comme une excellente source de protéines.

À l'issue de la combustion du charbon, les eaux usées en quantités considérables sont évacuées dans des retenues d'eau – deuxième source de

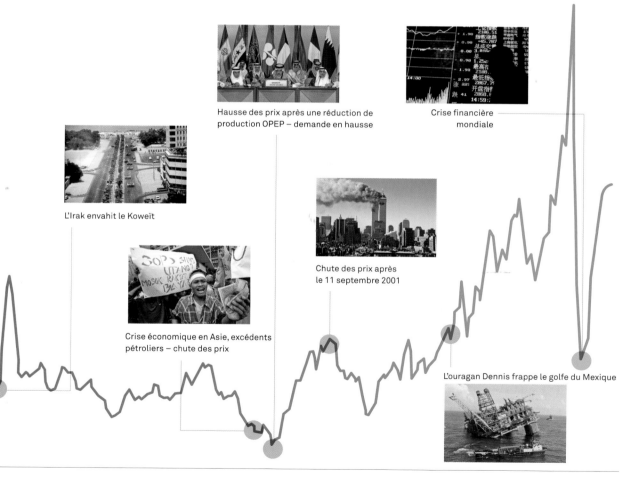

Hausse des prix après une réduction de production OPEP – demande en hausse

Crise financière mondiale

L'Irak envahit le Koweït

Chute des prix après le 11 septembre 2001

Crise économique en Asie, excédents pétroliers – chute des prix

L'ouragan Dennis frappe le golfe du Mexique

1992   1994   1996   1998   2000   2002   2004   2006   2008   2010

Les dépenses militaires des États-Unis pourraient être réduites de dizaines de milliards de dollars par an en passant aux énergies renouvelables.

UN SOLDAT AMÉRICAIN DEVANT DES PUITS DE PÉTROLE EN FEU, KOWEÏT, 1991.

déchets toxiques aux États-Unis. En décembre 2008, plus de 3,8 milliards de litres se sont échappés d'une de ces retenues, dans l'État du Tennessee, obligeant les familles à quitter leurs maisons et ruinant les exploitations agricoles voisines d'Harriman.

Ironiquement, compte tenu de notre système de comptabilité nationale, le coût du nettoyage des eaux usées ira grossir le PIB, tandis que le coût humain pour les familles et celui de la pollution des rivières et autres sources en eau potable n'en seront même pas soustraits.

Le système de comptabilité américain ignore la valeur des services rendus par les écosystèmes, que nous considérons généralement comme allant de soi. La fonte prévisible du manteau neigeux dans les régions montagneuses fournit de l'eau potable à des millions de personnes, et nous pensons que cela va continuer alors même que ce manteau neigeux est en train de disparaître. Des sols sains recyclent les nutriments qui rendent possible l'agriculture moderne ; pourtant, nous ignorons cette fonction et contribuons même à sa destruction par le recours intensif aux pesticides et aux engrais à base de pétrole. Les abeilles pollinisent de nombreuses cultures, sans parler des fleurs, mais les menaces systémiques qui pèsent sur leur survie ne sont pas prises en compte. La valeur de tous ces écosystèmes naturels a été estimée, en 1997, dans une étude du magazine *Nature*, à 44 000 milliards de dollars par an (en dollars 2008) – dont pas un cent n'apparaît dans la comptabilité d'entreprise.

L'autre coût de notre dépendance au pétrole et au charbon non inclus dans les mesures est la perturbation cyclique de l'économie inhérente à l'instabilité des prix du pétrole sur les marchés mondiaux. Ces fluctuations font augmenter ou baisser le prix du charbon en fonction de celui du pétrole, car les possibilités de substitution à la marge sont suffisantes pour lier ces deux produits l'un à l'autre.

La plupart des réserves de pétrole appartiennent à des entreprises, mais elles sont contrôlées par des gouvernements. Les propriétaires des plus grandes réserves travaillent de concert au sein de l'OPEP, en poursuivant deux stratégies simultanément. D'une part, ils souhaitent bien sûr maximiser leur profit et baissent donc périodiquement la production pour que le prix soit supérieur à ce qu'il devrait être normalement, comme le ferait tout cartel privé. D'autre part, ils sont tout à fait conscients qu'ils doivent absolument éviter que se forme en Occident une volonté politique durable pour investir – comme je le propose dans ce livre – dans la substitution de sources d'énergie renouvelables au pétrole et au charbon. Ce second objectif est bien peu compris des pays consommateurs.

Au sein des pays ne faisant pas partie de l'OPEP, la production de pétrole est suffisante pour limiter l'OPEP dans ses décisions d'augmenter ou de diminuer soudainement les prix ; l'oligopole n'a donc pas un contrôle total des prix du pétrole sur les marchés mondiaux. Les tensions au sein de l'OPEP entre les pays riches comme l'Arabie saoudite et les pays nécessiteux comme l'Iran limitent aussi la marge de manœuvre de l'organisation. Mais, quand les conditions du marché lui permettent de prendre les choses en main, l'OPEP a assez de pouvoir pour poursuivre sa double stratégie, aux dépens des États-Unis et des autres pays importateurs.

Le monde a connu plusieurs chocs pétroliers depuis le premier embargo sur le pétrole de 1973. Ces chocs de prix ont à chaque fois suscité des efforts – vite avortés – pour atteindre l'indépendance énergétique en recourant à des sources renouvelables d'énergie. Sous la présidence de Carter, il y eut un virage impressionnant dans ce

sens, et les quantités de pétrole importé par les États-Unis ont nettement diminué. Mais, dès que l'OPEP a baissé le prix du pétrole, les investissements dans les énergies renouvelables se sont taris. Et la présidence Reagan, à partir de janvier 1981, a systématiquement démantelé les programmes publics soutenant l'essor des énergies renouvelables, au point même d'enlever symboliquement les panneaux solaires déjà placés sur les toits de la Maison Blanche.

Dans la première moitié de l'année 2008, ce cycle s'est reproduit : la hausse subite des prix du pétrole a provoqué une augmentation inédite aux États-Unis des investissements en énergie renouvelable. Puis, quand les prix ont à nouveau baissé, les investissements ont chuté eux aussi.

Pour les raisons évoquées précédemment, en l'absence d'un prix du carbone, il est erroné de se fier aux signaux du marché pour prendre des décisions. S'y référer est d'autant plus illusoire que le marché est dominé par des États qui, tout en feignant d'avoir une stratégie de long terme, restent les otages de calculs de court terme.

Bien d'autres coûts liés à la dépendance aux combustibles riches en carbone ne sont pas pris en compte dans l'évaluation par le marché des décisions que nous prenons. Les dépenses militaires des États-Unis visant à prévenir un choc pétrolier dans le golfe Persique et à maintenir les importations de pétrole du Moyen-Orient pourraient être réduites de dizaines de milliards de dollars chaque année si nous passions aux énergies renouvelables. En 2008, une étude scientifique évaluait cette réduction entre 27 et 73 milliards de dollars annuels, dont 6 à 24 milliards (soit 15 % par litre d'essence) pour la seule consommation des voitures et des camions.

Il y a un autre défaut dans le fonctionnement des marchés de l'énergie, que les économistes

DES VILLAS ONT ÉTÉ CONSTRUITES EN BORDURE
DES MARAIS DE GALVESTON BAY (TEXAS).

qualifient de «problème principal-agent». Le terme semble plus compliqué que ce qu'il recouvre, à savoir le conflit entre les incitations du marché qui influencent les choix des décideurs et les réalités économiques auxquelles doivent faire face les personnes affectées par ces choix.

Ainsi, la plupart des constructeurs et des promoteurs de BTP ont intérêt à se faire concurrence à court terme pour réduire le prix d'achat initial de leurs bâtiments, même si cela implique de négliger l'isolation, d'installer des fenêtres et des éclairages peu efficients, et de se passer d'équipements permettant de réduire la consommation d'énergie de ceux qui achèteront ou loueront ces bâtiments. Si le coût de fonctionnement annuel de ces technologies énergétiquement efficientes était inclus dans les calculs des constructeurs, leurs décisions répondraient davantage aux intérêts de ceux qui vont payer ce coût. Mais le fossé structurel entre les constructeurs, d'un côté, et les propriétaires ou les locataires, de l'autre, crée des motivations qui jouent en sens contraire.

Du fait de ce problème principal-agent, la plupart des bâtiments sont très inefficients en matière d'énergie. Aux États-Unis, l'immobilier représente presque 40 % de la pollution libérée dans l'atmosphère. Les mesures préconisées au chapitre 12 seraient plus faciles à mettre en œuvre si des solutions créatives permettaient de remédier aux problèmes principal-agent existant sur le marché du BTP et des technologies efficientes.

Quand le pétrole était bon marché, les prix de l'énergie ne représentaient qu'une petite part des coûts de production. Les mesures d'économie d'énergie n'étaient pas prioritaires. Tout le monde sait aujourd'hui que cette époque sera bientôt révolue, mais on n'en voit pas le reflet dans les signaux actuels du marché. C'est donc aux gouvernements d'imposer ces mesures, afin de prévenir

une catastrophe économique et, bien sûr, écologique.

Outre qu'il se pose à nous, le plus grave problème principal-agent va concerner toutes les générations à venir, qui subiront les conséquences de nos décisions. Les intérêts qui nous ont conduits à privilégier des décisions de court terme, fondées sur une information limitée pour maximiser des profits rapides, font peser sur nous la menace d'une catastrophe. Mais les dommages pour les générations suivantes seront encore plus grands. L'impact sur ces générations est à considérer dans nos propres prises de décision. Étant, en ce sens, des agents pour nos enfants et petits-enfants, il nous faut combler le fossé entre ce qui semble bon pour nous et ce qui est bon pour eux.

Pour toutes ces raisons, un plan effectif de résolution de la crise du climat doit comprendre des remèdes agressifs contre la confiance erronée que nous plaçons dans des signaux du marché trompeurs – des signaux structurellement défaillants et que manipulent les pays cherchant à contrôler notre énergie future. Trois options s'offrent à nous pour corriger ces signaux fallacieux :

▶ une taxe CO_2 internalisant le véritable coût environnemental du charbon et du pétrole ;

▶ un système de plafonnement et d'échange, qui aboutit au même résultat de façon indirecte, en limitant la quantité de CO_2 produite et en instaurant un système d'échange contre des allocations indexé sur le marché ;

▶ une régulation directe des émissions de CO_2 par des lois comme le *Clean Air Act*.

J'ai longtemps défendu la première option : une taxe CO_2 qui serait compensée par une réduction équivalente d'autres impôts. Cela me semblait le moyen le plus simple et le plus efficace pour contraindre le marché à concourir à la sauve-garde de la planète. Mais le fondamentalisme de marché aux États-Unis a eu pour effet de susciter au Congrès une opposition massive à tout nouvel impôt – même compensé, ailleurs, par une baisse de la fiscalité. Les compagnies pétrolières et minières, et les centrales au charbon ont mis en place un lobbying puissant et lancé des campagnes de publicité agressives pour étouffer toute mesure allant à l'encontre de leurs intérêts de court terme.

Il se peut que ces attitudes changent avec le temps, quand l'intérêt d'une taxe CO_2 neutre en termes de revenus sera mieux compris – et quand les conséquences impensables de la crise du climat nous conduiront à réévaluer ce qui nous est profitable.

Ces dernières années, quelques opposants à une taxe CO_2 ont changé d'avis. Ainsi, en 2008, dans un article du *New York Times*, Arthur Laffer, républicain conservateur qui fut l'un des architectes du programme de baisses d'impôt de Reagan, s'est joint à un député républicain de Caroline-du-Sud, Bob Inglis, pour soutenir ma proposition de taxe CO_2.

S'agissant de l'avenir prévisible, il est prudent de penser qu'une décision si controversée n'est pas compatible avec le système politique américain. Cela pourrait changer, mais je me souviens de ce qui s'est passé en 1993 aux États-Unis : j'avais convaincu Bill Clinton et son équipe d'économistes d'inclure une version de la taxe CO_2 (alors appelée taxe BTU – British Thermal Unit) dans

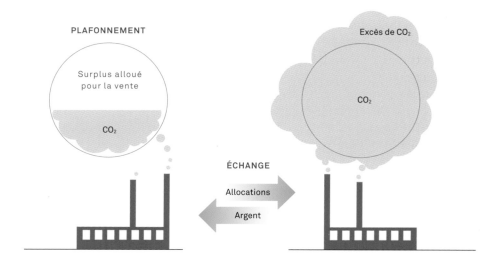

LE SYSTÈME DE PLAFONNEMENT ET D'ÉCHANGE

Dans un système de plafonnement et d'échange, la loi fixe le niveau des émissions allouables pour un ensemble d'industries polluantes : c'est le plafonnement. Pour chaque tonne de CO_2 non émise, le pollueur gagne une allocation. Celles-ci peuvent être achetées, vendues ou empruntées pour l'avenir, et toute centrale ayant réussi à réduire ses émissions sous le niveau requis peut mettre aux enchères ses allocations à l'intention de ceux qui polluent trop. Ce système de réduction d'émissions encourage le respect des règles et l'innovation – et maximise l'efficacité du marché dans la diminution de la pollution.

SOURCE : Patterson Clark, *The Washington Post*, 26 février 2009

PLAFONNEMENT ET ÉCHANGE POUR DIMINUER LES PLUIES ACIDES

Durant les années 1980, les pluies acides – provoquées par le dioxyde de soufre (SO₂) qu'émettent les centrales électriques – ont infligé de graves dommages aux sols, aux eaux et aux forêts des États-Unis et du Canada. Si tous les observateurs s'accordaient sur les causes et les effets de ces pluies, il n'était pas simple d'y remédier. La solution finalement adoptée, un accord de plafonnement et d'échange des émissions de soufre, n'est pas sans intérêt à l'heure du réchauffement mondial.

En 1988, les législateurs démocrates et républicains ont travaillé ensemble pour trouver une solution fondée sur le marché. Réduire les pluies acides impliquait clairement de diminuer les émissions de SO₂ par millions de tonnes, soit de la moitié des niveaux observés. Deux approches étaient possibles. Les usines et les centrales électriques au charbon pouvaient soit importer d'Europe du charbon contenant moins de soufre, soit installer des épurateurs pour capturer le SO₂ avant qu'il sorte des cheminées – un coût que l'industrie estimait à 6 milliards de dollars l'année.

Au lieu d'imposer une réglementation stricte, l'*Acid Rain Program,* adopté en 1990 dans le cadre des amendements au *Clean Air Act,* a fixé un plafond d'émissions et permis un choix aux utilisateurs de charbon. Pour chaque tonne de SO₂ produite en dessous de la limite, l'Environmental Protection Agency donnait au pollueur une allocation qui pouvait être vendue, échangée ou mise en réserve pour le futur.

Les membres du Congrès, au terme de plus de cent heures de négociation, ont finalement voté en faveur du système, à 401 voix contre 25 à la Chambre des représentants et 89 voix contre 10 au Sénat. Le président George H. W. Bush a fait de l'échange d'émissions son grand œuvre en matière d'écologie : « Nous devons fixer des normes strictes, permettre la liberté de choix pour les respecter et laisser les marchés allouer les coûts de la façon la plus efficace. » En 2004, les émissions de SO₂ avaient baissé de 40 %. Le ministère de l'Énergie américain estime que cette diminution a représenté 0,6 % des 151 milliards de dollars de dépenses de fonctionnement des centrales. Et une étude du Massachusetts Institute of Technology a qualifié le programme de « plus grande réussite en matière de baisse des émissions de toute l'histoire des programmes adoptés dans le cadre du *Clean Air Act* ».

LES CONCENTRATIONS MOYENNES DE PLUIES ACIDES

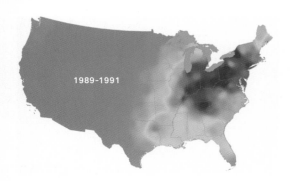

1989-1991

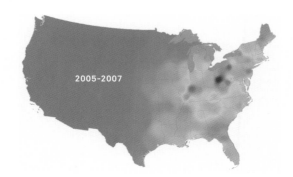

2005-2007

POLLUTION AUX PLUIES ACIDES (sulfates)

FAIBLE   ÉLEVÉE

Dix ans après la mise en œuvre du programme de plafonnement et d'échange pour réguler le dioxyde de soufre et, plus tard, les émissions d'oxyde d'azote, les concentrations de pluies acides dans l'est des États-Unis ont diminué de 10 à 25 %.

notre plan économique. Nous avons réussi, moyennant de gros efforts, à convaincre la Chambre des représentants d'adopter cette mesure, mais le Sénat s'y est totalement opposé.

Face à l'improbabilité de réunir un soutien suffisant à une taxe CO_2, la plupart de ses partisans se sont tournés vers la deuxième option, le système de plafonnement et d'échange. Ainsi, pratiquement toutes les lois déposées au Congrès par les membres des deux principaux partis politiques privilégient ce système pour inclure le coût des combustibles à base carbone dans nos calculs de marché. Cette approche est aussi au cœur de la stratégie d'Obama visant à réduire les émissions de CO_2, et des négociations internationales de Copenhague, fin 2009.

À mon avis, il faudrait prévoir à la fois une taxe CO_2 et un système de plafonnement et d'échange, et je pense que ce sera finalement le choix du gouvernement américain. Plusieurs pays, la plupart en Europe, ont déjà adopté cette démarche. La Suède, souvent considérée comme le pays le plus avancé dans la réduction des émissions de CO_2, a mis en œuvre les deux mesures. Elle a récemment augmenté sa taxe CO_2, après une première expérience très positive.

La troisième option – remédier aux signaux erronés du marché en matière d'hydrocarbures – nécessite une régulation gouvernementale des émissions de CO_2. De concert avec une taxe CO_2 et/ou un système de plafonnement et d'échange, cette régulation serait très efficace. Début 2007, la Cour suprême des États-Unis a jugé que l'Environmental Protection Agency (EPA) devait, conformément au *Clean Air Act*, prendre en considération une éventuelle régulation du CO_2, en tant que polluant couvert par la loi. Le CO_2 étant le plus dangereux polluant de l'air, beaucoup pensent que cette décision de la Cour conduira inévitablement à une réglementation. Et, début 2009, le nouveau responsable de l'EPA, Lisa Jackson, a lancé de premières réflexions qui devraient y aboutir.

Afin d'accélérer la transition vers l'énergie renouvelable, une autre forme de régulation consisterait à obliger les producteurs et les distributeurs d'électricité à offrir une part de plus en plus importante d'électricité issue de sources renouvelables. Cette approche, déjà mise en œuvre en Californie et dans plusieurs autres États, a provoqué une hausse des investissements dans l'éolien et le solaire, qui n'aurait pas eu lieu sinon. Une réglementation nationale allant en ce sens

> La réelle solution réside à la fois dans un système de plafonnement et d'échange et une taxe CO_2, et je crois que ce sera finalement notre choix.

– ce qui arrivera sans doute – aura très certainement pour effet de multiplier les investissements dans les énergies renouvelables. D'autres pays, comme la Chine et des membres de l'Union européenne, se sont également engagés sur cette voie, ainsi que plusieurs régions et collectivités locales un peu partout dans le monde.

Néanmoins, la régulation a ses limites, et il est clair qu'afin de résoudre la crise du climat, les fluctuations des prix du pétrole doivent être traitées avec des signaux du marché plus directs et plus exacts.

Actuellement, le marché de l'énergie n'intègre pas deux variables importantes, qui rendent l'énergie renouvelable particulièrement intéressante comme substitut aux hydrocarbures. Ainsi que nous l'avons abordé au chapitre 2, l'innovation et la réflexion nous permettent d'espérer réduire le prix de l'énergie renouvelable dans des proportions encore hors d'atteinte pour les ressources limitées en pétrole et en charbon. En faisant clairement le choix de produire de l'énergie issue de sources renouvelables, nous garantirons une augmentation majeure des dépenses en recherche et développement dans ce domaine, qui aboutira à une baisse du coût de cette forme d'énergie. Plus nous nous y engagerons, plus importantes seront les quantités produites et les réductions de coût (économies d'échelle) en matière d'éolien, de panneaux solaires et d'autres technologies convertissant les sources renouvelables en énergie utile.

En raison du déclin des découvertes de pétrole et de l'augmentation constante de la demande dans les pays à croissance forte comme la Chine et l'Inde, les prix du pétrole – et donc du charbon – vont continuer de croître à long terme, en dépit de leurs fluctuations à court terme. À l'inverse, le prix à long terme de l'énergie renouvelable va rapidement diminuer. Si nous nous intéressons vraiment à notre avenir énergétique et écologique, le choix à faire est limpide. Mais nous ne pouvons compter sur les signaux du marché pour y parvenir.

Les marchés financiers et le capitalisme sont à la croisée des chemins. L'obsession du court-termisme freine l'innovation, mine nos économies, affaiblit nos systèmes de retraite et diminue notre niveau de vie. Ceux qui investissent à court terme (la majorité des actifs investissables sont concernés) doivent adopter une pensée de long terme. Les dirigeants d'entreprises et les chercheurs doivent eux aussi regarder le long terme. Notre existence – et, plus important encore, celle de nos enfants et de nos petits-enfants – en dépend. La crise financière me conforte dans l'opinion que le développement durable sera le principal moteur du changement économique et industriel des vingt-cinq prochaines années. Il est impératif que nous trouvions de nouveaux moyens d'utiliser les atouts du capitalisme pour faire face à cette réalité, et résoudre la crise du climat.

La durabilité et la création de valeur à long terme sont étroitement liées. Les entreprises et les marchés ne peuvent fonctionner en se coupant de la société ou de l'environnement.

Les défis écologiques auxquels la planète fait face aujourd'hui sont extraordinaires et sans précédent. Les entreprises et les marchés financiers sont les mieux placés pour y répondre, à condition que système économique et gouvernements envoient les bons signaux. Mais nous attendons beaucoup des entreprises, et échapper à ses responsabilités coûtera très cher à tout le monde. Il nous faut revenir aux principes premiers, développer une forme de capitalisme de long terme, plus responsable : un capitalisme durable.

LE BEDDINGTON ZERO ENERGY DEVELOPMENT, DANS LE SURREY (ANGLETERRE), REÇOIT TOUTE SON ÉLECTRICITÉ ET SON CHAUFFAGE DE PANNEAUX SOLAIRES, DU SOLAIRE PASSIF ET DE LA COGÉNÉRATION À LA BIOMASSE.

LES OBSTACLES QU'IL NOUS FAUT SURMONTER

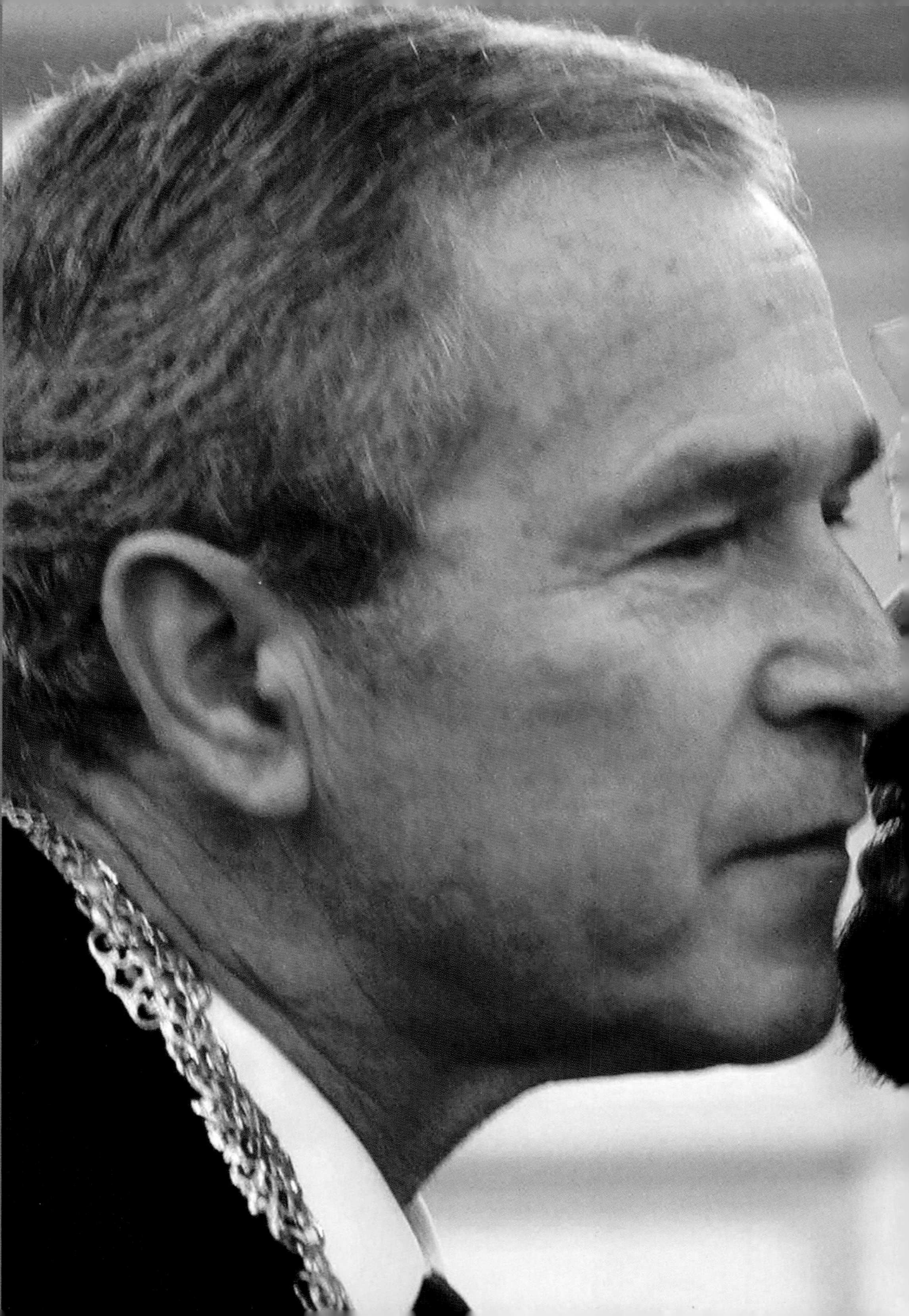

CHAPITRE SEIZE

LES OBSTACLES POLITIQUES

LE ROI ABDALLAH EMBRASSE LE PRÉSIDENT
GEORGE W. BUSH APRÈS LUI AVOIR REMIS
L'ORDRE DU MÉRITE DU ROI ABDULAZIZ,
ARABIE SAOUDITE, JANVIER 2008.

Afin de surmonter les obstacles politiques nous empêchant de répondre à la menace que la crise du climat fait peser sur notre civilisation, il est urgent de trouver des solutions. Celles-ci impliquent des décisions difficiles, qui ne peuvent être prises qu'à l'échelle *a minima* des nations, à commencer par celle des États-Unis. Il est donc essentiel de comprendre pourquoi nos dirigeants ont jusqu'à présent échoué et en tirer les leçons pour parvenir à ce qu'ils n'aient d'autre choix que de mettre en œuvre les solutions requises.

John Kenneth Galbraith a un jour écrit : « La politique n'est pas l'art du possible, c'est l'art de choisir entre le désastreux et l'insipide. » Dans le cas de la crise du climat, nos choix sont obscurcis par la confusion issue, pour l'essentiel, de la campagne politique mensongère que mènent les milieux économiques les plus pollueurs.

Le désastre qui nous attend n'a pas encore été pleinement reconnu par les électeurs. En effet, la dimension planétaire des problèmes masque le lien entre le réchauffement climatique mondial et les catastrophes en cours et à venir. Quand ce lien apparaîtra, les électeurs agiront en conséquence. Même le cyclone Katrina – un ouragan de catégorie 5, dont les scientifiques prédisent qu'ils seront de plus en plus fréquents à cause du réchauffement – n'a suscité aucun changement d'attitude de la part des politiciens de Louisiane.

Quant à l'insipidité, elle est inhérente au fait que résoudre la crise du climat – notamment en diminuant les réductions d'émissions de CO_2 – suppose de modifier des habitudes qui font partie intégrante de l'activité économique depuis plus de cent cinquante ans. L'ampleur des mesures à prendre afin de décarboniser le monde constitue ainsi un défi sans précédent pour les dirigeants politiques (même si des millions de nouveaux emplois seront créés au cours du processus). En d'autres termes, il ne s'agit pas de se limiter aux petites corrections du tout-venant auxquelles nos dirigeants sont accoutumés.

En outre, l'opposition politique à ce défi immense est renforcée par deux éléments contextuels, présents tant aux États-Unis que dans d'autres pays industrialisés. La mondialisation croissante de l'économie mondiale et la facilité avec laquelle les technologies industrielles avancées traversent les frontières ont entraîné une migration massive des emplois industriels des pays développés vers les pays à salaires inférieurs. Cette tendance a ravivé les craintes que les mesures à prendre ne détruisent encore des emplois si tous les pays ne prennent pas part à l'effort nécessaire.

Nos élus doivent donc prendre en considération la peur d'un accroissement du chômage dans les pays industrialisés, tout en répondant aux pays moins développés, qui estiment ne pas être responsables de la crise du climat et ne pas avoir les moyens de faire les mêmes sacrifices que les pays plus riches, leur revenu par tête étant très inférieur.

La récession, qui a frappé l'économie mondiale au moment où l'on commençait à réfléchir à des solutions à cette crise, a encore élargi le fossé

CES ÉTUDIANTS AMÉRICAINS MANIFESTENT
CONTRE LE SOMMET DU CLIMAT,
À BONN (ALLEMAGNE), EN 2001.

entre pays riches et pays pauvres. Heureusement, alors que beaucoup espéraient que la crise économique retarde l'action dans ce domaine, la perspective de millions de nouveaux emplois verts a entraîné une prise de conscience simultanée des défis économiques et écologiques. Le combat en faveur de l'adoption d'un traité mondial de réduction des émissions de gaz à effet de serre a cependant pris une tournure épique dans les vingt dernières années, pendant lesquelles le changement de l'environnement de la planète s'est considérablement accéléré.

Des industries puissantes, affectées par les solutions proposées à la crise du climat, ont usé des outils politiques dont elles disposaient pour s'y opposer. Ainsi, en 2009, une entreprise de lobbying travaillant pour l'industrie du charbon a envoyé de fausses lettres aux membres du Congrès, leur faisant croire à une hostilité des citoyens et des ONG à l'égard de ces solutions. Les régions tributaires du charbon ont refusé toute

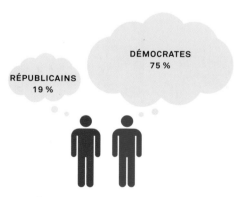

LES ÊTRES HUMAINS SONT-ILS RESPONSABLES DU RÉCHAUFFEMENT ?

Un sondage réalisé en 2008 aux États-Unis montre que 75 % des démocrates ayant fait des études supérieures estiment que le réchauffement est dû aux activités humaines, contre 19 % des républicains.

SOURCE : Pew Research Center for People & the Press, «A Deeper Partisan Divide Over Global Warming»

mesure pouvant leur porter préjudice, et les opposants idéologiques à une participation des pouvoirs publics à la mise en œuvre des solutions nécessaires se sont organisés pour faire obstacle aux changements proposés.

Alors que le réchauffement mondial ne devrait pas être une question partisane, le Parti républicain américain s'est mis du côté des opposants à l'intervention de l'État, comptant au premier rang de sa coalition politique les compagnies pétrolières et charbonnières. Les élus républicains, à de rares exceptions près, s'opposent à toute action d'envergure dans ce domaine. Et nombre de démocrates font de même, surtout dans les régions fortement tributaires du charbon.

L'opposition excessive des élus républicains a souvent donné l'idée – trompeuse – qu'il s'agissait d'une question partisane. Et, comme de nombreux sympathisants tendent à suivre leurs leaders, le fossé politique aux États-Unis s'est élargi. En 2008, quand on a demandé à un échantillon de diplômés de l'université si les activités humaines étaient responsables du réchauffement, 75 % de ceux qui votent démocrate ont répondu oui, mais seulement 19 % de ceux votant républicain.

Les contributions aux campagnes électorales émanant des lobbies ont toujours joué un rôle majeur en politique, et les plus gros contributeurs sont traditionnellement ceux liés au pétrole et au charbon. En outre, l'influence excessive de ces contributions se trouve renforcée par la domination sans précédent de la publicité télévisée, au détriment du débat d'idées. Le passage de l'écrit à la télévision a en effet radicalement altéré l'équilibre politique du pouvoir, en particulier aux États-Unis, où la levée de fonds pour acheter des espaces publicitaires sur le petit écran – de plus en plus déterminant quant au résultat des élections – est une des principales activités des politiques.

« FORE ICI ET MAINTENANT » ET « FORE, BABY, FORE » ÉTAIENT DES SLOGANS POPULAIRES LORS DE LA CONVENTION NATIONALE RÉPUBLICAINE DE 2008.

LA PROMOTION MÉDIATIQUE DU SCEPTICISME CLIMATIQUE

SEN JAMES INHOFE (R)
ENVIRONMENT & PUBLIC WORKS CHMN

HYSTERICAL HYPE

HARDBALL   msnbc

THIS IS GLOBAL WARMING?
Snow falls in Las Vegas, Malibu & Arizona Desert

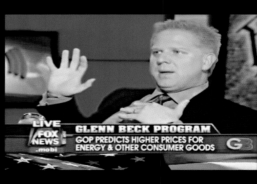

GLENN BECK PROGRAM
GOP PREDICTS HIGHER PRICES FOR
ENERGY & OTHER CONSUMER GOODS

La théorie scientifique du réchauffement climatique est
fréquemment niée et tournée en dérision dans les
programmes d'information s'adressant aux électeurs
de droite – soit en raison d'un biais politique, soit à cause
de la pression exercée sur les médias pour établir un faux
« équilibre » entre les deux points de vue. Parmi les
principaux sceptiques, citons (de haut en bas et de gauche
à droite) Rush Limbaugh, James Inhofe, Sean Hannity,
Pat Buchanan, Lou Dobbs, Glenn Beck et John Stossel.

Ce n'est nulle part plus visible qu'en matière de climat. Les industries du pétrole et du charbon et les centrales électriques au charbon ont été des contributeurs majeurs aux élections de 2008 et les plus importants annonceurs de la campagne. Dans les trois mois qui suivent l'élection d'Obama, groupes d'intérêt et entreprises ont dépensé 200 millions de dollars pour influencer la politique énergétique et organiser la résistance à toute action contre le réchauffement.

Sachant qu'en moyenne, chaque Américain regarde la télévision cinq heures par jour (soit dix-sept ans à l'échelle de sa vie), le bombardement de messages publicitaires connaît un rythme inédit. Comme nous l'avons vu au chapitre 14, nous devons à ce phénomène l'orgie consumériste dans laquelle a sombré le pays, et la perversion du processus de décision des représentants élus.

Le modèle politique conçu par les fondateurs des États-Unis présumait que le débat raisonné, fondé sur des faits établis, jouerait un rôle central dans le processus de décision politique de la nation. Mais aujourd'hui, l'opinion des électeurs sur les questions qui importent à de gros lobbies est d'abord façonnée par de coûteuses campagnes publicitaires, qui cherchent à fabriquer «le consentement des gouvernés» comme si c'était un produit.

En outre, ces mêmes entreprises et leurs alliés ont envahi le Capitole d'un nombre sans précédent de lobbyistes : en 2008, 90 millions de dollars ont été dépensés uniquement pour le lobbying en matière de climat. Une étude du Center for Public Integrity dénombre plus de quatre lobbyistes par membre du Congrès sur les questions du climat, soit une augmentation de plus de 300 % depuis la présentation au Congrès de la dernière législation sur le sujet, il y a quelques années. Et les lobbyistes opposés à toute nouvelle législation sont huit fois plus nombreux que ceux qui y sont favorables !

Plus pervers encore, l'intégrité de notre démocratie est désormais corrompue par un nouveau type de campagne, planifiée avec soin, destinée à tromper intentionnellement le public en déformant les données scientifiques relatives à la nature et à la gravité de la crise climatique. Cette technique a été mise au point, il y a des dizaines d'années, par l'industrie du tabac. Celle-ci avait alors systématiquement introduit de la confusion au cœur du consensus médical qui établissait un lien entre le tabac et le cancer du poumon, l'emphysème, les maladies cardiaques, etc. Un mémo d'une grande firme de tabac (récemment révélé lors d'un procès) évoquait en ces termes le principe de leur campagne : «Le doute est notre produit, car c'est le meilleur moyen de lutter contre les "faits établis" dans l'esprit du public. C'est aussi le meilleur moyen de créer une controverse. »

Cette pratique à l'encontre de toute éthique a été perfectionnée et élargie par les pollueurs au carbone, qui non seulement ont recours à la même stratégie que les industries du tabac, mais ont aussi recruté des anciens cadres de celles-ci afin de semer le doute quant au consensus scientifique sur la menace du réchauffement climatique.

À la fin des années 1980, alors que ce consensus scientifique prenait forme et commençait à retenir l'attention des électeurs, plusieurs grandes compagnies pétrolières, firmes automobiles et centrales au charbon ont uni leurs forces pour lancer une véritable campagne de propagande mettant en doute l'intégrité même des preuves scientifiques. Se servant des dernières découvertes dans le domaine de la psychologie et du marketing, toutes ces entreprises poursuivaient un seul et même objectif (mentionné dans un mémo interne publié par le journaliste Ross Gelbspan) : «Faire du réchauffement climatique une théorie et non plus un fait. »

« Le doute est notre produit, car c'est le meilleur moyen de lutter contre les "faits établis". »

MÉMO INTERNE D'UNE FIRME DE TABAC

CES CADRES D'UNE ENTREPRISE FABRIQUANT DES CIGARETTES AFFIRMENT DEVANT LE CONGRÈS QUE LA NICOTINE NE CRÉE PAS DE DÉPENDANCE (1994).

« Faire du réchauffement climatique une théorie et non plus un fait. »

MÉMO INTERNE DE L'INDUSTRIE

DES COMBUSTIBLES FOSSILES

CES CADRES D'UNE COMPAGNIE PÉTROLIÈRE AFFIRMENT DEVANT LE SÉNAT QUE LES PRIX DU PÉTROLE SONT FIXÉS PAR LE MARCHÉ (2008).

Depuis son lancement au lendemain du sommet de Rio, en juin 1992, cette campagne mensongère des principaux pollueurs en carbone a pris une ampleur jamais atteinte auparavant dans ce domaine. Et si la pression publique a contraint certains de ses partisans à se désolidariser de cette campagne, celle-ci demeure aujourd'hui très active. Elle a même acquis une force réellement destructrice, et pas un jour ne se passe sans que des commentateurs de droite, à la radio et à la télévision, ne vantent haut et fort la pseudoscience des négateurs de la crise climatique.

La mise en place d'un réseau de désinformation est l'un des actes les plus dévastateurs de cette campagne de propagande. Les gros pollueurs ont créé et financent des douzaines de groupes relais. Ils paient des « scientifiques » de second rang afin qu'ils publient des milliers de pseudo-études, de lettres, de livres, de pamphlets et de films, ayant pour objet de semer le doute sur presque chaque aspect du consensus scientifique existant. Selon un autre mémo interne, l'un de leurs principaux objectifs consistait à « développer un message et une stratégie visant à façonner l'opinion publique à l'échelle nationale ». Cette campagne a trouvé un écho favorable auprès de nombreux citoyens, qui préfèrent ne pas admettre l'existence d'une menace aussi dangereuse que celle du changement climatique.

Certains négateurs de la crise climatique ne sont, bien sûr, ni des hypocrites, ni des bénéficiaires des largesses des pollueurs. Mais presque aucun n'a vu ses idées publiées dans des revues de référence, et leurs arguments seraient tout simplement ignorés s'ils ne bénéficiaient pas du retentissement que leur donne le réseau de désinformation créé par les pollueurs.

Selon un journaliste d'investigation, Exxon-Mobil – la plus grande et la plus riche de ces entreprises – finance une quarantaine de groupes qui travaillent à altérer notre compréhension du réchauffement climatique. Ainsi, peu avant la publication du quatrième rapport anonyme du Groupe intergouvernemental sur l'évolution du climat (GIEC), en janvier 2007 (qui renforçait encore le consensus scientifique sur la nécessité de réduire sensiblement les émissions de gaz à effet de serre), l'un des groupes financé par ExxonMobil offrait 10 000 dollars pour tout article contestant les découvertes de la communauté scientifique internationale.

Une autre tactique consiste à remettre en cause l'intégrité de scientifiques respectés en affirmant qu'ils ont intérêt, afin d'obtenir des budgets plus importants pour leurs recherches, à inventer la crise du climat. Cette accusation n'appelle qu'une ironique indignation. D'abord, ceux qui devraient faire l'objet de cette accusation sont précisément ceux qui contestent des découvertes scientifiques légitimes. En outre, si un scientifique légitime était capable de démontrer qu'il n'y a aucune responsabilité humaine dans le réchauffement climatique, il deviendrait certainement le scientifique le plus renommé – et le plus riche – de ce siècle.

Les négateurs du réchauffement climatique sont à la fois contradictoires et malhonnêtes. Certes, leur campagne de désinformation est si contraire à la nature même du processus démocratique qu'il est tentant de l'ignorer avec mépris. Mais tant que les preuves qui mobilisent les scientifiques restent inconnues du grand public, ces professionnels de la désinformation réussissent à avoir un impact disproportionné sur les décisions politiques.

Le mécanisme stratégique a été parfaitement compris dès le commencement de la campagne, comme l'atteste ce propos de l'un de leurs conseillers : « Si le public commence à croire que le débat scientifique est clos, leurs idées sur le réchauffement climatique changeront aussitôt. Il nous faut donc placer l'absence de certitude scientifique au centre du débat. »

Les arguments à la fois trompeurs et cyniques qu'ils mettent en avant suivent les différentes étapes du déni. Ils ont d'abord commencé par affirmer que le réchauffement n'était pas réel, qu'il n'existait pas. Se servant de tout élément d'information permettant de minimiser celui-ci, ils ont entrepris de ridiculiser le consensus scientifique. Une fois que leurs arguments ont été réfutés, ils ont refusé de reconnaître les faits et ont continué à les assener.

officiellement sa thèse. Cela ne l'a pas pour autant empêché de continuer à la présenter en public, apparemment sans gêne aucune.

Après que plusieurs années de températures records et de fonte rapide des glaciers dans le monde ont affaibli leur capacité à convaincre les gens que la Terre ne se réchauffait pas, les négateurs sont passés à un deuxième argument. Selon eux, le réchauffement effectivement avéré de la planète serait un phénomène naturel, n'ayant aucun rapport avec les 90 millions de tonnes de gaz à effet de serre que nous rejetons chaque jour dans l'atmosphère.

À mesure que le rôle des activités humaines dans le réchauffement faisait moins de doute et

« Si le public venait à croire que le débat scientifique est clos, l'opinion sur le réchauffement climatique changerait aussitôt. »

MÉMO D'UN CONSULTANT POLITIQUE POUR LE PRÉSIDENT BUSH

En voici un exemple : les négateurs ont commandité toute une série de mesures par satellite de la température de la Terre, censées prouver que la planète est en train de refroidir. Après examen, il s'est avéré que leurs auteurs avaient commis des erreurs de calcul et n'avaient pas pris en compte les variations d'orbite des satellites, qui influent sur l'interprétation des résultats. Finalement, l'un d'entre eux a dû admettre ces erreurs et contester

était mieux compris, les négateurs sont parvenus à un troisième argument : les êtres humains y participent peut-être, mais le réchauffement est d'abord une tendance naturelle.

Aucun de ces arguments n'a jamais été pris en compte par une revue scientifique sérieuse. Certains d'entre eux ont même des fondements assez grotesques. Ainsi, deux observations de Pluton réalisées à quatorze ans d'intervalle prouveraient le réchauffement de cette planète. Ce réchauffement simultané à celui de la Terre aurait donc pour origine une modification du rayonnement du Soleil concernant le système solaire tout entier. Une telle théorie permet de dénier aux gaz à effet de serre toute responsabilité dans l'élévation des températures de notre planète. Mais, comme il faut deux cent quarante-huit années à Pluton pour tracer son orbite erratique aux confins les plus lointains du système solaire – à une distance de 4,4 à 7,4 milliards de kilomètres du Soleil –, il est difficile d'imaginer que l'on ait pu être trompé par un tel argument.

Par ailleurs, Naomi Oreskes, de l'University of California à San Diego, a analysé, avec son équipe de recherche, un échantillon représentatif – 10 % – de tous les articles sur le réchauffement climatique parus dans des revues scientifiques sur une période de dix ans. Elle a découvert que, sur les neuf cent vingt-huit articles examinés, pas un seul ne divergeait du consensus scientifique à ce sujet. Certains négateurs ont alors cherché à jeter le doute sur l'étude d'Oreskes et affirmé que trente-quatre articles, en réalité, le contestaient. Même si cela avait été vrai, cela aurait représenté un taux de contestation inférieur à 4 %.

Finalement, l'auteur de cette récusation a dû reconnaître que seule une des « études » qu'il avait citées contestait le consensus, et qu'il ne s'agissait d'ailleurs pas d'une étude mais d'une opinion, publiée dans *The American Association of Petroleum Geologists Bulletin* par deux cadres de l'industrie pétrolière, dont l'un avait des responsabilités chez ExxonMobil. Leur article concluait qu'« il n'y a aucune influence humaine discernable sur le réchauffement climatique ».

Les négateurs argumentèrent alors que si l'homme contribue au réchauffement climatique, c'est sans importance puisque le réchauffement est une bonne chose. Cette affirmation, comme les précédentes, contredit le constat unanime dressé par le Groupe intergouvernemental sur l'évolution du climat. Mais tout son intérêt est là : semer le doute.

Autre variation, plus fréquente, sur le même thème : si le réchauffement n'est pas un bienfait, ce n'est pas non plus un problème, et il suffira de quelques ajustements mineurs pour nous adapter à un temps plus chaud. Encore une fois, le but de cette affirmation, tout aussi fallacieuse, n'est pas de convaincre mais de créer la confusion et, ce faisant, de paralyser le processus politique face à une décision déjà difficile à prendre.

Les négateurs du réchauffement climatique développent en parallèle un autre argument, selon lequel tout effort pour résoudre la crise du climat sera pire que la crise elle-même. C'est une approche plus traditionnelle, suivie depuis longtemps par les pollueurs pour ne pas avoir à payer le coût des réductions d'émissions. Mais nombre d'analyses économiques, dont deux, décisives, du Britannique Nicholas Stern, montrent que le coût de l'élimination de la pollution est en réalité infime par rapport à celui des dégâts qu'elle provoque.

Le dernier refuge des négateurs est d'affirmer que si le réchauffement est réel, s'il est d'abord causé par la pollution humaine et s'il nous est, en réalité, néfaste, il est de toute façon trop tard pour agir. Ce dernier argument partage avec les précédents l'idée que la meilleure chose à faire pour arrêter les rejets de gaz à effet de serre dans l'atmosphère, c'est de rester passif. C'est là l'objectif de cette campagne – et la raison pour laquelle les gros pollueurs y consacrent tant d'argent.

Si la campagne de propagande des pollueurs a réussi avec tant de facilité à paralyser le processus politique, c'est en partie parce que les médias ont

How much are you willing to pay to solve a problem that may not exist?

If the Earth is getting warmer, why is the frost line moving south?

Who told you the earth was warming... Chicken Little?

Some say the earth is warming. Some also said the earth was flat.

En 1992, l'Information Council on the Environment (ICE), un groupe créé et financé par l'industrie des combustibles fossiles, a diffusé ces publicités pour semer le doute sur la réalité du réchauffement climatique.

renoncé à leur rôle traditionnel : transmettre au public les faits et les théories scientifiquement établis. Le déclin de la presse écrite a précipité la mise au chômage de journalistes expérimentés, ayant le temps et les moyens d'enquêter sur des sujets de cette importance. Aussi le public est-il plus vulnérable que par le passé aux campagnes mensongères organisées par de riches lobbies.

Du fait de réductions budgétaires, nombre d'organes d'information ne couvrent plus les controverses que de façon sommaire. Au lieu de consacrer le temps et les ressources nécessaires à enquêter sur les affirmations concurrentes, ils

L'éminent climatologue Michael Oppenheimer constatait en 1994 : «Ce qu'ils essaient de faire, c'est de mettre le savoir scientifique sur le même plan que l'opinion politique. Après tout, si le savoir scientifique est de même ordre que l'opinion politique, alors l'opinion de chacun a la même valeur. Il n'y a plus de faits. Et, s'il n'y a plus de faits, il n'est pas plus légitime d'agir sur les problèmes environnementaux que de ne pas agir. »

Ainsi, la gravité et la rotondité de la Terre sont des faits établis ; et, même si un groupe disposant de beaucoup d'argent publiait un millier d'articles pseudo-scientifiques affirmant que la Terre est

« Ce qu'ils essaient de faire, c'est de mettre la connaissance scientifique sur le même plan que l'opinion politique. »

MICHAEL OPPENHEIMER

les présentent comme les deux revers d'une même médaille, créant une fausse symétrie de points de vue.

Cette approche peut être justifiée lorsqu'il s'agit d'évoquer des positions politiques différentes, basées sur des opinions subjectives. Et le conflit, lorsqu'il est légitime, demeure un élément intéressant de l'information. Il est en revanche incongru de créer un conflit artificiel pour rendre compte de l'état des connaissances scientifiques sur des sujets qui font l'objet d'un examen sérieux et approfondi – surtout quand existe un consensus scientifique dûment établi sur un sujet.

plate et que la gravité n'existe pas, il est difficile d'imaginer qu'il se trouverait un journaliste sérieux pour mettre les deux idées sur un plan d'égalité. C'est pourtant précisément ce que les médias font depuis plusieurs années, aux États-Unis et dans d'autres pays, à propos de la science du réchauffement climatique. Il y a, d'un côté, le consensus scientifique, de l'autre, à égalité, les théories fumeuses des lobbies industriels.

Une analyse menée en 2004 de tous les articles publiés sur le sujet en quatorze ans dans *The New York Times*, *The Washington Post*, le *Los Angeles Times* et *The Wall Street Journal* montrait que 52,65 % d'entre eux ont accordé la même valeur au consensus scientifique et aux arguments niant que le réchauffement ait aucun lien avec les activités humaines. Les auteurs de cette étude, Maxwell et Jules Boykoff, ont constaté que, pendant les deux premières années couvertes, 1988 et 1989 (avant que les gros pollueurs n'organisent leur campagne de propagande), la presse se faisait l'écho très fidèle du consensus scientifique.

du réchauffement, et que leurs propres experts scientifiques et techniques en avaient conclu que le consensus était « bien établi et ne pouvait être nié ». Ces mêmes experts affirmaient également que les théories des négateurs « n'offraient pas d'arguments convaincants contre le modèle établissant la responsabilité des émissions de gaz à effet de serre dans le changement climatique ». Cependant, le « comité opérationnel » de cette coalition de pollueurs avait supprimé ce passage du rapport

D'un côté, il y a le consensus scientifique, de l'autre – sur un pied d'égalité –, les théories fumeuses des négateurs financées par l'industrie.

En 1989, Amoco, l'American Forest & Paper Association, l'American Petroleum Institute, Chevron, Chrysler, Cyprus Amax Minerals, Exxon, Ford, General Motors, Shell Oil, Texaco et l'U.S. Chamber of Commerce ont fondé la Global Climate Coalition (GCC), à l'origine de la campagne de désinformation massive visant à réfuter la réalité du réchauffement et le lien entre celui-ci et les activités humaines. Après le lancement de cette campagne, la presse a commencé à donner une couverture équivalente aux affirmations pseudo-scientifiques payées par les pollueurs.

Lors d'un procès qui s'est tenu au printemps 2009, des documents ont fait surface, révélant que ces pollueurs avaient, en 1995, financé une étude interne sur les preuves scientifiques

final afin de continuer à présenter au public – et à leurs actionnaires – un point de vue que leurs propres scientifiques considéraient comme inexact.

La coalition a même distribué aux législateurs et aux journalistes, dans le monde entier, un « argumentaire » affirmant que « le rôle des gaz à effet de serre dans le changement climatique n'est pas bien compris ». Selon une version ultérieure de ce texte, diffusée en 1998, l'incertitude quant aux conséquences du réchauffement ne permettait pas de justifier une réduction drastique des émissions de CO_2.

En principe, les firmes cotées en Bourse devraient avoir l'honnêteté de révéler les faits ayant un impact sur la valeur de leurs actions. Les entreprises de la coalition ont pourtant tu les

PHILIP COONEY, MEMBRE DE L'ÉQUIPE DU
PRÉSIDENT GEORGE W. BUSH, INSÉRAIT
DES PRÉFACES FAVORABLES AUX INDUSTRIELS
DANS LES RAPPORTS SCIENTIFIQUES
GOUVERNEMENTAUX SUR LE RÉCHAUFFEMENT.
IL TRAVAILLE AUJOURD'HUI POUR EXXONMOBIL.

informations obtenues à leur propre demande sur le seul corps de connaissances scientifiques concernant l'avenir de leur activité. Comme, à la même époque, les autorités internationales s'efforçaient de conclure un traité mondial visant à limiter le rejet constant des gaz produits par la combustion de pétrole et de charbon, ces entreprises ont estimé que, compte tenu des enjeux financiers, mieux valait pour elles ne pas prendre le risque de l'honnêteté.

Dans le courant de l'année 2005, les Académies des sciences des États-Unis, du Royaume-Uni, de la Chine, de l'Inde, de la Russie, du Brésil, de la France, de l'Italie, du Canada, de l'Allemagne et du Japon ont formellement adopté le consensus émis par le GIEC. Néanmoins, les gros pollueurs ont poursuivi leur campagne mensongère pour convaincre les médias et le public qu'il y avait un débat au sein de la communauté scientifique. Et les médias ont continué, ici et là, à donner un traitement équivalent aux arguments des négateurs financés par l'industrie.

Ce changement radical dans le traitement de l'information, consécutif au lancement de la campagne de propagande, affaiblit considérablement le soutien politique aux mesures visant à réduire les gaz à effet de serre. À la fin des années 1980, peu avant le début de cette campagne, l'intérêt du public était à son plus haut niveau. Mais après tous les efforts entrepris pour inculquer aux médias et au public de fausses idées sur le réchauffement de la planète et sa gravité, il n'est pas étonnant que les sondages d'opinion aient bientôt révélé que la question devenait de moins en moins prioritaire.

C'est pour ce résultat politique que payaient les gros pollueurs.

À partir de janvier 2001, George W. Bush nomma à des postes clefs de son administration plusieurs des négateurs ayant joué un rôle dans la campagne de désinformation. L'un d'entre eux, Philip A. Cooney, qui avait dirigé le programme de désinformation pour l'American Petroleum Institute, a pris les rênes de la politique environnementale de la Maison Blanche. Cooney a censuré de l'ensemble des rapports officiels le point de vue des scientifiques du gouvernement pour lui substituer celui des lobbies du pétrole et du charbon. Ainsi, pendant huit ans, le pouvoir exécutif s'est rendu complice de l'effort engagé pour induire en erreur les citoyens américains quant au danger du réchauffement climatique.

Un long rapport d'enquête, rédigé par Sharon Begley et publié par *Newsweek* à l'été 2007, aboutit à la conclusion suivante : « Depuis la fin des années 1980, cette campagne, coordonnée et financée par des contradicteurs scientifiques, des *think tanks* et l'industrie, a créé un doute paralysant sur le changement climatique. »

D'une manière générale, les démarches consistant à tromper les marchés et le public sur la véritable valeur des entreprises sont évidemment courantes. Le financier Bernard Madoff, par exemple, a fait croire aux investisseurs de son *hedge fund* qu'il plaçait leur argent en Bourse alors que celui-ci servait à alimenter la plus grosse escroquerie financière de l'histoire. Des banques ont convaincu des millions de personnes que les *subprimes* immobilières étaient des investissements sûrs, alors que leurs détenteurs n'avaient aucune obligation de les rembourser ni même de prouver qu'ils avaient de quoi le faire. La révélation de la vraie valeur de ces emprunts a provoqué l'éclatement de la bulle de l'immobilier au second trimestre 2007, puis la crise financière et économique la plus grave depuis 1929.

Or, des *subprimes* carbone représentant un montant de plusieurs milliers de milliards de dollars sont aujourd'hui détenues par des particuliers, des fonds de pension et des investisseurs institutionnels, par le biais d'entreprises dont la valeur est gonflée en raison d'une présentation malhonnête du danger que constituent les émissions de gaz à effet de serre, en particulier de carbone.

Sans même parler des conséquences environnementales, le risque financier de ce traitement frauduleux de la science du réchauffement climatique – largement financé par l'argent des actionnaires – est extrêmement élevé. Quand la vérité sera connue et que des mesures appropriées seront prises pour réduire les émissions, les « bulles » du pétrole et du charbon vont éclater. Plus nous attendons, plus ces bulles vont gonfler et plus violente sera leur explosion. Ceux qui en subiront les dommages financiers se retrouveront dans la même situation que les victimes de Bernard Madoff, qui, à leur désespoir, ont cru les informations que celui-ci leur fournissait.

Les entreprises qui ont fondé le GCC continuent à enregistrer des profits records et les dirigeants qui étaient en poste quand l'escroquerie a commencé reçoivent encore d'énormes bonus (l'un d'entre eux a reçu une « compensation » de 400 millions de dollars pour sa dernière année au poste de directeur général).

En 2006, la Royal Society of London (l'équivalent de l'U.S. National Academy of Science) a demandé publiquement à ExxonMobil de cesser de déformer la théorie scientifique du réchauffement, et exprimé « son regret quant à l'idée inexacte et trompeuse du changement climatique » que l'entreprise continuait à véhiculer auprès du public. La Royal Society a publié une étude montrant qu'ExxonMobil donnait des millions de dollars à trente-neuf groupes «qui désinforment le public sur le changement climatique...» En 2008, enfin, la firme a été contrainte de réagir et a annoncé qu'elle «cesserait ses contributions à plusieurs groupes de recherche dont la position quant au changement climatique risque de détourner l'attention du débat important» sur la manière de produire de l'énergie sans contribuer au réchauffement. Mais un chercheur de la London School of Economics, Bob Ward, a découvert, en 2009, qu'en dépit de cette promesse,

le monde entier, les arguments des négateurs visant à mettre en doute le consensus scientifique sur le réchauffement climatique trouvent un large écho. Articles de journaux, éditoriaux, documentaires télévisés, publicités paraissent régulièrement dans presque tous les pays et sont susceptibles de semer le doute à l'échelle mondiale. La théorie scientifique du réchauffement étant relativement peu connue du public, et les informations à ce sujet étant difficiles à assimiler, les propagandistes ont une responsabilité immense dans le retard que nous prenons pour agir contre la pollution.

ExxonMobil donnait des millions de dollars à trente-neuf groupes «qui désinforment l'opinion sur le changement climatique».

ROYAL SOCIETY OF LONDON

ExxonMobil persistait : «Si la plus grande compagnie pétrolière du monde finance le déni du changement climatique, alors elle devrait le dire et ne plus faire croire qu'elle a mis fin à cette pratique.» Si ExxonMobil a effectivement cessé de financer neuf organes de désinformation, elle continue à le faire pour plus de deux douzaines d'autres institutions engagées dans le déni climatique (selon un rapport publié par la firme elle-même).

Principale cible de cette campagne de propagande, les États-Unis sont loin d'être la seule. Dans

Ironiquement, le déclin de la presse écrite s'est accompagné de l'apparition de médias – notamment sur Internet – qui ont contribué à redonner de la vigueur aux autorités politiques militant en faveur d'une action contre le réchauffement.

Dans le monde entier, des associations utilisent le Web pour dire la vérité sur la crise du climat et pour soutenir collectivement les efforts visant à la résoudre avant qu'il ne soit trop tard. Aux États-Unis, j'ai créé une association de ce type – l'Alliance for Climate Protection –, qui diffuse à

L'ALLIANCE FOR CLIMATE PROTECTION

Des spots télévisés qui soulignent l'intérêt d'un nouveau plan énergie et encouragent les citoyens à l'action font partie des campagnes de Repower America.

L'Alliance for Climate Protection, créée en 2006, est une association ayant pour but de modifier notre regard sur la crise du climat et de catalyser des solutions. Le message qu'elle porte est que nous pouvons résoudre la crise du climat, à condition de mobiliser le public et de faire évoluer l'opinion.

L'Alliance essaie de dépolitiser la crise du climat. Dirigée par un conseil d'administration composé à égalité de républicains et de démocrates, elle œuvre à une mobilisation étendue en faveur de solutions efficaces contre le changement climatique.

Mon expérience me porte à penser que les dirigeants politiques de tous les partis continueront à se montrer timides sur la réduction des gaz à effet de serre tant qu'une importante base ne les encouragera pas à prendre les mesures nécessaires. Tout le travail de l'Alliance consiste à transmettre la vérité sur le choix que nous devons désormais faire afin de transformer notre façon de produire l'énergie.

Sa démarche, sur un plan national et non partisan, prend pour point de départ le terrain. À travers différents médias, dont la télévision, la radio, la presse écrite, l'e-mail, Internet et même des concerts, l'Alliance informe le public sur les solutions existantes. Ses projets les plus importants sont Repower America (repoweramerica.org), We Can Solve It (wecansolveit.org) et This Is Reality (thisisreality.org). L'Alliance a également sponsorisé les sommets qui ont réuni un grand nombre d'experts sur trente-deux sujets liés aux solutions à la crise du climat.

J'ai fait don à l'Alliance de la totalité des droits d'auteur d'*Une vérité qui dérange* – le livre et le film. Il en ira de même pour le présent ouvrage. Le site Internet de l'Alliance est climateprotect.org.

la télévision, à la radio, sur Internet, dans les journaux et dans les magazines des messages destinés à mobiliser massivement pour l'action. Nous avons aussi incité plus de 2 millions de personnes à encourager l'adoption de solutions rapides à la crise du climat au sein de leurs communautés respectives et dans le cadre du système politique national. Avec d'autres, nous nous sommes efforcés, au cours de la campagne présidentielle de 2008, d'obtenir des candidats qu'ils prennent position en ce sens. Les deux principaux, Barack Obama et John McCain, ont accepté le principe de nouvelles lois visant à plafonner et à réduire les émissions de gaz à effet de serre.

La leçon que nous devrions tirer de la manière dont les pollueurs ont pris en otage le processus politique sur le réchauffement climatique, c'est que le militantisme de terrain est essentiel pour construire une base de soutien capable de surmonter l'opposition des lobbies. C'est à cela que doit s'atteler quiconque veut participer à résoudre la crise. Il est également important de souligner la responsabilité des lobbies propagandistes dans la persistance de leurs efforts à mettre en doute l'intégrité du processus scientifique dont nous dépendons tous. Enfin, les dirigeants des organes de communication doivent se montrer plus exigeants et protéger l'information des actions de corruption engagées par les gros lobbies pollueurs.

DES MANIFESTANTS DEVANT EXXONMOBIL,
LORS D'UNE RÉUNION D'ACTIONNAIRES, MAI 2006.

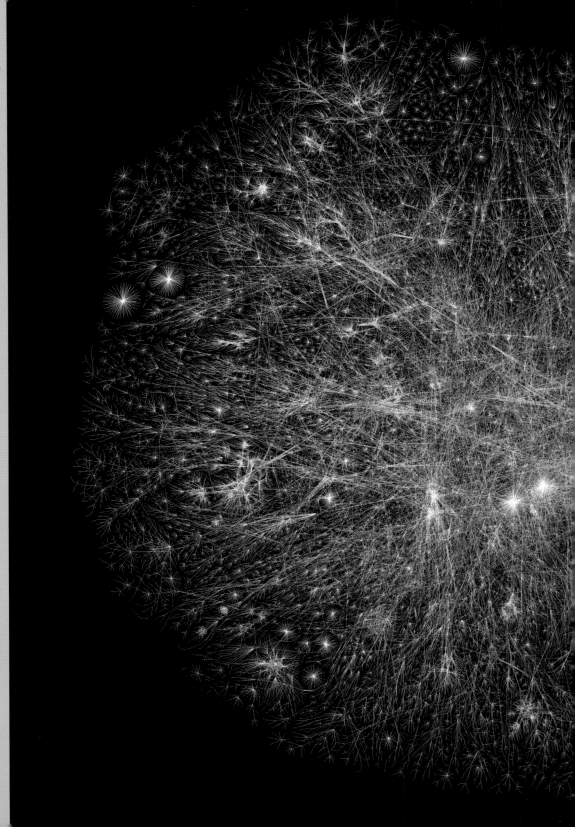

ALLER VITE ET LOIN

CHAPITRE DIX-SEPT

LE POUVOIR DE L'INFORMATION

INTERNET PERMET DE VISUALISER LES
LOCALISATIONS – ET LES CONNEXIONS –
DES MILLIONS DE RÉSEAUX QUI CONSTITUENT
L'INFRASTRUCTURE NUMÉRIQUE DE LA PLANÈTE.

L'invention de l'ordinateur moderne, du circuit intégré et de l'Internet au cours de la seconde moitié du XXe siècle est à l'origine d'une transformation profonde du rôle joué par les technologies de l'information (IT) dans la quasi-totalité des aspects de la civilisation humaine. Cette révolution de l'information et l'essor rapide de technologies de plus en plus puissantes dans ce domaine ont fait émerger des possibilités et des outils nouveaux pour résoudre la crise du climat.

La capacité des êtres humains à utiliser l'information pour élaborer une image mentale complexe du monde environnant est sans doute celle qui nous distingue des autres créatures vivantes. Nous faisons aujourd'hui face à un défi sans précédent. Il nous faut améliorer rapidement notre compréhension du système écologique de la Terre et notre place en son sein, et réfléchir à la meilleure manière de prendre appui sur les technologies de l'information pour :

▸ visualiser la véritable nature de la crise du climat ;
▸ modéliser l'impact de l'activité économique actuelle et future sur le climat ;
▸ évaluer les solutions potentielles ;
▸ repenser nos processus, technologies et systèmes en vue de réduire puis d'éliminer les pollutions responsables du réchauffement ;
▸ mobiliser un large soutien pour transformer la civilisation ;
▸ aider et soutenir les dirigeants dans leurs nouvelles politiques, lois, conventions ;
▸ contrôler notre avancée vers une solution.

La capacité à visualiser la véritable nature de la crise du climat est la première étape indispensable à une compréhension largement partagée de la tâche qui est devant nous.

Compte tenu du fonctionnement de notre cerveau, nous avons une capacité limitée à absorber des données de façon séquentielle. En termes informatiques, nous pourrions dire que nous avons un « faible taux de bit ». Au cours des années 1940, aux États-Unis, l'industrie du téléphone a choisi les sept nombres les plus faciles à mémoriser par tous (puis elle en a ajouté quatre). Mais un enfant de quelques semaines reconnaît des visages avec davantage d'exactitude que le plus puissant des ordinateurs. En termes informatiques, nous disposons d'une « haute résolution ». Heureusement, les ordinateurs modernes ont une capacité sans égale à intégrer d'importantes quantités de données dans des schémas visuels reconnaissables, qui permettent au cerveau humain de comprendre la signification de milliards de données simultanément.

Le visage de notre planète nous est connu depuis la première photographie qui en fut prise, le 24 décembre 1968, par l'astronaute Bill Anders, au cours de la mission Apollo 8 – la première à quitter l'orbite terrestre et à tourner autour de la

« LEVER DE TERRE », PHOTO PRISE LE
24 DÉCEMBRE 1968, DURANT LA MISSION APOLLO 8.

Lune. Cette fameuse image de notre globe apparaissant à l'horizon de la Lune, connue sous le titre « Lever de Terre », nous a fait comprendre, comme jamais auparavant, que nous vivions sur une petite sphère bleue, perdue dans l'immensité de l'espace obscur. La force de cette image a conduit à la création d'*Earth Day,* à l'adoption de lois écologiques, à la première conférence internationale sur l'écosphère et au mouvement écologique moderne. La dernière photographie de la Terre prise par une personne, d'assez loin pour qu'on la voie dans son entier, remonte à presque quarante ans, lors de l'ultime mission Apollo 17.

Imaginons ce que nous ressentirions si nous disposions, 24 heures sur 24, d'une image télévisée en couleurs de la Terre *tournant dans l'espace.* Imaginons que le satellite transportant cette

L'écart entre ces deux mesures correspondrait au calcul précis du réchauffement climatique. L'élévation de la température de l'atmosphère de la Terre n'est que l'indicateur indirect du problème sous-jacent, car une large part de l'énergie solaire est absorbée par les océans, mais n'est relâchée que lentement dans l'atmosphère. Les scientifiques étudiant le réchauffement climatique savent depuis longtemps que les informations les plus utiles à sa compréhension concernent l'écart entre la quantité d'énergie qui pénètre dans l'atmosphère terrestre et celle qui en sort.

Imaginons que le même satellite puisse calibrer et coordonner de multiples autres mesures, faites par des satellites se déplaçant rapidement en orbite basse autour de notre planète, et nous aider à intégrer toutes ces nouvelles données.

Imaginez que nous disposions, 24 heures sur 24, d'une image de télévision couleur de haute qualité de la Terre tournant sur elle-même dans l'espace.

caméra de télévision puisse parcourir 1,6 million de kilomètres, entre notre planète et le Soleil, afin que la face de la Terre soit éclairée *en permanence.* Imaginons que des scientifiques placent sur ce même satellite des instruments qui mesureraient, pour la première fois, la quantité précise d'énergie allant du Soleil vers la Terre et la compareraient, en temps réel, à la quantité d'énergie renvoyée dans l'espace par notre planète.

Il y a une dizaine d'années, aux États-Unis, la National Academy of Sciences affirmait que nous devions lancer un satellite de ce type en orbite autour du Soleil, à un point de l'espace nommé Lagrange 1 (L1), là où la gravité de la Terre et celle du Soleil sont en équilibre, de sorte que le satellite ainsi placé pourrait observer en toute stabilité la totalité de notre planète. Après publication de cette étude, le Congrès a voté un budget de

250 millions de dollars pour construire ce satellite et le lancer en 2001.

Durant la phase de construction, les experts de la National Oceanic and Atmospheric Administration (NOAA) ont décidé de remplacer un satellite plus ancien, déjà placé au point L1, qui alertait les ingénieurs des fortes éruptions solaires susceptibles de perturber les communications téléphoniques, la distribution d'électricité et d'autres équipements électroniques sensibles. Au point L1, la lumière d'une éruption solaire est visible 90 minutes avant que le plasma qui en émane ne touche la Terre. C'est suffisamment tôt

pour nous permettre de renforcer les équipements sensibles et ainsi d'éviter dommages et coupures coûteuses.

L'ancien satellite (nommé Advanced Composition Explorer) atteignait le stade de l'obsolescence. La NOAA voulait le remplacer par le satellite qui devait mesurer le réchauffement climatique et nous fournir une image couleur permanente de la Terre.

Aujourd'hui, nous ne disposons toujours pas d'image télévisée en direct de la Terre et le vieux satellite n'a pas été remplacé : quelques jours après son arrivée à la Maison Blanche, le 20 janvier 2001,

L'IMAGE DE LA TERRE VIA DSCOVR

Les satellites d'observation actuels de la Terre sont limités dans l'espace et dans le temps. Ainsi, les satellites terrestres en orbite basse (LEO) ne peuvent œuvrer qu'à certaines heures et ne prendre en haute résolution qu'une partie de la Terre (en bas à gauche). Le satellite DSCOVR, grâce à trois types d'instruments de mesure, est capable de combiner ses données à celles d'autres satellites pour transmettre, 24 heures sur 24, une image en haute résolution de toute la Terre, et montrer, pour la première fois, l'équilibre énergétique de la planète. L'image de synthèse, à droite, reconstitue les niveaux d'ozone du globe – une image qui serait réelle avec DSCOVR.

DONNÉES D'UN SATELLITE LEO
D'UNE PORTION DE LA TERRE À MIDI

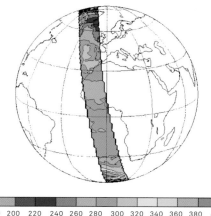

DONNÉES HAUTE RÉSOLUTION DE DSCOVR
DU LEVER AU COUCHER DU SOLEIL

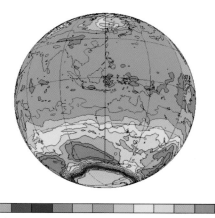

180 200 220 240 260 280 300 320 340 360 380 400

180 200 220 240 260 280 300 320 340 360 380 400

NIVEAU D'OZONE (unités Dobson)

TRIANA OU LE DEEP SPACE CLIMATE OBSERVATORY (DSCOVR)

En 1998, la NASA proposait de lancer le satellite Triana dans l'espace pour transmettre, 24 heures sur 24, des images à haute résolution de toute la Terre. Le projet a été approuvé par le Congrès en 2000 et le lancement prévu pour 2001. La résistance politique de l'administration Bush a immobilisé le satellite – rebaptisé DSCOVR (Deep Space Climate Observatory) en 2003 – au sol, alors qu'il avait déjà été payé par le contribuable.

Placé en un point unique – le point de Lagrange 1 (L1), où le satellite reste en permanence entre la Terre et le Soleil –, DSCOVR fournira, d'un pôle à l'autre, des images de la face éclairée de la Terre. Cela est impossible avec les satellites actuels, qui sont soit en orbite basse soit en orbite géosynchrone.

DSCOVR est équipé d'une caméra de télévision et de trois instruments : EPIC (Earth Polychromatic Imaging Camera), un spectroradiomètre à dix canaux fournissant des images en couleur ; un spectroradiomètre à trois canaux qui mesure l'albédo et l'ozone (entre autres) ; un magnétomètre plasma mesurant les champs magnétiques et le vent solaire. Les informations de ces trois appareils seraient combinées aux données des autres satellites pour fournir une image synoptique (de tout le globe en même temps) de la Terre. Cette ressource serait précieuse pour la mesure à distance et la modélisation climatique.

SOLEIL

150 MILLIONS KM

TERRE

L1

1,5 MILLION KM

SATELLITE DSCOVR
(TRIANA)

ORBITE DE DSCOVR

ORBITE DE LA TERRE

TERRE

SOLEIL

DSCOVR MAINTIENDRA UNE ORBITE CONSTANTE PAR RAPPORT À LA TERRE

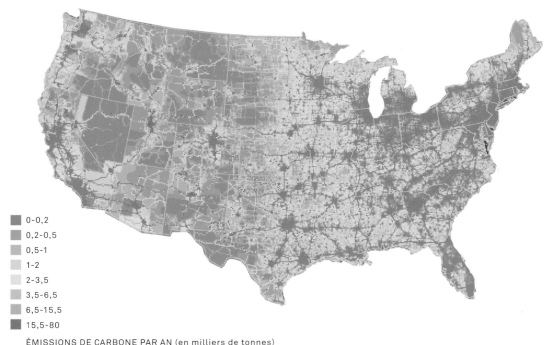

■	0-0,2
■	0,2-0,5
■	0,5-1
■	1-2
■	2-3,5
■	3,5-6,5
■	6,5-15,5
■	15,5-80

ÉMISSIONS DE CARBONE PAR AN (en milliers de tonnes)

UNE IMAGE NOUVELLE DE NOS ÉMISSIONS DE CO₂

Le projet Vulcain offre une image nouvelle des émissions de CO₂, permettant aux chercheurs de visualiser en haute résolution des émissions précises de carbone à tel ou tel endroit. Le projet devrait couvrir l'ensemble de la planète.

l'administration Bush-Cheney a annulé le lancement du nouveau satellite et contraint la NASA à le mettre au placard. Neuf ans plus tard, il y attend encore son lancement. Le vieux satellite d'alerte peut donc s'arrêter de fonctionner d'un moment à l'autre – il a déjà vécu deux années de plus que prévu.

L'un est déjà mort, un autre tombe en panne en pleine éruption solaire, quand on en a le plus besoin. Plusieurs industries mondiales courent le risque de lourdes pertes à cause de ces éruptions.

Le président Obama et le Congrès ont annoncé qu'ils étaient favorables au lancement du satellite, initialement baptisé Triana (d'après Rodrigo de

Triana, la vigie de Christophe Colomb, qui fut le premier à voir le Nouveau Monde, le 12 octobre 1492). Des experts qui espéraient que l'administration Bush s'approprierait le projet en avaient changé le nom en DSCOVR (Deep Space Climate Observatory). Des opposants siégeant au Congrès et au sein de la NASA, désireux d'utiliser le budget à d'autres fins, ont empêché jusqu'à présent le président et le Congrès de relancer le projet.

Pourtant, le satellite a été construit, aux frais du contribuable, et tous ses appareils fonctionnent. L'équipe scientifique réunie il y a une dizaine d'années, avant l'annulation du lancement par Bush, est demeurée en place, bénévolement, sous la direction éclairée de Francisco Valero, de la Scripps Institution of Oceanography. Comme la NASA le dirait, tous les systèmes sont « OK » – hormis le système politique. Les opposants à toute action contre la crise du climat participent au blocage du lancement, en partie parce qu'ils savent combien cette image en temps réel de la Terre, tournant dans le ciel sur les écrans de télévision et d'ordinateur du monde entier, constituerait un formidable soutien à cette action.

foyer), il est possible de créer une carte thermique des bâtiments et de voir où se situent les plus efficients d'entre eux. Nous pourrions citer des milliers d'exemples similaires.

La capacité de nos ordinateurs à intégrer, traiter et proposer des ensembles de données complexes est en train de modifier notre compréhension de phénomènes que nous n'aurions jamais pu espérer saisir par le passé. Parmi les milliards de données existantes, les ordinateurs les plus

Il y a bien plus d'informations sur la Terre tenues secrètes que n'en découvrent publiquement les scientifiques.

Bien sûr, les ordinateurs nous aident à visualiser certains aspects de celle-ci, même en l'absence d'un satellite en orbite au point L1. Google Earth, par exemple, organise des quantités considérables de données géospatiales afin que tout internaute puisse accéder à des informations précises en matière de géographie, de botanique, de zoologie, de réseau routier, de population, d'industrie, d'agriculture et d'autres faits se produisant à la surface de la Terre.

Un nouveau projet, baptisé Vulcain (le dieu romain du feu) et développé par une équipe de chercheurs sous la direction de Kevin Gurney, de la Purdue University, permet désormais de visualiser les quantités de CO_2 émises d'Amérique du Nord – et bientôt de l'ensemble du monde. Grâce à un autre outil informatique développé par cette même équipe, nommé Hestia (la déesse grecque du

puissants sont en mesure de retenir les plus pertinentes quant aux questions que nous nous posons. Ils peuvent les agencer selon des schémas plus accessibles à nos cerveaux que d'infinies séries d'informations assemblées de façon séquentielle. Ils peuvent, artificiellement, altérer l'échelle et la vitesse de rotation du globe pour mettre à la taille adéquate des images trop petites ou trop grandes pour être comprises. Il est possible, pour pouvoir les observer, d'accélérer des processus extrêmement lents et de ralentir à des fins d'analyse des processus d'une vitesse astronomique.

Les superordinateurs servent à développer de nouveaux concepts pour les technologies en énergies renouvelables et des équipements à haute efficience. Ainsi, la biologie computationnelle (c'est-à-dire assistée par ordinateur) est essentielle à l'exploration de nouvelles enzymes,

En juillet 2009, les États-Unis ont publié plus de 1 000 photos satellites de l'Arctique, auparavant secrètes, par le biais du programme MEDEA. Ces nouvelles images, qui ont une résolution d'environ 1 mètre – soit quinze fois plus précise que les anciennes images –, constituent une précieuse source d'information pour les chercheurs sur le climat. Ces deux images satellites révèlent l'évolution rapide de la banquise près de Point Barrow, entre juillet 2006 (à gauche) et juillet 2007 (à droite).

utiles pour traiter la cellulose, de diodes lumineuses plus efficientes, d'appareils réfrigérants à l'état solide, d'algues et d'autres organismes destinés à produire des biocarburants, de nouvelles générations de cellules photovoltaïques et de fibres optiques, etc.

Les plus puissantes de ces machines ont permis qu'émerge une forme totalement nouvelle de création de savoir. Outre le raisonnement déductif (formuler une théorie et la tester pour voir si elle s'adapte au monde réel) et le raisonnement inductif (recueillir des faits empiriques et tenter de les intégrer dans une explication plus large), une nouvelle approche mélange désormais les deux premières. La science computationnelle peut créer des réalités simulées – ou «modèles» – au sein desquelles sont réalisées des expériences. Si certains scientifiques soulignent qu'elle est parfois conduite sans respecter les exigences de rigueur de la méthode scientifique traditionnelle,

la puissance de ce nouvel outil de connaissances est impressionnante.

La Central Intelligence Agency (CIA), quand elle était dirigée par Robert Gates (actuel secrétaire à la Défense) sous la présidence de Bush, a approuvé un plan baptisé MEDEA qui permet aux scientifiques environnementaux d'avoir accès à des informations secrètes relatives à l'environnement, recueillies par des satellites espions et d'autres systèmes gérés par les milieux du renseignement. Ces informations, destinées à mieux comprendre la crise du climat, ont d'autant plus d'intérêt qu'elles sont très abondantes : il y a bien davantage d'informations tenues secrètes que n'en découvrent publiquement les scientifiques.

MEDEA a révolutionné les connaissances scientifiques dans de nombreux domaines. On lui doit les premières mesures de la calotte glaciaire du pôle Nord. En accédant à cette source secrète d'information, les scientifiques spécialistes de l'environnement se sont trouvés submergés par le volume de données que cela représentait. Ainsi, lorsque les scientifiques étudiant les baleines ont pu avoir accès aux enregistrements des microphones placés secrètement au fond de l'océan Atlantique pour surveiller les sous-marins de l'ex-Union soviétique, ils ont recueilli plus de données acoustiques sur les baleines bleues en un seul jour qu'il n'en avait été jusque-là publié dans la littérature scientifique. L'un d'entre eux, Chris Clark, qualifie ce système de «télescope Hubble acoustique».

L'administration Bush-Cheney avait également annulé ce programme, mais Obama lui a redonné vie, sous la houlette du nouveau directeur de la CIA, Leon Panetta, et de la présidente du Comité du renseignement du Sénat, Dianne Feinstein.

Les extraordinaires informations recueillies et traitées par le programme MEDEA seront d'un immense intérêt pour contrôler et vérifier l'application de l'accord mondial sur le climat. Des informations que l'on jugeait naguère impossibles à collecter – ainsi de données sur la couverture forestière ou sur le contenu en carbone des sols de la planète, et de leurs variations ici et là – peuvent désormais être recueillies au moyen d'une combinaison de nouveaux capteurs d'information et de transmetteurs automatiques de données, liés à des systèmes satellites.

Les ordinateurs sont également capables de donner un sens à des flux de données souvent présentés d'une manière qui obscurcit toute compréhension. Ainsi, Google PowerMeter permet aux particuliers et aux entreprises de voir leur consommation électrique en temps réel. Avec les compteurs intelligents branchés sur le réseau de distribution, il sera possible de vérifier l'électricité consommée par chaque appareil : la télévision, le chauffe-eau, les lampes, etc. De nombreux projets et applications similaires sont en développement. Chacun promet de valider le vieux dicton : «On ne contrôle que ce que l'on mesure.»

Mais l'application informatique la plus intéressante pour la réduction de la pollution responsable du réchauffement viendra sans doute de

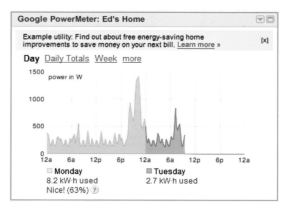

Les nouveaux compteurs intelligents, aux États-Unis ou ailleurs, indiquent le niveau de consommation d'énergie en temps réel. Quant à Google PowerMeter (à droite), il permet aux consommateurs de mesurer celle-ci. Un moyen qui devrait, selon les scientifiques, contribuer à réduire la consommation.

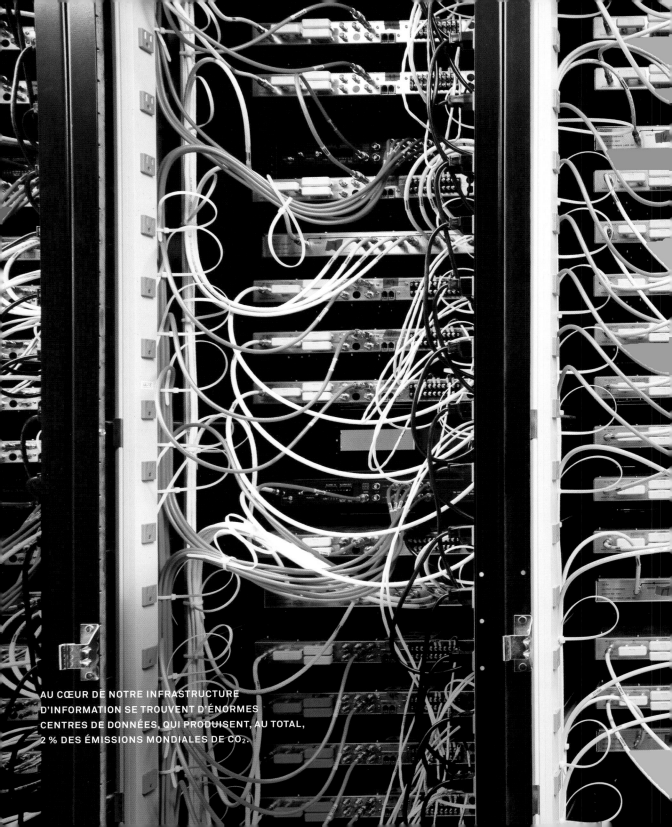

AU CŒUR DE NOTRE INFRASTRUCTURE
D'INFORMATION SE TROUVENT D'ÉNORMES
CENTRES DE DONNÉES, QUI PRODUISENT, AU TOTAL,
2 % DES ÉMISSIONS MONDIALES DE CO_2.

l'utilisation de semi-conducteurs et de « systèmes embarqués » dans tous les aspects des processus industriels, afin d'éliminer les gaspillages en optimisant l'efficience énergétique. Ainsi, les moteurs industriels de toute taille fonctionnent souvent à un même rythme, alors que leur charge de travail, elle, fluctue. En adaptant en permanence et en temps réel le nombre de tours/minute des moteurs à leur charge de travail, ces appareils permettront d'importantes économies d'énergie. Les interactions entre les pompes industrielles et les systèmes de tuyauterie qui leur sont associés peuvent aussi être gérées et optimisées automatiquement par des capteurs.

L'automatisation des processus industriels n'est, bien sûr, pas nouvelle. La première mise en œuvre de machines contrôlées par ordinateur remonte aux années 1950 ; on les programmait alors à l'aide de minces bandes de papier, à la perforation savante. En 1962, le MIT annonçait un progrès considérable dans la technologie appelée Automatically Programmed Tools (APT). L'APT – un « langage de programmation et de contrôle numérique universel » – augmentait la souplesse de programmation et resserrait le lien entre les différentes machines et étapes du processus industriel. Le développement des logiciels de CAO/FAO (conception assistée par ordinateur, fabrication assistée par ordinateur) a permis d'interconnecter les programmes servant à la conception des produits avec les ordinateurs qui contrôlaient les machines fabriquant ces mêmes produits. La grande majorité des machines-outils actuelles incorporent une version ou une autre d'intégration sans fil entre conception et fabrication.

À mesure que les logiciels deviennent plus sophistiqués, les leaders sur le marché intègrent l'efficience énergétique dans la technologie informatique utilisée. Dans certains domaines, le volume du flux d'informations sur Internet entre les machines et les systèmes embarqués excède de loin le flux d'informations entre êtres humains.

Peu à peu, le recours aux technologies de l'information en vue d'éliminer les usages inefficients de l'énergie et les émissions polluantes inutiles se diffuse dans les processus industriels pour la gestion de la chaîne d'approvisionnement et de livraison des produits. Ainsi, aux États-Unis, il y a deux ans, le transport par camion incluait environ 25 % de trajets à vide. Grâce à l'informatique, certaines entreprises coordonnent désormais les mouvements de leur flotte afin de tirer parti des capacités de livraison disponibles, de maximiser l'efficience et de réduire les coûts et les émissions de CO_2 de façon coopérative. UPS a diminué les coûts en carburant de ses camions de livraison en reconfigurant les trajets pour limiter au maximum la perte de temps, comme, par exemple, l'attente aux feux rouges.

De même, grâce aux capteurs lumineux automatiques mesurant en temps réel l'éclairage naturel, il est possible d'adapter l'usage des lampes électriques pour économiser l'énergie aux heures où elles n'ont pas besoin de toute leur puissance. Les systèmes de chauffage, de ventilation et de climatisation peuvent être branchés à des capteurs peu coûteux afin de maximiser les flux d'air entrant par les fenêtres, qui s'ouvriront aux heures les plus appropriées pour un emploi efficient de l'aération naturelle. Les capteurs sont aussi à même d'alerter de fuites dans l'isolation ou la tuyauterie, cachées derrière les murs.

Les entreprises qui repensent la totalité de leurs processus intégrés par le biais d'analyses informatiques font des économies encore plus importantes. La conception « tout système » conduit souvent à des progrès remarquables, qui permettent d'éliminer la pollution et le gaspillage

DE NOMBREUX PÉAGES ROUTIERS ONT ADOPTÉ DES SYSTÈMES D'IDENTIFICATION PAR FRÉQUENCE RADIO, QUI PERMETTENT AUX AUTOMOBILISTES DE PAYER AUTOMATIQUEMENT. DIMINUER LE TRAFIC ET LES EMBOUTEILLAGES RÉDUIT LES TRAJETS, LA CONSOMMATION D'ESSENCE ET LES ÉMISSIONS DE CO_2.

d'énergie ou de temps inutile. Mon exemple favori concerne la direction de Northern Telecom. À la fin des années 1980, cette entreprise a décidé d'être la première à supprimer l'emploi des chloro-fluorocarbones (CFC). En tant qu'entreprise canadienne, Northern Telecom voulait réagir au Protocole de Montréal de 1987, qui prévoyait l'interdiction à terme de ces substances chimiques. Or, elle utilisait des solvants au CFC-113 pour nettoyer ses circuits imprimés. Ses ingénieurs et ses chercheurs se sont donc mis en quête de substituts adaptés. N'en trouvant aucun qui répondît à leurs exigences, un de leurs ingénieurs a finalement reposé la question : « D'abord, comment ces circuits imprimés deviennent-ils sales ? »

Ce virage conceptuel a conduit à repenser l'ensemble du processus afin de ne plus exposer les circuits imprimés nouvellement fabriqués aux produits contaminants, en éliminant ceux-ci de la fin du processus. Cela permit de fabriquer des circuits imprimés moins coûteux, tout en supprimant les produits chimiques responsables des dégâts infligés à la couche d'ozone stratosphérique et du réchauffement climatique. Northern Telecom est allé encore plus loin en partageant sa découverte avec le reste de l'industrie, accélérant l'abandon de ces produits chimiques y compris chez ses concurrents.

L'entreprise a précédé de neuf ans le délai donné par le Protocole de Montréal pour l'interdiction des CFC. Le milliard de dollars investi dans ce nouveau processus lui en a rapporté quatre les trois premières années. Et les profits supplémentaires ont perduré au fil des ans, en vertu des économies de fabrication inhérentes à la suppression d'une phase coûteuse de l'ancien processus. J'ai pu en outre constater la fierté des employés de Northern Telecom, qui avaient participé ensemble à un processus ne se limitant pas à accroître les profits – et la joie éprouvée quand cet engagement et le rôle pionnier joué pour toute l'industrie se sont traduits par une hausse de leurs bénéfices.

De nouveaux fournisseurs de services apparaissent aujourd'hui, qui offrent des logiciels permettant de repenser les processus industriels afin d'économiser de l'argent et de diminuer les émissions nocives. L'un d'entre eux, Hara, a recours à la métaphore du « métabolisme organisationnel », qui comprend une analyse « tout système » de la manière dont l'énergie requise et les émissions peuvent être minimisées grâce à une meilleure efficience des processus de fabrication : matières premières, énergie et main-d'œuvre sont « métabolisées » au sein de l'entreprise en produits, services, déchets, salaires et profits.

Dans bien des cas, la redéfinition des systèmes, des processus et des produits conduit à la réduction de la consommation de matières premières, auxquelles est substituée de l'innovation. Aux États-Unis en particulier, le dernier demi-siècle a vu tripler la valeur totale des produits manufacturés et commercialisés – sans élévation du tonnage total. Cet effet, baptisé « dématérialisation », est notamment dû à la part de plus en plus grande prise par l'information dans ce qui est vendu ; il est également dû, en proportion non négligeable, à une redéfinition efficiente des produits vers une amélioration qualitative tout en réduisant la quantité de matière physique nécessaire à leur fabrication.

Les sociétés informatiques, alors même qu'elles commencent à fournir aux autres industries et services de nouveaux outils pour résoudre la crise du climat, ont leurs propres pollutions. Aujourd'hui, les émissions du secteur informatique, principalement de CO_2, représentent environ 2 % des émissions mondiales. Un chiffre qui devrait doubler au cours des dix prochaines années. Aussi les leaders de cette industrie prennent-ils des mesures pour redéfinir leurs systèmes afin de les rendre à la fois plus efficients et moins polluants.

Les centres de données, par exemple, consomment énormément d'électricité. L'augmentation extrêmement rapide du nombre des serveurs connectés à Internet a provoqué de sérieuses inefficiences auxquelles de nombreuses entreprises réagissent désormais systématiquement. Les ordinateurs, les imprimantes et autres appareils et équipements liés sont actuellement passés au crible : il s'agit de réduire les coûts de l'énergie et les émissions. L'essor des transmissions en ligne, en particulier de la vidéo, et les nouvelles exigences en matière de stockage et de récupération des données s'ajoutent à d'autres facteurs pour accélérer encore la croissance des centres de données et des équipements qu'ils utilisent. Ainsi, le nombre de serveurs aux États-Unis a triplé en dix ans. En augmentant le matériel efficient, en consolidant et en rationalisant les actifs, en ayant davantage recours aux « serveurs virtuels » et en optimisant la consommation d'électricité et les normes de refroidissement, l'industrie des nouvelles technologies commence à prendre sa part de responsabilité dans la lutte contre le réchauffement.

Le fait de réduire les émissions de polluants au moyen de technologies de l'information de plus en plus sophistiquées devrait renforcer la prise en considération des inefficiences résultant de lois et de réglementations obsolètes. Ainsi, selon le cadre réglementaire fédéral en vigueur en matière de production et de distribution de lait, il est aujourd'hui plus rentable de transporter le lait et les produits laitiers sur des milliers de kilomètres jusqu'aux distributeurs que de les vendre dans leurs régions d'origine. Ce schéma absurde, coûteux et inefficient ne persiste qu'en vertu d'un cadre réglementaire propice au gaspillage.

Dans d'autres branches de la production agricole, la combinaison de capteurs au sol et de systèmes satellites permet aux agriculteurs d'adopter des approches beaucoup plus efficientes : l'« agriculture de précision » optimise les mélanges d'engrais et leur application en fonction des divers types de sol d'un seul et même champ.

Plusieurs entreprises qui commencent à analyser et à réduire leurs émissions de CO_2 découvrent que les déplacements de leurs employés, soit domicile-travail, soit pour des réunions, constituent une de leurs plus importantes sources d'émissions. Il en résulte un essor du travail à domicile et le développement d'outils plus sophistiqués, comme « TelePresence », de la société Cisco, qui simule à la perfection des conversations en face à face, comme dans une réunion.

Globalement, les coûts de transport sont aussi en voie d'être réduits dans certaines villes grâce à des systèmes électroniques qui éliminent les queues aux péages, à des signalisations routières qui réduisent les embouteillages et à une répartition plus efficace du trafic. De même, le recours croissant à l'identification par fréquence radio (RFID) pour les produits transitant par la chaîne de distribution de gros et de détail optimise la gestion des inventaires.

Les défenseurs de la vie privée s'inquiètent de l'usage qui pourrait être fait des techniques permettant de retracer en temps réel les trajets d'individus lambda. La diffusion accrue de ces techniques dans l'ensemble du système économique mérite à cet égard un examen constant.

L'importance des nouvelles technologies dans les sociétés actuelles souligne en outre la nécessité d'un égal accès aux ordinateurs et aux autres outils d'information pour les particuliers disposant de faibles revenus. Tout comme le téléphone, d'abord considéré comme optionnel, puis devenu essentiel pour une pleine intégration dans la société moderne, l'ordinateur est aujourd'hui près de devenir indispensable.

L'usage croissant des technologies de l'information dans tous les secteurs de l'économie produit des perdants et des gagnants. Les modèles économiques plus anciens, créés dans un environnement informationnel différent, ne sont plus compétitifs. Journaux et magazines, par exemple, luttent dans le monde entier contre les formes numériques de communication, toujours plus efficaces. La révolution de l'information se poursuit, entraînant des transformations révolutionnaires dans de nombreux domaines économiques.

L'exemple de la presse écrite illustre les risques qui accompagnent les bénéfices de ces transformations. Avant de se trouver confrontés à la concurrence électronique, les journaux avaient les moyens d'employer des journalistes expérimentés, qui prenaient le temps d'enquêter, d'analyser et de rendre compte de sujets complexes. Cela permettait de communiquer au public des informations intéressantes sur les activités des gouvernements et le fonctionnement des diverses institutions.

Lors des premières années du développement du journalisme en ligne, la presse écrite continuait à produire les meilleurs articles. Avec l'hémorragie des revenus de la presse, nul ne sait si le journalisme électronique trouvera un nouveau modèle suffisamment profitable pour construire un cadre

Hurricane Katrina
August 29, 2005

Photo: NOAA

LES LOGICIELS DE PRÉSENTATION NUMÉRIQUE
ONT AMÉLIORÉ MA PRÉSENTATION DE LA CRISE
DU CLIMAT ET M'ONT PERMIS DE LA METTRE
PLUS FACILEMENT À JOUR.

comparable de journalisme d'investigation – avec ce que cela suppose de temps et de moyens – qui se substituerait à la presse écrite. Current TV, un réseau d'information par câble et satellite que j'ai créé avec Joel Hyatt, en 2002, en même temps que son *alter ego* en ligne, Current.com, consacre des moyens considérables au journalisme d'investigation. Notre équipe, baptisée Vanguard, parcourt le monde entier pour enquêter en profondeur, et ces reportages sont diffusés électroniquement sur Current TV et Current.com.

Même si le journalisme d'investigation reste rare dans le nouvel environnement médiatique, grâce aux technologies de l'information basées sur Internet, les gens peuvent se connecter entre eux, ainsi qu'à des portails d'information dédiés aux problèmes sociétaux qui les intéressent. Mais les solutions à la crise du climat nécessiteront un engagement bien plus large du public dans le processus politique, que seuls les réseaux sociaux en ligne – et autres outils Internet – rendent possible.

Parallèlement à la publication de ce livre, par exemple, est mis en ligne un site Web, ourchoicethebook.com, qui comprend « Solutions Wiki », un forum destiné à l'amélioration permanente des solutions proposées dans ces pages. Nombre d'experts ont participé aux « Sommets sur les solutions », qui m'ont été fort utiles pour identifier les meilleurs moyens de résoudre la crise du climat. Ils ont aussi accepté d'aider à modérer les discussions sur les idées, les technologies, les innovations et les processus nouveaux permettant d'accélérer la réduction de la pollution dans le monde, la séquestration des polluants présents dans l'atmosphère et la redéfinition des systèmes et des processus. Le but ultime étant d'aboutir au plus vite à une civilisation émettant moins de carbone.

Les outils liés à Internet sont aussi prometteurs quant au renouvellement de la gouvernance démocratique et à la mobilisation sur le terrain de tous ceux qui veulent participer à résoudre la crise du climat. À titre personnel, je me souviens que le passage des diapositives à une présentation informatique a totalement modifié l'impact de mon film. Il m'a été bien plus facile d'y intégrer de nouvelles images et les découvertes scientifiques les plus récentes, ce qui m'a fait considérablement gagner en qualité et en efficacité.

J'ai formé plus de 3 000 personnes, dans des douzaines de pays, à faire des présentations sur ordinateur parfaitement au point sur le sujet. Le Climate Project, dirigé par Jenny Clad, reste en contact permanent avec ces animateurs grâce à Internet, et peut partager régulièrement de nouvelles images, accompagnées des explications et des graphiques appropriés.

L'Alliance for Climate Protection, dirigée par Maggie Fox, entretient un contact hebdomadaire sur Internet avec plus d'1,2 million de membres. Le but est de diffuser une information de qualité sur le développement de cette crise et sur les mesures à prendre, afin de convaincre les décideurs politiques à adopter ces solutions.

Paul Hawken, auteur de *Blessed Unrest*, montre que plus de « 1 – et peut-être 2 – million d'organisations travaillant sur la durabilité écologique et la justice sociale », et qui veulent réagir aux multiples défis auxquels doit faire face l'écosystème terrestre, ont déjà créé à travers le monde « le mouvement social le plus important de l'histoire humaine ». Il est difficile d'imaginer que cela aurait été possible sans les outils basés sur Internet, dont dépendent la plupart de ces groupes.

Parfois, l'information peut, à elle seule, provoquer le changement, malgré l'absence de lois et de réglementations. Ainsi, l'obligation relativement nouvelle de faire figurer une information nutritionnelle sur les étiquettes des produits alimentaires (aux États-Unis et dans d'autres pays) incite l'industrie alimentaire à améliorer le contenu de ses produits et à éliminer les ingrédients malsains, comme certaines graisses.

De même, quand les États-Unis ont adopté une législation exigeant la révélation des polluants toxiques émis dans l'air par les installations industrielles, la presse et les médias électroniques de chaque ville américaine ont commencé à dresser une liste des polluants les plus dangereux. La pression publique inhérente à cette révélation a conduit beaucoup d'entreprises à opérer des changements afin que leurs produits soient retirés de la liste. Les émissions toxiques ont ainsi fortement baissé. L'information, une fois connue du public, suscite des réactions mais, pour retenir l'attention, elle doit faire l'objet d'une large diffusion.

Les mêmes principes s'appliquent à l'information sur les gaspillages d'énergie dans les foyers et les entreprises. Lorsque la Californie a modifié ses lois pour inciter les usines à réduire leur consommation d'énergie (en leur permettant de partager avec leurs clients les économies réalisées), Southern California Edison a diffusé auprès de ses clients un outil d'information simple mais convaincant : un globe en verre Ambient Devices, qui change de couleur en fonction de l'électricité consommée, le rouge indiquant une consommation très élevée. C'est un moyen efficace d'informer les consommateurs et de leur signaler qu'ils

LA CONSOMMATION D'ÉNERGIE EN TEMPS RÉEL

Il existe plusieurs types d'instruments et moyens de mesurer la consommation d'énergie en temps réel, dont Ambient Orb (à gauche) et les « compteurs intelligents », plus riches en informations. Tous ces appareils changent de couleur pour que le consommateur puisse identifier les opportunités d'économies d'énergie.

Les experts estiment qu'en matière d'énergie, voir sa consommation, c'est la réduire. Ce concept pourra bientôt s'appliquer à nos habitations, sous la forme du contrôle énergétique en temps réel.

Avec PowerMeter, de Google (un projet encore à l'état du test bêta), les clients ayant des compteurs intelligents pourront voir leurs pics de consommation d'électricité, ce qui leur permettra d'ajuster leurs habitudes. Cela se fera par le Web : il suffira d'éteindre une lampe pour voir aussitôt la consommation d'énergie baisser. Microsoft et d'autres entreprises testent des programmes en ligne similaires.

Les compteurs intelligents – du modèle portable (ci-dessus) aux outils Internet, en passant par les compteurs muraux – sont également en développement rapide. Affichant la consommation d'électricité et de gaz en temps réel, ces appareils seront obligatoires au Royaume-Uni d'ici 2020.

Ambient Orb offre un retour similaire, mais avec encore plus de visibilité : le globe de bureau change de couleur en fonction de ce qu'il contrôle. Conçu d'abord pour réagir à des indices boursiers, l'appareil a été modifié par un cadre de Southern California Edison (SCE) pour réagir à la consommation d'électricité. Il en a ensuite été distribué cent vingt à des clients d'Edison : le changement de couleur leur indiquant leur niveau de consommation d'électricité, ils ont rapidement diminué de 40 % leurs périodes de pic de consommation. SCE estime qu'en installant des appareils de ce type, ses clients réduiront leurs émissions de gaz à effet de serre d'au moins 365 000 tonnes métriques par an.

À l'image de l'« effet Prius » – le fait de lever le pied en voiture quand on voit sa consommation d'essence augmenter –, les compteurs intelligents relient comportement et consommation. Les essais en cours révèlent que s'exerce en outre un effet prix. Alors que les clients d'un compteur intelligent pilote en Californie ont réduit leur consommation de 5 %, des tests similaires en Irlande attestent d'une baisse de 12 %.

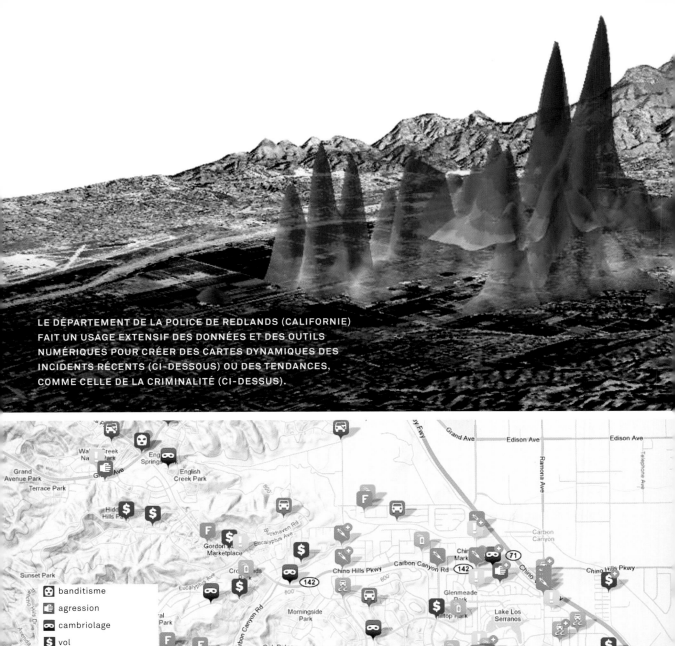

LE DÉPARTEMENT DE LA POLICE DE REDLANDS (CALIFORNIE)
FAIT UN USAGE EXTENSIF DES DONNÉES ET DES OUTILS
NUMÉRIQUES POUR CRÉER DES CARTES DYNAMIQUES DES
INCIDENTS RÉCENTS (CI-DESSOUS) OU DES TENDANCES,
COMME CELLE DE LA CRIMINALITÉ (CI-DESSUS).

banditisme

agression

cambriolage

vol

fraude

trouble à l'ordre public

homicide

vandalisme

conduite en
état d'ivresse

infraction aux lois sur
les stupéfiants et l'alcool

vol de voiture

peuvent économiser de l'argent à condition de modifier leur comportement.

Enfin, les technologies de l'information peuvent être utilisées de manière inventive pour aider les décideurs – au sein des gouvernements, des entreprises, des associations, etc. – à mettre en œuvre ces solutions. Quand j'étais vice-président, j'ai lancé l'opération « Réinventer le gouvernement », qui visait à redéfinir les ministères, les agences et les instances du gouvernement fédéral pour les rendre plus efficients. J'ai beaucoup appris des innovateurs issus du secteur privé, ou des collectivités locales et fédérales, qui ont réussi dans ce domaine.

L'un des projets locaux qui m'a le plus impressionné est dû à un ancien agent de la circulation de New York, Jack Maple. Celui-ci a découvert l'intérêt d'utiliser des statistiques numérisées lors de réunions de groupe, offrant aux preneurs de décision la possibilité de visualiser les réalités révélées par les chiffres. Les données sont organisées géographiquement, secteur par secteur, et montrées sur un grand écran visible simultanément par tous ceux qui ont la responsabilité de mettre en œuvre des solutions aux problèmes identifiés. Quand William Bratton a été nommé à la tête de la police de New York, il a institutionnalisé cette approche et ainsi réduit notablement le taux de criminalité dans presque chaque catégorie évoquée. Depuis lors, plusieurs autres villes ont adopté cette approche – appelée CompStat.

Jim Bueermann, chef de la police de Redlands (Californie), en a développé désormais l'un des systèmes les plus avancés : la technique CompStat lui sert à renforcer les services logement, loisirs et retraites de son département de police, et il a enrichi le processus de travaux sociologiques afin de rendre la ville plus sûre pour les enfants, les personnes âgées et les familles. « Il nous faut comprendre la nature des facteurs de risque, les localiser, et éviter les problèmes entre communautés. Nous sommes payés pour arrêter les criminels, mais notre valeur ajoutée vient des actions de long terme que nous menons pour rendre les quartiers plus sûrs », explique Bueermann. Et d'ajouter : « Localiser le risque et les facteurs protecteurs nous a permis de consacrer l'argent des impôts, et les ressources de nos partenaires dans les quartiers, aux lieux concentrant le plus de risques et où l'on peut investir efficacement dans la sécurité publique et la prévention. »

Je crois que c'est l'un des meilleurs exemples de la manière dont les technologies de l'information, utilisées à bon escient, aident les décideurs à résoudre la crise du climat.

Chefs d'État, responsables régionaux et maires peuvent tirer parti du développement des statistiques numérisées sur l'ensemble des défis majeurs auxquels nous devons faire face, les intégrer, les rendre publiques lors des réunions où sont présents les actionnaires, et leur montrer ainsi ce qui fonctionne réellement ou non. La tâche à laquelle sont confrontés les décideurs dans l'effort historique pour résoudre la crise du climat nécessite de recourir de façon innovante à tous les nouveaux outils disponibles.

ALLER VITE ET LOIN

CHAPITRE DIX-HUIT

CHOISIR, MAINTENANT

DEUX RIVIÈRES CONVERGENT,
EN PLEINE JUNGLE COSTARICAINE.

Il nous est possible, grâce à notre imagination, de nous faire
une idée du futur à partir des choix que nous faisons aujourd'hui, avant que
celui-ci se matérialise dans la vie de ceux qui vivront les conséquences
de notre action – et de notre inaction – présente.

Dans quelques années, une nouvelle génération nous regardera, à cette heure
du choix, et se posera l'une ou l'autre de ces questions. Soit : « À quoi pensiez-
vous ? N'avez-vous pas vu la calotte polaire fondre sous vos yeux ? N'avez-vous
pas entendu les avertissements des scientifiques ? Étiez-vous distraits ? »
Soit : « Où avez-vous trouvé le courage moral de réagir et les solutions
à une crise dont beaucoup disaient qu'elle était impossible à résoudre ? »

Il nous appartient de choisir à laquelle de ces questions nous aimerions
répondre et de donner notre réponse – non par des mots mais par des actes.

La réponse à la première question – à quoi pensiez-vous ? – est presque trop pénible à écrire :

« Nous n'étions pas d'accord entre nous. Nous ne voulions pas croire que cela arrivait vraiment. Nous avons attendu trop longtemps. Nous ne pouvions pas imaginer que des êtres humains provoqueraient de tels changements planétaires. Nous ne comprenions pas que cela irait si vite aussi mal.

« Nous avons fini par perdre confiance dans notre capacité à raisonner ensemble sur la base des preuves que nous apportaient les plus grands scientifiques. Même quand les faits se sont avérés, il nous a été impossible de nous libérer de la paralysie politique créée par ceux qui étaient convaincus que nous ne devions rien faire.

« Changer, après tout, est difficile. Essayez de comprendre qu'il est pratiquement impossible d'entreprendre de réels changements à l'échelle mondiale.

« Tant d'autres problèmes réclamaient notre attention. Nous n'avons pas compris que les solutions à ces problèmes étaient liées aux changements mêmes que nous aurions dû faire pour sauver l'intégrité de l'écosystème terrestre. C'est une mince consolation, mais nous avons essayé. Nous sommes désolés. »

La seconde question – comment avez-vous fait pour résoudre la crise ? – est celle à laquelle j'aimerais personnellement apporter la réponse suivante :

« Le tournant s'est produit en 2009. L'année avait bien commencé, avec l'élection d'un nouveau président des États-Unis qui a immédiatement changé de priorités, afin de bâtir une société économe en carbone. La résistance à ces changements – en particulier de la part des firmes qui gagnaient beaucoup d'argent en produisant, vendant et consommant du charbon, du pétrole et du gaz – était féroce. Par moments, j'ai redouté que nous ne soyons pas capables de faire autant si vite.

« Nos débats publics ont longtemps été confus. Notre culture politique était pervertie par le fait

LE PRÉSIDENT OBAMA, EN MAI 2009,
SUR LA BASE DE NELLIS AIR FORCE, ÉVOQUE
LES NOUVELLES TECHNOLOGIES DE L'ÉNERGIE,
PILIER DE NOTRE FUTURE ÉCONOMIE.

Nous avons été agréablement surpris de constater que tant de changements soient si peu coûteux et si profitables.

BUTTES ET FENÊTRES SUR LE TOIT VÉGÉTAL DE LA CALIFORNIA ACADEMY OF SCIENCES, À SAN FRANCISCO, LE PREMIER MUSÉE CERTIFIÉ LEED PLATINUM.

que seuls ceux ayant beaucoup d'argent pouvaient présenter leur point de vue à la télévision, alors encore le principal média de communication – Internet en était à ses débuts. Les défenseurs de l'intérêt général – et de votre avenir – étaient en mauvaise posture.

« Mais la vérité sur l'urgence planétaire a pris corps. Les preuves présentées par les scientifiques se sont accumulées, lentement d'abord, puis il est arrivé quelque chose qu'il est difficile à décrire. Quelques opposants au changement ont eux-mêmes changé. L'un d'eux m'a dit que sa fille lui avait posé des questions auxquelles il ne savait quoi répondre.

« Tout est devenu différent quand ces anciens adversaires se sont transformés en partisans passionnés de la nouvelle orientation. Le rapport des forces a progressivement basculé. Un par un, d'autres se sont joints à l'idée selon laquelle nous devions agir, rapidement et avec force. À la fin de l'année 2009, la prise de certaines décisions a inversé la tendance. Les États-Unis ont d'abord adopté une législation modifiant la manière dont les entreprises et les dirigeants envisageaient l'avenir.

« En donnant un prix à une pollution qui avait été si longtemps ignorée, les États-Unis ont fortement incité les acteurs économiques à ne plus brûler de charbon sans capturer et séquestrer le CO_2 qu'il contient. D'autres mesures visant à produire de l'énergie non plus à partir des combustibles fossiles mais des sources solaires, éoliennes et géothermiques ont permis une vague d'améliorations technologiques évitant la pollution.

« Nous avons eu l'agréable surprise de constater que des changements aussi peu coûteux soient si rentables. Plusieurs industries ont trouvé des moyens de mettre fin à d'insensés gaspillages tout en devenant plus efficientes. Agriculteurs et

DES OUVRIERS DÉPLACENT DES GOUTTIÈRES
SOLAIRES DANS UNE CENTRALE THERMOSOLAIRE,
EN ESPAGNE.

que seuls ceux ayant beaucoup d'argent pouvaient présenter leur point de vue à la télévision, alors encore le principal média de communication – Internet en était à ses débuts. Les défenseurs de l'intérêt général – et de votre avenir – étaient en mauvaise posture.

« Mais la vérité sur l'urgence planétaire a pris corps. Les preuves présentées par les scientifiques se sont accumulées, lentement d'abord, puis il est arrivé quelque chose qu'il est difficile à décrire. Quelques opposants au changement ont eux-mêmes changé. L'un d'eux m'a dit que sa fille lui avait posé des questions auxquelles il ne savait quoi répondre.

« Tout est devenu différent quand ces anciens adversaires se sont transformés en partisans passionnés de la nouvelle orientation. Le rapport des forces a progressivement basculé. Un par un, d'autres se sont joints à l'idée selon laquelle nous devions agir, rapidement et avec force. À la fin de l'année 2009, la prise de certaines décisions a inversé la tendance. Les États-Unis ont d'abord adopté une législation modifiant la manière dont les entreprises et les dirigeants envisageaient l'avenir.

« En donnant un prix à une pollution qui avait été si longtemps ignorée, les États-Unis ont forte-ment incité les acteurs économiques à ne plus brûler de charbon sans capturer et séquestrer le CO_2 qu'il contient. D'autres mesures visant à produire de l'énergie non plus à partir des combus-tibles fossiles mais des sources solaires, éoliennes et géothermiques ont permis une vague d'amélio-rations technologiques évitant la pollution.

« Nous avons eu l'agréable surprise de cons-tater que des changements aussi peu coûteux soient si rentables. Plusieurs industries ont trouvé des moyens de mettre fin à d'insensés gaspillages tout en devenant plus efficientes. Agriculteurs et propriétaires fonciers se sont mis à planter des arbres par millions et à modifier leurs modes de culture et d'élevage.

« Les nouvelles politiques en matière de BTP ont permis d'isoler les bâtiments, de changer les toits, les sources d'éclairage et les fenêtres. Architectes, développeurs et entreprises de construction ont commencé à concevoir et à réaliser des structures "zéro carbone". C'est devenu un point d'honneur. Nous pensions à vous, mais nous étions fiers de ce que nous faisions pour nous-mêmes. Lentement d'abord, puis de façon plus prégnante, un sentiment d'intérêt commun s'est emparé de nous. Il nous a exaltés et encouragés à opérer encore davantage de changements dans l'industrie, l'agriculture, les transports et jusque dans nos villes.

« Peu après le tournant pris aux États-Unis, tous les pays du monde se sont réunis à Copenhague, au Danemark, pour négocier un traité international que de nombreux analystes pensaient, même alors, impossible. Il s'est produit quelque chose. À l'orée du changement planétaire, beaucoup trouvaient que l'on en faisait trop peu – de même qu'aux États-Unis, beaucoup pensaient que la législation adoptée à la veille de ces négociations n'allait pas assez loin. Mais les règles du traité se sont avéré avoir plus de force que nous ne l'imaginions : elles modifièrent les attentes, les projets, la pensée, puis, peu à peu, les comportements.

« La Chine, de son côté, changeait elle aussi progressivement. Puis l'Inde s'y est mise, il est vrai moins vivement mais, en 2009, l'association des États-Unis et de la Chine – alors les deux plus gros pollueurs de la planète – a fait toute la différence. L'Europe, en plein processus d'unification, s'est jointe au Japon pour soutenir la proposition des États-Unis et de la Chine de limiter considérablement les émissions de CO_2 et d'autres gaz à effet de serre, responsables de la crise du climat. Au cours des premières années du XXIe siècle, ce sont le Japon et l'Europe qui ont donné au monde un leadership indispensable, les États-Unis ayant abdiqué leurs responsabilités.

« Le Brésil et l'Indonésie – les deux pays leaders en matière de déforestation – ont rallié les pays en développement pour signer un accord qui associait, pour la première fois, l'arrêt de la déforestation dans les pays pauvres à une réduction notable des émissions industrielles dans les pays riches.

« Dans le monde entier, à mesure que la prise de conscience de la crise se développait, les populations ont trouvé des moyens de faire pression sur les politiques. Des centaines de milliers puis des millions de réseaux sont apparus. Connectés les uns aux autres grâce à Internet, ces groupes ont formé une « Grande Alliance » d'ONG, qui a défendu un programme commun de transformation systématique de l'agriculture, de l'industrie et du commerce. Les nouvelles incitations à la réduction des émissions de carbone ont libéré des ressources pour financer la reforestation, l'agriculture biologique, la restauration des sols, ainsi que la réforme de l'éducation – des filles autant que des garçons – et des programmes de santé publique, en particulier dans le domaine de la pédiatrie et de l'obstétrique, afin de réduire la mortalité infantile et d'accélérer la transition démocratique.

« L'accord de Copenhague, quoique critiqué à l'époque pour sa timidité, ne fut finalement qu'une première étape. Il a été peu après renforcé, puis renforcé encore. Nous aurions dû savoir, je suppose, que c'est ainsi que cela se passerait. En 1987, quand l'apparition soudaine d'un trou dans la couche d'ozone stratosphérique, au-dessus de l'Antarctique, avait alerté le monde sur la première crise de l'atmosphère mondiale, la réaction qui s'ensuivit fut identique. Le premier traité, à Montréal, avait été critiqué pour sa faiblesse, mais il fut bientôt complété à Londres, puis consolidé. Deux ans plus tard, à Copenhague, il évolua encore considérablement. Et cela a produit les effets escomptés ! La couche d'ozone, comme vous le savez, a presque retrouvé son intégrité. Grâce à ce que nous avons fait, vous n'avez plus à vous en soucier, comme vous n'avez plus à vous soucier du réchauffement climatique.

« Rien de tout cela n'était évident à la fin 2009. Alors même que le changement était engagé, les débats persistaient.

« Si de nombreux pays ont pris la tête du mouvement, les États-Unis, quand ils eurent assumé

brillamment à développer de nouvelles technologies permettant des progrès plus rapides qu'ils n'étaient concevables en 2009. Après tout, il n'a fallu aux États-Unis que huit ans et deux mois pour déposer des hommes sur la Lune et les ramener sur Terre – après qu'ils l'eurent décidé, en 1961.

« Nous, Américains, avions oublié à quel point nous pouvions être efficaces en matière d'innovation technologique. Par le passé, nous avions pourtant réussi bien des fois. Notre expérience – construction de chemins de fer d'un océan à l'autre, d'un réseau électrique national, du système d'autoroutes inter-États, réalisation du projet Manhattan, développement d'Internet – s'est avérée précieuse quand nous avons entrepris

Si le leadership a été assumé par plusieurs pays, les États-Unis, prenant à nouveau leurs responsabilités, ont rétabli l'autorité morale attendue.

à nouveau leurs responsabilités, ont rétabli l'autorité morale que le monde avait pris l'habitude d'attendre de ce pays depuis la Seconde Guerre mondiale. Rappelons que personne ne pouvait imaginer le succès du plan Marshall, adopté en 1947, dans la période de paix et de prospérité dont put bénéficier un continent qui avait souffert de la guerre et des divisions pendant plus de 1 000 ans.

« Nous aurions dû également savoir qu'une fois que nous nous y attellerions, nous réussirions

de bâtir un super-réseau énergétique national utilisant en quantité illimitée l'électricité solaire, éolienne et géothermique.

« L'industrie de l'automobile – qui était moribonde aux États-Unis début 2009 – a été restructurée avec l'aide du gouvernement, et s'est engagée dans une conversion historique à l'électrique, alimentée par une énergie issue de sources renouvelables.

« Une fois cette nouvelle direction prise, les pays se sont fait concurrence pour développer des

DES OUVRIERS DÉPLACENT DES GOUTTIÈRES
SOLAIRES DANS UNE CENTRALE THERMOSOLAIRE,
EN ESPAGNE.

technologies meilleures et moins coûteuses, ce qui a accéléré la réduction des émissions de carbone. Nombre des nouvelles technologies que vous considérez comme allant de soi ont été mises au point durant ce boom de l'innovation, permis par la Grande Transformation inaugurée en 2009.

« L'esprit d'entreprise et d'innovation qui est apparu dans le monde en développement, que l'on croyait dans une situation désespérée, a eu un impact plus profond que nous ne l'envisagions alors.

« Le changement le plus important dans la mesure où il a rendu cette transformation possible est difficile à décrire avec des mots : nous nous sommes mis à penser autrement. La Terre a commencé à occuper nos pensées. Et il est devenu inacceptable de participer à des activités mettant à mal l'environnement.

« Les jeunes, dans le monde entier, ont ouvert la voie à ce nouveau mode de pensée. Les entreprises restées à la traîne des réformes ont perdu leurs clients et leurs employés, ce qui les a incitées à modifier leurs comportements.

« À partir de 2010, nous avons été en mesure de voir la Terre en temps réel depuis l'espace. Cela nous a donné conscience que nous partagions tous la même maison. Une fois terminé le débat sur la réalité de la crise, nous avons passé la vitesse supérieure et le changement est devenu irrépressible.

« Une fois encore, nous aurions dû savoir que nous étions capables de telles prises de conscience. Mais nous avions oublié que ceux qui avaient mis fin à l'esclavage avaient d'abord changé la manière de penser l'esclavage. Nous avions oublié l'époque où les États-Unis et l'Union soviétique possédaient, sur des missiles balistiques intercontinentaux prêts à être lancés à tout moment, des dizaines de milliers de têtes nucléaires. Le démantèlement de ces terribles arsenaux avait été précédé d'une

évolution similaire de notre réflexion sur la guerre nucléaire.

« Je sais que nous avons attendu trop longtemps. J'aurais aimé que nous agissions plus tôt. Mais les problèmes que nous vous léguons, si aigus soient-ils, ne sont rien à côté de ce qui se serait produit si la Grande Transformation n'avait eu lieu. Vos perspectives d'avenir sont aujourd'hui radieuses. Les blessures infligées à l'atmosphère et à l'écosystème de la Terre sont en voie de guérison. Dans quelques siècles, quand l'équilibre climatique de notre planète sera pleinement restauré, vos descendants vous remercieront pour avoir poursuivi dans cette voie. Il aurait pu en aller autrement.

« L'établissement d'un dialogue international en ligne, permanent, sur les solutions les plus efficaces à chacun des problèmes qui devaient être surmontés fut une des clefs du succès. Les nouveaux outils permettant d'évaluer les meilleures solutions et de les perfectionner de façon coopérative ont accéléré les progrès bien au-delà de ce que nous croyions possible. Tout le monde, semblait-il, faisait sa part de travail. Là encore, nous aurions dû savoir que nous étions capables de nous rassembler autour d'une urgence commune. Pendant la Seconde Guerre mondiale, nos parents avaient fait de même avec les « Jardins de la victoire » et le recyclage, alors que personne avant-guerre n'aurait cru cela réalisable. Cette cohésion et ce sentiment d'un but commun avaient pourtant créé la confiance d'où sont nés les Nations unies, le système mondial d'échanges et les institutions internationales qui, en dépit de tous leurs défauts, ont évité les crises que nous avions connues dans la première moitié du XXe siècle.

« Nous avons eu peur, dans les premiers mois de 2009, qu'une nouvelle crise mondiale soit devant nous. Nous avions aussi des craintes au Moyen-Orient, notamment du fait de notre dépendance vis-à-vis du pétrole – car l'essentiel des ressources était concentré dans la région du golfe Persique. La concurrence pour assurer l'accès à des ressources déjà déclinantes conduisait à des tensions qui auraient pu provoquer une autre guerre.

« Cela semble ironique aujourd'hui, alors que la Grande Transformation vers une économie pauvre en carbone a restauré la prospérité économique et apaisé les rapports de force qui nous faisaient redouter un conflit. Une fois le monde embarqué dans son périple pour guérir la planète et préserver notre avenir, des dizaines de millions de nouveaux emplois – et de nouveaux métiers – sont apparus. L'abandon du pétrole et du charbon a réduit les tensions au Moyen-Orient. La priorité donnée à la reforestation et à la recarbonisation des sols a généré des millions de nouveaux emplois dans les pays en développement. Grâce à l'essor des panneaux photovoltaïques et des petites éoliennes, l'activité économique des pays pauvres a été transformée.

« Mais ce qui a été déterminant dans la résolution de la crise du climat, ce furent nos progrès incroyables en matière d'efficience énergétique. La signature du traité international donnant un prix aux émissions de CO_2 et d'autres polluants a modifié l'ensemble des prévisions économiques.

« Après le renforcement de l'accord de Copenhague, chaque pays a compris la direction qu'il fallait prendre et les avantages qu'il y avait à le faire avant les autres. Les gains en efficience étant les plus simples à mettre en œuvre, les plus rentables et les plus accessibles, toutes les pratiques économiques ont été repensées.

« Le mouvement des "citoyens du monde" contre la corruption a joué, lui aussi, un rôle important. Nombre de nos erreurs étaient en réalité dues à un processus de décision corrompu. À partir du moment où la corruption a été régulièrement dénoncée s'est fait jour une nouvelle éthique du service public.

« Il s'est avéré que le système politique avait quelque chose en commun avec la crise du climat : il était, pour reprendre un terme scientifique, "non linéaire". Il semblait évoluer très lentement, puis, ayant atteint un certain point, il se déplaçait à la vitesse de la lumière. C'est ce qui s'est passé à partir de 2010 : une fois le changement amorcé, il a pris de la vitesse. Et, celle-ci augmentant, il ne fut plus possible de l'arrêter. Nous avons alors commencé à penser en tant que civilisation mondiale et à résoudre plus efficacement les problèmes.

« Les jeunes ont nourri ce défi d'une passion et d'un engagement incroyables. Nombre d'entre eux étaient encore à l'école quand nous avons décidé d'agir. L'entreprise les a tellement enthousiasmés qu'ils ont changé le cours de leurs études afin de préparer des carrières qui leur permettraient de jouer un rôle important dans notre succès. Nous avions oublié que leur idéalisme et leur énergie étaient une ressource inépuisable.

« Cela m'a rappelé le jour où le premier homme a marché sur la Lune, en 1969, quand les ingénieurs de la Mission de contrôle, à Houston, ont levé les bras et ont partagé sa joie. Ils étaient en moyenne âgés de 26 ans, ce qui signifie qu'ils avaient environ 18 ans lorsqu'ils avaient entendu l'appel du président Kennedy, en 1961.

« En 2010, dans le monde entier, une nouvelle génération idéaliste a pris l'initiative. Ces jeunes ont apporté des idées neuves et de la passion, les partageant avec tous. Pays après pays, ils ont fait évoluer la politique et la culture. Ils regardaient le monde avec des yeux neufs. Pour eux, il était inconcevable que nous échouions. Grâce à eux, nous avons réussi.

« Dieu peut en témoigner, nous avons fait des erreurs. Mais quand l'espoir semblait s'évanouir,

CLIMATE CASINO
GAMBLING WITH YOUR PLANET
www.climatecamp.org.uk

SOUL NOT COAL

"Let's walk together whatever the weather— come what may..."

CES MILITANTS BRITANNIQUES ESSAIENT DE FAIRE ENTENDRE LEUR VOIX DEVANT L'EUROPEAN CLIMATE EXCHANGE, À LONDRES (EN HAUT), ET LORS DU CAMP POUR L'ACTION CLIMATIQUE, À BLACKHEATH (ANGLETERRE).

nous avons levé les yeux vers le Ciel et perçu ce que nous avions à faire.

« Je ne vous demande qu'une chose en retour de ce que nous avons fait en votre nom : transmettez à vos enfants, à ceux qui dépendent aujourd'hui de vos décisions, le courage et la volonté d'agir avec détermination lorsque l'avenir est en péril. Nous avons trouvé notre force dans le courage et l'héroïsme de ceux qui nous ont précédés. Vous serez contestés, comme nous l'avons été. Mais je sais que vous n'oublierez pas ceux qui viennent après vous, comme nous ne vous avons pas oubliés.

« Prenez garde car certaines des technologies que nous avons inventées pour résoudre la crise ont conduit à la mise au point d'outils nouveaux qu'il faut utiliser avec responsabilité.

« Lorsque l'on observe l'espace, on se rend compte que notre merveilleuse planète est le jardin d'Éden de l'humanité, vivante et en devenir. En notre temps, sans le comprendre d'abord, nous avions acquis le pouvoir et le savoir permettant de le détruire. Pour nous, comme pour vous aujourd'hui, il s'agissait de trouver la sagesse et la modération nécessaires afin d'éviter cette issue, et de les mettre en œuvre.

« Le choix est un outil formidable et éternel. Il se trouve dans les mains de la génération présente. Nul ne peut y échapper. Et les décisions prises seront pleurées ou célébrées par l'ensemble des générations à venir. »

Le choix est formidable et potentiellement éternel. Il se trouve dans les mains de la génération actuelle.

ANNEXES

Les sources de référence de *Choisir,
maintenant* sont consultables sur
www.ourchoicethebook.com.

INDEX
*Les numéros de page en italique
renvoient à des illustrations.*